KLASSIZISMUS UND KULTURVERFALL

KLASSIZISMUS UND KULTURVERFALL

Vorträge

Herausgegeben von

G. E. von Grunebaum und Willy Hartner

VITTORIO KLOSTERMANN · FRANKFURT AM MAIN

Frankfurt-Chicago-Seminar 1956

Gesamtherstellung: Buchdruckerei Otto GmbH., Heppenheim/Bergstraße
Printed in Germany

INHALTSVERZEICHNIS

VORWORT

Im Rahmen des im Jahre 1951 zwischen der Johann Wolfgang Goethe-Universität, Frankfurt a. M., und der University of Chicago getroffenen Arbeitsabkommens wurde im Sommersemester 1956 in Frankfurt ein Seminar über das Problem KLASSIZISMUS UND KULTURVERFALL unter meiner Leitung abgehalten. In zehn Sitzungen wurde das Problem zuerst grundsätzlich (von dem Unterzeichneten, damals Chicago, und Prof. W. H. McNeill, Chicago), dann mit Bezug auf charakteristische Bereiche kulturellen Lebens wie Recht (Prof. H. Coing, damals Rector magnificus der Universität Frankfurt), Naturwissenschaft (Prof. W. Hartner, Frankfurt) und Religion (Univ.-Doz. H. L. Mikoletzky, Wien, Prof. H. Ritter, Frankfurt, Prof. F. Meier, Basel), und schließlich innerhalb verschiedener nichtwestlicher Kulturgebiete, wie im antiken Zweistromland und in Ägypten (Prof. McNeill), im alten Ägypten (Prof. W. Preiser, Frankfurt) und China (Professor W. Eberhard, University of California, Berkeley) untersucht. Die Vorträge des Seminars sollen in diesem Bande einem weiteren Publikum in z. T. etwas überarbeiteter Form vorgelegt werden. Beigegeben ist das Wesentliche der zu diesen Vorträgen abgehaltenen und stets lebhaft anregenden Diskussionen, an denen sich, von den Vortragenden abgesehen, die folgenden Seminarteilnehmer beteiligt hatten: von Frankfurt die Professoren E. A. Behrens, M. Gelzer, H. Keller, H. Kronstein, H. O'Daniel, K. Reinhardt und Privatdozent H. Rahn, sowie Fräulein Dr. H. von Dechend und Dr. M. Schramm; von Chicago Professor André Weil; ferner Referendar Huber und die Studenten Hafter, Hammerstein, Stelzenmüller und Volhard.

Die Arbeiten des Seminars waren mit denen des „Internationalen Islamkundlichen Symposiums“ koordiniert, das Ende Juni 1956 in Bordeaux unter den Auspizien der Universitäten Bordeaux und Chicago und unter der Leitung der Professoren R. Brunschvig (damals Bordeaux, jetzt Sorbonne) und von Grunebaum tagte. Das Symposium befaßte sich unter dem Gesamttitel *Classicisme et déclin culturel dans l'histoire de l'Islam* vorwiegend mit der Entwicklung des islamischen Kulturkreises bis etwa 1800 n. Chr., richtete seine Aufmerksamkeit aber auch auf bedeutsame einschlägige Phänomene der westlichen Spätantike, der byzantinischen Welt und Chinas. Vier Teilnehmer am Frankfurter Seminar waren in Bordeaux anwesend. Die im Januar 1958 in Paris bei Besson et Chantemerle (vormals G.-P. Maisonneuve) herausgekommenen *Actes du Symposium International d'Histoire de la Civilisation Musulmane,* Paris 1957, enthalten daher in französischer Sprache Beiträge der Herren Hartner, Meier, Ritter und Grunebaum, die den gleichen Gegenstand auch im vorliegenden Band behandelt haben. Von diesen vier Kapiteln sind jedoch nur die der Herren Ritter und Meier mit dem französischen Text so gut wie identisch. Der Beitrag des Herausgebers ist für das gegenwärtige Werk erweitert worden; die Darstellung Herrn Hartners ist gänzlich neu. Den Teilnehmern am Frankfurter Seminar will es scheinen, daß die beiden Bände zusammen benützt werden sollten, da die beiden Tagungen an verschiedenen Materialien komplementäre Gesichtspunkte zur Geltung gebracht haben. Dem Verlag Besson et Chantemerle sei auch an dieser Stelle für die Zuvorkommenheit gedankt, mit der er den (teilweisen) Wiederabdruck in deutscher Sprache eines nicht unwesentlichen Bestandteils seines Verlagsmaterials möglich gemacht hat.

Das Gelingen des Seminars ist weitgehend den Bemühungen der Frankfurter Universitätsbehörden und des Frankfurter Ausschusses des Chicago-Fankfurt Inter-University Program, insbesondere seines Geschäftsführenden Vorsitzenden, Prof. W. Hartner, sowie des Vorsitzenden des Chicago Committee on the Inter-University Program, Dean C. D. Harris, zu danken. Frl. Dr. H. v. Dechend und Herr Dr. M. Schramm haben sich um Bewahrung und Fassung der Diskussionen verdient gemacht und sich zudem nebst Herrn Dr. A. Hottinger (Basel und Zürich) mit Sachkenntnis und Zeitopfer um die Vorbereitung zur Drucklegung bemüht. Die Ausführung des Arbeitsabkommens zwischen den Universitäten Frankfurt und Chicago ist durch die finanzielle Zusammenarbeit der Stadt Frankfurt a. M., des Landes Hessen, der Universität Chicago und der Ford Foundation ermöglicht worden. Es liegt mir wie allen Teilnehmern des Seminars am Herzen, die wenigen namentlich genannten Helfer und die vielen, die ungenannt bleiben müssen, der warmen Anerkennung ihrer Bemühungen zu versichern.

Los Angeles,
im Frühjahr 1958

G. E. von Grunebaum
Director, Near Eastern Center
University of California, Los Angeles

G. E. von Grunebaum

VON BEGRIFF UND BEDEUTUNG EINES KULTURKLASSIZISMUS

Klassizismus als Kulturbestrebung läßt sich in vier Bestandteile aufspalten: (1) eine vergangene (oder bloß fremde) Phase kultureller Entwicklung wird als vollständige und vollkommene Verwirklichung menschlicher Möglichkeiten anerkannt; (2) diese Verwirklichung wird als rechtmäßiges Erbe oder Besitz angeeignet; (3) es wird als möglich zugelassen, daß die eigene Gegenwart nach vergangener (oder fremder) Vollkommenheit umgeformt wird; und (4) das Kulturwollen der Vergangenheit bzw. der Fremdkultur wird als mustergültig und für die Gegenwart verbindlich übernommen.

Die jeweilige Tatsachengerechtigkeit eines oder selbst aller dieser Urteile ist – zumindest bis zu einem gewissen Grad – unerheblich, was die gefühlsmäßige Anziehung oder genauer: die psychologische Wirksamkeit der klassizistischen Bestrebung angeht; obzwar zuzugeben ist, daß ein drastisches Fehlurteil die Entzauberung und die Einsicht in die Vergeblichkeit der Bemühung, welche wohl die der klassizistischen Begeisterung eigentümlichen Gefahren darstellen, zu beschleunigen geeignet ist. Es kann nicht genügend betont werden: der für das Entstehen einer klassizistischen Haltung maßgebliche Faktor ist nicht die Erkenntnis der Überlegenheit oder Einzigkeit einer bestimmten kulturellen, oder speziell künstlerischen, politischen oder religiösen Leistung, sondern deren Anerkennung als unverbrüchliche Norm. Ein Klassizismus entdeckt in der von ihm erwählten Vergangenheit ein absolutes Vorbild; er geht von der Voraussetzung aus, daß diesem Vorbild nachgeeifert und nachgeahmt werden muß; daß es möglich ist, es ihm gleichzutun und vielleicht sogar – ein sonderbarer aber förderlicher Widerspruch! – es zu übertreffen. Was immer aber das Ergebnis dieses Wetteiferns und Angleichens, der Klassizismus besteht darauf, daß selbst die unvollkommene Nachahmung des Vorbilds an erziehlichem und zivilisatorischem Wert jeglichem Versuch kultureller Neuschöpfung im Geist der eigenen Zeit überlegen ist. Ein Klassizismus, der es mit sich ernst meint, bedeutet eine außerordentliche Anstrengung des Kulturbewußtseins und kann durchaus nicht einfach mit Dekadenz und Epigonentum in eins gesetzt werden[1], obgleich historisch gesehen ein klassizistisches Bemühen sich zuzeiten mit besonderer Energie in ordnungsbedrohten und absinkenden Epochen geltend gemacht hat. Eine skizzenhafte phänomenologische Übersicht von der Beobachtung zugänglichen Klassizismen, von verschiedenen Gesichtspunkten unternommen, wird eine Reihe von einander ergänzenden Klassifikationsmöglichkeiten ans Licht bringen, deren jede eine bedeutsame Ansicht des Klassizismus innerhalb des Gesamtzusammenhanges der Kulturgeschichte herauszustellen geeignet sein dürfte. Den Zusammenhalt der Untersuchung liefert ihre Zielsetzung: die Abschätzung der dem Klassizismus innewohnenden Produktivität.

I. Die *Funktion* des jeweils betrachteten Klassizismus innerhalb seines kulturellen Rahmens muß in Erwägung gezogen werden. Diese Funktion darf gesetzt werden als das objektive Gegenstück bzw. die objektiv in Erscheinung tretende Disposition oder Bestrebung *(aspiration)*, von der die Kulturträger beim Auftreten des betreffenden Klassizismus beseelt sind.

[1] Vgl. F. Wieacker, Vulgarismus und Klassizismus im Recht der Spätantike, *SbHAW*, phil.-hist. Kl., 1955/3, S. 51; in ihren Hauptlinien hat Wieacker diese Auffassung bereits in seiner Studie ‚Vulgarismus und Klassizismus im römischen Recht der ausgehenden Antike', *Studi in onore di Pietro de Francisci,* III (Mailand, 1954), 134, ausgesprochen.

A. Betrachtet man ihn nun vom Standpunkt der Funktion, die auszufüllen er bestimmt ist (wobei freilich der Vielfalt der Funktionen Rechnung zu tragen ist, die jegliches historische Phänomen zu übernehmen befähigt ist), so läßt sich feststellen, daß Klassizismus als Mittel dienen kann, *(a)* kulturelle Fortschritte zu stabilisieren.

Die klassizistische Stimmung, deren Ausbreitung die Regierung im zweiten und dritten Jahrhundert unserer Zeitrechnung förderte, um die Treue der Untertanen durch eine Vertiefung ihres Zugehörigkeitsgefühls zur griechisch-römischen Tradition zu stärken, war von dem Willen getragen, das hellenische Erbe, das als eine der Wohltaten der kaiserlichen Herrschaft empfunden wurde, zu bewahren; an seine Weiterentwicklung wurde im Grunde nicht gedacht. Man durfte annehmen, daß die Barbaren an der hellenischen Tradition Geschmack finden würden; schöpferische Aneignung konnte man nicht erwarten; man darf vielleicht sogar sagen, die erwünschte erzieherische Wirkung setzte die Stabilität einer in sich geschlossenen, dabei absorptionsbereiten Zivilisation voraus[2]. In ähnlicher Weise sollte die sogenannte Renaissance des zwölften Jahrhunderts mit ihrer Neigung zum Nützlichen und ihrer vorwiegenden Interessenrichtung auf Philosophie, Medizin, Mathematik und die Naturwissenschaften im allgemeinen[3] wohl weniger als ein Ausdruck unzufriedenen, tiefgreifenden Reformdranges angesehen werden denn als ein Versuch, auf solider und achtbarer Grundlage einige Fortschritte sicherzustellen, die eine gewisse Erweiterung des Erfahrungsbereichs mit sich gebracht hatte, und die nun bewahrt werden sollten, ohne doch die traditionellen Autoritäten zu erschüttern[4].

(b) eine kulturelle Position zu erhalten, die im Entgleiten begriffen scheint.

[2] Vgl. R. R. Bolgar, *The Classical Heritage and Its Beneficiaries* (Cambridge, England, 1954), S. 32 und 61.

[3] Vgl. P. Koschaker, *Europa und das römische Recht* (München und Berlin, 1953), S. 61.

[4] Vgl. Bolgar, *op. cit.*, S. 148–49 und 182–83.

Man gewinnt den Eindruck, daß innerhalb des eigentlich hellenischen Bereichs der Klassizismus der frühen Jahrhunderte nach der Zeitenwende auf eben dieses Ziel ausgerichtet war; wodurch wir ein lehrreiches Beispiel für die Variabilität der Funktion gewinnen, die ein und dieselbe Kulturerscheinung zur gleichen Zeit in verschiedenen Kulturzusammenhängen ausfüllen kann. Möglicherweise angespornt durch den Gegensatz zwischen der tiefen Verehrung, die ihre römischen Herren für ihre Vergangenheit an den Tag legten, und der geringen Achtung, die sie ihrem gegenwärtigen Zustand entgegenbrachten[5], in der Hauptsache aber doch von einer Aufwallung kultureller Selbstbewußtheit motiviert bemühten sich die (kleinasiatischen) Griechen des ersten und besonders des zweiten Jahrhunderts um die Wiederverlebendigung ihres Erbes. Sie rangen aber nicht um eine im gegebenen Rahmen beispiellose Selbstdarstellung, sondern begnügten sich mit der Aufgabe, in Sitte, religiösem Brauchtum und vor allem in Sprachform und literarischem Ausdruck die Übung des vorbildlichen Zeitraums von der Schlacht bei Marathon bis auf den Tod des Demosthenes wieder ins Dasein zu rufen[6]. Die Belebung der Form verschleierte die Unfähigkeit, die Wirklichkeit zu beleben; der Aufstieg eines unpolitischen, nach der Vergangenheit lugenden Panhellenismus genügte, um die klassische Erbschaft stetig zu bewahren; das Nichtvorhandensein einer humanistischen Kultur von vergleichbarem Niveau und vergleichbarer Vielfalt, die mit ihr hätte in Wettbewerb treten können, sicherte der Bewegung eine sonst kaum je erreichte Wirkungsdauer. Ihre Normen waren noch in Geltung, wenn auch nicht mehr streng angewandt, als Theodoros Metochites (1260/61–1332) sich bemühte, der kulturellen Wirklichkeit seiner Zeit wenigstens einige Frei-

[5] Vgl. W. Schmid, *Über den kulturgeschichtlichen Zusammenhang und die Bedeutung der griechischen Renaissance in der Römerzeit* (Leipzig, 1898), S. 15.

[6] Vgl. Lukian, *Rhetorum Praeceptor,* c. 18 (ed. Jacobitz, III, 93); Hinweis bei A. Boulanger, *Aelius Aristide et la sophistique dans la province d'Asie au IIe siècle de notre ère* (Paris, 1923), S. 52.

heit des Selbstausdrucks zu erringen, ohne freilich den verbindlichen Charakter des veralteten Erbes, das immer noch das byzantinische Geistesleben monopolisierte, aufzugeben[7]. Dio von Prusa war außerstande, seine Zeitgenossen zu überreden „wieder wie die alten Griechen zu werden", doch aufs Ganze gesehen gelang es der sophistischen Bewegung, die Autorität der formalen Leistungen der Alten zu sichern, wodurch sie denn auch diese Leistungen selbst einer späteren Zeit zu schöpferischer Verlebendigung erhielt.

Wenn der arabische Dichter und Kritiker der Blütezeit und sein Nachfolger in der späteren „kranken Zeit"[8] die uneingeschränkte Autorität der Beduinenpoesie verfochten, fanden sie sich in einer weit weniger eindeutigen psychologischen Situation. Denn nicht nur war die Kulturleistung, an die sie sich klammerten, veraltet innerhalb ihres Ursprungsbereichs und nicht einmal mehr unter den Wüstenstämmen produktiv, sondern die Beduinen als solche, deren Dichtung seinerzeit das einflußreichste Instrument zu einer Integrierung arabischer Zivilisation gewesen war, ohne jedoch im Islam auch nur annähernde Erheblichkeit zu erreichen, diese Beduinen waren in Verachtung gesunken, und das gleiche städtische Publikum, das auf der Mustergültigkeit ihrer metrischen und thematischen Erfindungen bestand, war bestrebt, sie sich soweit als möglich vom Leibe zu halten. Der Grieche der perikleischen Zeit konnte zum menschlichen wie zum literarischen Ideal erhoben werden; sich mit dem Beduinen menschlich zu identifizieren, kam nicht in Frage. Dennoch genügte der durchaus nicht unbedingte und recht zweideutige Anschluß der Literaten an die

[7] Vgl. H.-G. Beck, *Theodoros Metochites. Die Krise des byzantinischen Weltbildes im 14. Jahrhundert* (München, 1952), S. 50–75, bes. S. 61–62. Unter einem von dem unseren sehr verschiedenen Gesichtspunkt bietet F. Dölger, Der Klassizismus der Byzantiner, seine Ursachen und seine Folgen, *Geistige Arbeit,* V (1938), no. 12 (20. 6. 1938), S. 3–5, eine knappe Funktionsanalyse der byzantinischen Kulturhaltung.

[8] Um mich an das Urteil des Abū 'l-Fatḥ al-Bustī (971–1010) über seine Zeit, *az-zamān al-marīḍ,* zu halten; so in einem Vers bei al-Baihaqī (1105–1169), *Ta'rīḫ ḥukamā' al-islām,* hg. M. Kurd ʿAlī (Damaskus, 1946), S. 50[9].

Beduinentradition, um den literarischen Mustern der Heidenzeit eine scheinhafte Permanenz zu sichern, deren Wirkungsdauer der Lebenskräftigkeit der von der Zweiten Sophistik aufgerichteten Vorbilder beinahe gleichkommt. Die Unsicherheit des späteren Mittelalters und das Nichtvorhandensein kultureller Alternativen mögen dazu beigetragen haben, für die inneren Mängel des Ideals und seiner Schöpfer einen Ausgleich zu schaffen.

(c) Mittel zur Selbststilisierung.

In schärfstem Gegensatz zur Einstellung des städtischen Arabers dem beduinischen Urheber seiner literarischen Leitbilder gegenüber kann eine historische Phase gerade um der menschlichen Ineinssetzung willen, die sie zu erlauben scheint, ins Klassische überhöht werden. Als die Römer die Wendung zur *humanitas* vollziehen wollten, mußten sie sich den Griechen zukehren, um ihrer Sehnsucht Gestalt geben zu können. Sie mußten sich am griechischen Ideal neustilisieren, wie ihnen dieses vom sinkenden Hellenismus dargeboten wurde; es gab einfach kein anderes konkretes Muster, an dem sich die erstrebte Erweiterung der traditionellen Selbstschau ins Allgemeinmenschliche hätte durchführen lassen[9]. Als die griechisch-römische Welt dahingegangen war, sahen sich Orosius, Gregor von Tours und Isidor von Sevilla doch „als Völkern zugehörig, die im Vergleich zu ‚barbarischem' Stamm besonderer Privilegien teilhaft" wären. Man sieht sich im Altertum nach Ahnen und Erzeugern um. Seit der Merowingerzeit werden in Frankreich ethnogene Fabeln gesponnen. Stammen denn die Franken nicht von dem Trojaner Francus ab? Fiktionen dieser Art wurden als „Genealogie ernst genommen und entwickelten sich zu einer gültigen Form völkischen Bewußtseins"[10].

Aller Hemmung entbunden zeigt sich Selbststilisierung am Werk in manchen Dokumenten des modernen Nationalismus, die von dem Bestreben diktiert sind, den Charakter der Gemeinschaft da-

[9] Vgl. etwa E. Hoffmann, *Pädagogischer Humanismus* (Zürich und Stuttgart, 1955), S. 44–45.

[10] Jean Seznec, *The Survival of the Pagan Gods* (New York, 1953), S. 8–20.

durch umzudefinieren, daß eine versunkene Kultur als verbindlicher Präzedenzfall akzeptiert wird. Sāmī Šaukat, ein irakischer Erzieher, sagte 1939 zu einer Lehrertagung: „Sie sehen, wie Geschichte aufgebaut wird je nach den Bedürfnissen des Augenblicks: das ist gestaltende Geschichte.“ In Anwendung dieses Prinzips führte er aus, „daß die arabische Geschichte Tausende von Jahren zurückgeht; nur Achtloigkeit hat sie erst mit der Botschaft des Propheten beginnen lassen“. Tatsachenmäßig „bemerken wir, daß alles und jedes uns das Haupt höher heben läßt, wenn wir die Geschichte der semitischen Reiche im *Fertile Crescent* betrachten – des Chaldäischen, Assyrischen, Afrikanischen (sic!), Pharaonischen, oder des Karthagischen (!); all das muß uns die Überzeugung geben, daß die Zivilisation der Welt im gegenwärtigen Zeitpunkt auf Grundmauern aufruht, die von unseren Ahnen gelegt sind. Diese Reiche und die von ihnen abhängigen Gebiete sind alle unser Eigentum; sie gehören zu uns und sind für uns da; wir haben das Recht, uns ihrer zu rühmen und ihre Errungenschaften zu ehren, gerade so wie wir das Recht haben, die Ruhmestaten Nebukadnezars, Hammurabis, Sargons, Ramses', Tutankhamens in der gleichen Weise zu pflegen und hochzuhalten wie wir uns ʿAbd ar-Raḥmān ad-Dāḫils, ʿAbd al-Malik b. Marwāns, Hārūn ar-Rašīds und al-Maʾmūns rühmen und auf sie stolz sind.“[11]

Von Šaukats Ausbruch nicht wesenhaft, sondern einzig in Finesse und unpolitischer Absicht unterschieden ist die Vorstellung Wilhelm von Humboldts, daß der Geist des Altertums in den der Deutschen übergegangen sei. Die Deutschen sind es, die als erste den Geist der Griechen getreu verstanden und an sich erfahren haben. Als Humboldt mit dem Plan umging, die Geschichte des

[11] *Hāḏihi ahdāfu-nā; man āmana bi-hā fa-huwa min-nā* (Bagdad, 1939), S. 11 und 43–44; übers. von S. G. Haim, ‚Islam and the Theory of Arab Nationalism', *Die Welt des Islams*, n. s., IV (1955), 125. ʿAbdarraḥmān al-Bazzāz, *al-Islām waʾl-qaumiyya ʾl-ʿarabiyya* (Baghdad, 1952); trans. S. G. Haim, *Die Welt des Islams*, n. s., III (1954), 201–218, bes. 209–210, verleiht derselben Konzeption einen etwas disziplinierteren Ausdruck.

Verfalls der griechischen Freistaaten zu schreiben, war sein Beweggrund, in seinen eigenen Worten ausgesprochen, daß „griechischer Geist auf deutschen geimpft, erst das ergibt, worin die Menschheit ohne Stillstand fortschreiten kann“[12].

(d) zur Rechtfertigung von Veränderungen.

Tiefgreifender Kulturwandel, ob er nun die grundlegende Struktur einer Zivilisation als ganze oder nur ihren Selbstausdruck in einem begrenzten Gebiet kultureller Bemühung berührt, ist gemeinhin von dem Gefühl begleitet, sich von einer Autorität freigekämpft zu haben. Das Empfinden der Zeitgenossen, einer Fessel ledig geworden zu sein, die man allmählich als sinnlos, wenn nicht gar als geradezu schädlich hatte betrachten lernen, erscheint in den Dokumenten der Epoche mit solchem Nachdruck, daß es einer Nachwelt, die vielleicht selbst noch aus der Entthronung eben dieser Autorität Nutzen zieht, nicht immer leicht fallen mag, sich darüber klar zu werden, daß die angebliche Befreiung im Grund nichts war als die Ersetzung einer Autorität durch eine andere. Es liegt auf der Hand, daß solches der Fall war, als der Humanismus der Renaissance sich den Ketten mittelalterlicher Kirchlichkeit entwand, um sich dem Altertum in freiwilliger Knechtschaft zu überantworten. Da sie der Überlieferung gegenüber nicht stark genug waren, um den axiomatischen oder den absoluten Wert ihres Wollens zu behaupten, sahen sich die Humanisten des fünfzehnten Jahrhunderts genötigt, durch Berufung auf die Klassiker, denen sie sich verwandt wußten und die ihre Ergebenheit damit belohnten, daß sie sich zu unerreichbaren Vorbildern umdenken ließen, sowohl ihre Beweisführung zu stützen als ihr Lebensgefühl zu legitimieren. Es ist lehrreich, die Entwicklung zu verfolgen, der das Altertum in den Köpfen der italienischen Humanisten unterliegt; zuerst Gegenstand der Nachahmung wird es zu einem allumfassenden Standard wissenschaftlicher, literarischer, künstlerischer und philosophischer Leistung, und, darüber hinaus, ein Führer im Leben des Einzelnen wie der

[12] W. Rehm, *Griechentum und Goethezeit* (3. Aufl.; Bern, 1952), S. 230–31.

Allgemeinheit und schließlich ein Hebel, mit dessen Hilfe die Volkskultur der eigenen Zeit zu zeitloser Idealität emporgehoben werden soll[13].

Als im sechzehnten Jahrhundert eine Reihe französischer Gelehrter und Schriftsteller für den Einzelnen volle Freiheit, seinen eigenen Weg zu gehen, beanspruchten, da mußte diese Freiheit ebenso sehr der Autorität der Alten abgerungen werden wie der mittelalterlichen Tradition, an deren Stelle die Griechen und Römer getreten waren[14].

(e) Eine Bühne für Erlebnisse, Zielsetzungen und Selbstsichten herzustellen, die in der zeitgenössischen Gegenwart bzw. ihrer gängigen Interpretation nicht befriedigend untergebracht werden können.

Nicht nur der Dichter, wie Shakespeare will, sondern die Menschheit überhaupt „benennt / das luftge Nichts und gibt ihm steten Wohnsitz."[15] Der Mensch hat sich niemals gern damit beschieden, seine Träume ins Traumland zu verweisen, sondern hat sich immer bemüht, sie fest in Raum und Zeit zu verankern, sodaß sie, mit einem unsicheren Schein von Wirklichkeit begabt, an der Verwirklichung der Sehnsucht nach Selbstentwicklung, die der Traum symbolisch ausgesprochen hatte, mithelfen konnten. Mit dem Fortschreiten geographischer und geschichtlicher Kenntnis und besonders mit der steigenden Empfindlichkeit unseres wissenschaftlichen Gewissens fällt es uns immer schwerer, unseren Phantasien einen festen Ort anzuweisen; das Herausstellen dieser Gebilde aus der persönlichen Erfahrungsebene behält jedoch seine überragende Bedeutung als ein außerordentlich wirksames Mittel zu vertieftem Selbstverständnis und intensivierter Selbstentwicklung. Bis zu einem gewissen Maß ist der Geschichte, die ja nach Methode und Darstellungsweise sich wissenschaftlicher

[13] Vgl. H. v. Srbik, *Geist und Geschichte vom deutschen Humanismus bis zur Gegenwart* (München und Salzburg, 1950–51), I, 47.

[14] Vgl. H. Gillot, *La querelle des anciens et des modernes en France* (Paris, 1914), S. 33–34.

[15] *Ein Mittsommernachtstraum* V: i. 16.

Achtbarkeit erfreut, die Rolle zugeteilt worden, die einstmals der freien Einbildungskraft zufiel. Halb gegen ihren Willen helfen die Historiker, „die Überlieferungen ihres Landes ans Licht zu bringen oder zu diagnostizieren; besser gesagt vielleicht ... sie geben der Entscheidung, die ihre Zeitgenossen in diesem Punkt bereits zu fällen im Begriff sind, zusätzliche Hebelkraft oder Bestätigung. ... Immer wieder entdecken wir, bis zu welchem Grade die Menschen etwa in der Politik ihr Denken und ihre Einstellungen im Hinblick auf ein vorausgesetztes Bild vom Gang der Jahrhunderte Form gewinnen lassen.“[16]

Doch die Dienste, die die Geschichte tun kann, genügen nicht. Wir brauchen Bereiche, in denen die in den Tatsachen gegebenen Hindernisse der Wunschbehauptung weniger peinlich oder doch weniger handgreiflich sind. Wir erweichen die strengen Konturen der Geschichte im historischen Roman; wir stellen uns einem gegensätzlichen Menschenideal gegenüber, um nach einer Katharsis der Beschämung unser eigenes Wollen rechtfertigen zu können. So entdeckten die Amerikaner der ersten Siedlungszeit (nach Art ihrer europäischen Zeitgenossen) ihre eigenen Schwächen mit Hilfe des als real akzeptierten Phantasiebildes vom edlen Wilden. Doch indem sie ihn erforschten, „hatten sie am Ende nur sich selbst erforscht, ihre eigene Kultur gestärkt, und denen, die nach ihnen kamen, eine tiefere Gewißheit eines anderen, noch glückhafteren Geschicks gegeben ...“ Von seinem *cultural primitivism* gewann der Amerikaner letzten Endes „die felsenfeste Bejahung der Rolle, die der Zivilisation in Amerika gehörte. Es stellte sich heraus – und es konnte nicht anders sein –, daß die Indianer nicht das bedeuteten, was sie waren, sondern was die Amerikaner nicht sein sollten. Die Amerikaner sprachen nur zueinander und voneinander.“[17]

[16] H. Butterfield, *Man on His Past. The Study of History and Historical Scholarship* (Cambridge, England, 1955), S. 27 und 30.

[17] R. H. Pearce, *The Savages of America. A Study of the Indian and the Idea of Civilization* (Baltimore, 1953), S. IX und 232. M. Eliade, *Mythes, rêves et mystères* (Paris, 1957), S. 37, zitiert das Wort des italienischen

In vergleichbarer Weise projizierten die Deutschen (aber nicht nur die Deutschen) des ausgehenden achtzehnten Jahrhunderts ihr Menschenideal zurück in die Blütezeit Griechenlands; und sie fanden die Richtigkeit ihres Wollens bestätigt, wenn sie dieses Ideal dann in den großen Jahrhunderten hellenischer Kultur antrafen. Es soll natürlich nicht etwa die Wirklichkeit der griechischen Leistung und die einzigartige Zauberkraft ihres Vermächtnisses bestritten werden, wenn wir in diesem Zusammenhang feststellen müssen, daß für den aufsteigenden Westen nach der Renaissance die Griechen oft nichts waren als ein Spiegel, in dem die Ideale der eigenen Gegenwart, Schönheit und Freiheit, *humanitas* und Natürlichkeit zum Leuchten gebracht werden konnten – daß diese Ideale einmal an einem nach Raum und Zeit bestimmbaren Punkt in Wirklichkeit umgesetzt worden waren, bedeutete für den Kampf der Gegenwart eine Quelle ermutigender Hoffnung[18].

Für Wieland noch waren die Personen der griechischen Mythologie leere „Scheingestalten" gewesen; den Dichtern des Sturm und Drang wurden sie zu echten und greifbaren Einkörperungen titanischen Wollens, überwältigender Kräfte; da ihr eigenes Lebensgefühl einen tragischen Anstrich besaß, wurden sie des tragischen

Volkskundlers G. Cocchiara (1948), der Wilde sei zuerst erfunden, dann erst entdeckt worden. Die Schlüssigkeit der Projektion des Menschenideals auf den „guten Wilden" geht, wie Eliade (aber nicht nur Eliade), *ibid.*, S. 37 ff., ausgeführt hat, auf das mythische Konzept eines „natürlichen Menschen" außerhalb von geschichtlicher Zeit und kulturellen Abläufen zurück. Die Vorstellung von einem irdischen Paradies als anfänglicher menschlicher Daseinsform konkretisiert die wie es scheinen will dem menschlichen Selbsterleben mitgegebene Neigung, in den Ursprüngen der Dinge ihre vollkommene Ausformung zu suchen. Damit sei denn auch auf eine gruppenpsychologische Verankerungsmöglichkeit klassizistischer Strömungen andeutungsweise aufmerksam gemacht.

[18] Vgl. G. Billeter, *Die Anschauungen vom Wesen des Griechentums* (Leipzig und Berlin, 1911), S. 71. Dabei ist übrigens noch zu berücksichtigen, daß es in der menschlichen Natur zu liegen scheint, die bedeutungsvolle Einzelexistenz ins Paradigmatische umzudeuten. Daß Goethe ein exemplarisches Leben in bewußter Vorbildhaftigkeit zu verwirklichen suchte, ist oft gesehen worden. Man vgl. etwa die Ausführungen Eliades *a. a. O.*, S. 29 und 30.

Charakters des griechischen Heldenzeitalters gewahr und erwählten es sich als ihr gestaltendes und rechtfertigendes Vorbild. Die Bewunderer Ossians entdeckten ein „nordisches Griechentum"[19] als die autoritative Versinnlichung ihres existentiellen Gerichtetseins. Die nächste Generation deutscher Denker und Sucher aber war mit der Pflege menschlicher Würde befaßt; sie fand das unverbrüchliche Maß des Menschen in der klassischen Kunst der Griechen und in der ‚Seele', die ihre untadelig proportionierten Bildwerke umschlossen. Griechische Klassik war bestimmt, einer deutschen Klassik zu dienen; der Grieche wurde als eine Möglichkeit des Deutschen erlebt; man erfaßte die Wirklichkeit des klassischen Griechen als eine Gewähr für die mögliche Verwirklichung eines klassischen Deutschen.

Nicht ein einziger der großen deutschen Griechenfreunde und Klassizisten war in Griechenland gewesen; mehr als einer ließ mit bewußter Absicht die Gelegenheit entgleiten, das Land aufzusuchen, aus dem sie die Gültigkeit ihrer Träume herleiteten. Der Glaube an das hellenische Vorbild nahm religiöse Züge an und ließ erst nach, als er zu einem selbstverständlichen Bestandstück der Ideologie des gebildeten Deutschland wie der deutschen Bildung geworden war. Auf griechischer Landschaft als Bühne konnte ein Hölderlin sich selbst als wirklich erscheinen; die Grenzlinie zwischen dem geschichtlichen Griechenland und Elysium war ungewiß; die schöpferische Gewalt der begeisterungsschweren Fiktion jedoch war von unberechenbarer Stärke. Ist es nicht bezeichnend, daß während der letzten vierhundert Jahre die dem Kult der griechisch-römischen Klassik feindlichste Kraft nicht etwa Interesselosigkeit oder Bildungsfeindschaft waren, sondern Stolz und Selbstvertrauen der im Aufstieg begriffenen westlichen Zivilisation, die zwar willens war, die Leistung der Vorfahren zu achten und zu schätzen, deren Selbstsicherheit es ihr aber verwehrte, irgendeine Autorität außerhalb ihres eigenen Bereichs anzuerkennen?

[19] Vgl. Rehm, *op. cit.*, S. 70–72 und 76.

B. Die kulturpsychologische Seite an der Funktion eines bestimmten Klassizismus ist Interpretation auf zwei verschiedenen Ebenen zugänglich.

I. Man kann eine klassizistische Bewegung als eine Reaktion auf ein Gefühl der Unzulänglichkeit auffassen.

Diese Unzulänglichkeit kann von den Zeitgenossen erlebt werden *(a)* als ihrer besonderen geschichtlichen Lage innewohnend, die ihrem Empfinden nach den Ausdruck oder die Entfaltung ihrer wahren Möglichkeiten nicht gestattet.

Die französischen Humanisten und Hellenophilen des sechzehnten Jahrhunderts teilen diesen Ausblick auf ihre eigene Zeit mit den deutschen Romantikern. Beide fühlen das Bedürfnis nach einer durchgreifenden Umgestaltung der kulturellen Struktur ihrer Epoche, die es ihnen ermöglichen soll, das von ihnen erstrebte Dasein auf dem Boden der gegebenen Wirklichkeit zu führen.

Demgegenüber kann *(b)* die Unzulänglichkeit im eigenen Sein erkannt werden. So mögen die Zeitgenossen von dem Gefühl bedrückt werden, daß die Welt gealtert sei, wie dies der griechisch-römischen Gesellschaft der frühen Jahrhunderte unserer Zeitrechnung geschah; oder sie mögen an der Überzeugung von der Unausweichlichkeit menschlichen Niedergangs leiden, wie sie den islamischen Bereich im Spätmittelalter lähmte.

Im ersten Fall wird das klassische Vorbild heraufbeschworen, um als Werkzeug eines Kulturwandels zu dienen; die Stimmung der Zeit ist ein reizsamer und ungeduldiger Optimismus. Die Autorität der ‚klassischen' Periode wird umso freudiger und bedingungsloser angenommen, je tiefer die Gewißheit, daß die abzuschüttelnde Autorität des Erbes unverrückbar, jeglicher Modifizierung abweisend entgegensteht. Im zweiten Fall hingegen wird das klassische Vorbild heraufbeschworen, um als Werkzeug zur Stützung der abbröckelnden Mauern der Zivilisation zu dienen. Reform ist rückwärtsgewandt; man will nicht nur den Geist, sondern auch den Buchstaben der Vergangenheit zurückholen.

Man sehnt sich nach Rückkehr zu den ‚rechtgeleiteten' Kalifen, nach Rückkehr zum Islam, wie er zu Lebzeiten des Propheten gewesen – man blickt zu dem Vorbild auf, nicht weil es für die Lösung gegenwärtiger Probleme erheblich ist, sondern um der Geborgenheit willen, die eine sich als unzulänglich empfindende Generation von ihm erhofft als den vielleicht einzigen Ausweg aus den sie ratlos lassenden Schwierigkeiten. Unter den Motiven eines extremen kulturellen Konservativismus oder auch eines Klassizismus mit statischer Zwecksetzung läßt sich stets ein Gefühl des eigenen Ungenügens aufweisen mit Bezug auf die Bemeisterung des materiellen, sozialen oder geistigen Weltgefüges, das aus der Einsicht in die wachsende und immer erdrückendere Verwickeltheit dieses Weltgefüges gespeist wird. Das Ziel eines ‚Klassizismus der Rückkehr' *(classicism of return)* ist weitgehend eine Entkomplizierung der Kultur; es handelt sich dabei um eine Bewegung der Verengung (a ‚retractile' movement)[20], die sich für Verfestigung durch Schrumpfung einsetzt. Es ist für eine derartige Bewegung bezeichnend, sich der Einsicht zu versperren, daß die als autoritativ und beispielhaft erwählte Periode apostolischer Einfalt in Wirklichkeit eine Periode sich erweiternder Lebenserfahrung war, wie dies besonders deutlich zu sehen ist, wenn man sich der Zeit der ‚orthodoxen' Kalifen zuwendet, die so oft schon von muslimischen Kritikern der eigenen Gegenwart zur ‚klassischen' erhoben worden ist.

II. So kann Klassizismus denn, um auf die zweite Ebene kulturpsychologischer Interpretation vorzurücken, *(a)* als ein dynamisches oder ‚dynamisierendes' Phänomen (oder Konzept) erlebt werden.

Das klassische Vorbild wird nicht als eine zu wiederholende Gegebenheit aufgefaßt, sondern als ein Ideal, dessen Wiedergewinnung es zu einem Werkzeug des Fortschritts und der Bereicherung derer werden läßt, denen seine Wiederbelebung gelingt. Nicht den Griechen folgen, sondern wie die Griechen handeln;

[20] Der Ausdruck ist A. L. Kroebers; vgl. sein *The Nature of Culture* (Chicago, 1952), S. 381–83.

nicht ihnen nachahmen, sondern mit ebensolcher Freiheit und Selbstgewißheit schaffen, wie sie es einst getan – das ist das Ziel des französischen Humanisten des sechzehnten Jahrhunderts und des deutschen Klassizisten von Winckelmann bis Goethe[21]. Für diese Einstellung ist der Klassizismus kein Selbstzweck, sondern, wenigstens dem Ideal zufolge, ein Mittel, man darf beinahe sagen, ein bloßes Instrument (wenngleich das mächtigste und edelste) im Dienst der zeitgenössischen Welt und, um ganz konkret zu sprechen, im Dienst des eigenen Volkes.

Im Gegensatz dazu kann Klassizismus *(b)* als ein statischer Vollkommenheitsbegriff erlebt werden.

Griechenland erscheint dann als nichts weniger denn die Wohnstatt des Goldenen Zeitalters. Man muß den Geist der Gegenwart dazu erziehen, sich dem Unerreichbaren näherzutasten, wo es einen Zugang zu ihm gibt, das heißt also, wo aus dem Erbe lehrbare Regeln abstrahiert oder einfach übernommen werden können. Die Unmöglichkeit, die ‚klassische' Vergangenheit geradezu zu duplizieren, wird freilich eingesehen; die Freiheit aber, das Ziel nicht zu erreichen, die man der eigenen Zeit verstattet, wird einigermaßen in der Stimmung gewährt und genossen, in der man Übertretungen des Moralgesetzes und der feinen Lebensart seitens der niederen Stände hingehen läßt – mit einem resignierten Seufzer, der nicht frei von Verachtung ist.

Soll Klassizismus als ein statischer Begriff überhaupt kulturell wirksam werden, so muß er mit dem Glauben an die Möglichkeit und Durchschlagskraft der ‚Nachahmung' Hand in Hand gehen; negativ gewendet bedeutet das sein geringes Interesse und ebenso geringes Verständnis für geschichtlichen Ablauf, das Fehlen eines denkwichtigen Entwicklungsbegriffs. Auch mit einem zyklischen

[21] Vgl. Dionysius von Halikarnassos, *Techne* x. 19 (ed. Usener-Radermacher, II, 373): „Nicht wer die Worte des Demosthenes nachspricht, sondern wer nach Art des Demosthenes spricht, ahmt Demosthenes nach"; Rehm, *op. cit.*, S. 18, zitiert den Ausspruch Humboldts: „Der Mensch hat nur insoweit einen bestimmten Charakter, als er eine bestimmte Sehnsucht hat"; und er fügt das Wort Hölderlins hinzu: „Wir sind nichts; was wir suchen, ist alles".

Geschichtsbild läßt er sich nicht vereinen. Es ist bezeichnend, daß sich Goethe einer Vergeschichtlichung der griechischen Landschaft (die er nie gesehen hatte) widersetzte[22] und daß, als man sich mit Bachofen und seiner Generation daran gewöhnt hatte, Griechenland in seiner historischen Erscheinung zu betrachten, der Klassizismus als normatives Ideal seine Macht über Deutschland einzubüßen begann. Dürfen wir vielleicht vermuten, daß unsere Kultur, eben weil sie im tiefsten geschichtszentriert ist[23], ihrer innersten Struktur nach anhaltender Unterwürfigkeit gegenüber klassizistischen Idealen (zumindest in ihrer statischen Spielart) unfähig ist? Der in Frankreich am leichtesten verfolgbare Übergang vom dynamischen Klassizismus des sechzehnten zum statisch intentionierten des späten siebzehnten und frühen achtzehnten Jahrhunderts mit der Rückwendung zu einer dynamischeren Sicht des antiken Vermächtnisses gegen Ende des achtzehnten Jahrhunderts[24] verdient eingehende Untersuchung im Interesse eines vertieften Verständnisses nicht nur klassizistischer Bewegungen als solcher, sondern auch besonders der elementaren Willensziele der westlichen Zivilisation. Die Untersuchung dieser Abfolge von Klassizismen dürfte auch das bisher noch unaufgehellte Paradox seiner Erklärung näherbringen, daß nämlich aufs Ganze gesehen die großen europäischen Klassizismen den Glauben an ‚Nachahmung' und eine gewisse Schwäche des historischen Sinnes gemeinsam hatten, dennoch aber unverkennbar dynamische Erscheinungen waren.

II. Klassizismen unterscheiden sich nach der ihnen innerhalb der archaisierenden bzw. rezipierenden Kultur angewiesenen Wirkungsweite. Klassizistische Bewegungen zeigen erhebliche Verschiedenheit, was die Gebiete der Vorbildkultur angeht, denen Aufmerksamkeit und Autorität zuerkannt wird.

[22] Vgl. Rehm, *op. cit.*, S. 8.

[23] Vgl. L. Fèbvre, *Revue de métaphysique et de morale*, LIV (1949), S. 226.

[24] Vgl. den ausdrucksvollen Titel des Buches von L. Bertrand: *La fin du classicisme et le retour à l'antique dans la seconde moitié du XVIII*[e] *siècle et les premières années du XIX*[e] *en France* (Paris, 1897).

A. Die ‚andere' Kultur erhält als Ganzes die Stellung eines klassischen Vorbilds. Dies scheint der Fall gewesen zu sein während einzelner Phasen der Rezeption chinesischer Wertmaßstäbe und Kulturleistungen seitens der Japaner wie auch während der Anfangsstadien der im Nahen und Mittleren Osten von gewissen Bevölkerungsgruppen versuchten Kulturangleichung an den Westen. (Es verdient hier vielleicht ausdrücklich angemerkt zu werden, daß durchaus nicht alle Trägerschichten der rezipierenden Kultur zu einem bestimmten Zeitpunkt ‚klassizistisch' gesinnt sein müssen. Die soziologische Differenzierung zwischen den Klassizisten und ihren Opponenten erweist sich dann als aufschlußreich für den Charakter der klassizistischen Bewegung als solcher.) Es ließen sich wohl auch Beispiele aus der Zeit beibringen, da der Hellenismus die *oikoumene* überflutete oder da die Renaissance im Überschwang der Begeisterung völlige Identifizierung mit der Antike erstrebte. In allen diesen Fällen muß aber beachtet werden, daß zwar möglicherweise die ‚andere' Kultur als Ganzes für ‚klassisch' geachtet wurde, *de facto* jedoch ihre Wiedergewinnung und Wiedereingliederung in das zeitgenössische Kulturgefüge auf bestimmte Bereiche intellektuellen, künstlerischen oder politischen Bemühens beschränkt waren. Praktisch genommen sind daher so gut wie alle Klassizismen

B. Bewegungen, die ein oder mehrere Segmente der ‚anderen' Kultur zu Vorbildrang erheben. In diesem Fall wird, wie ein Überblick über vergangene und gegenwärtige Klassizismen unschwer ergibt, einem bzw. einer Kombination der nachfolgend bestimmten Aspekte der ‚anderen' Kultur wertsetzende Autorität zuerkannt:

(1) Ihrem Wollen *(aspiration)*.

Diese Einstellung dominiert in den meisten islamischen Reformbewegungen. So klar der Aufstieg der Ḥanbaliten, der Wahhābiten, der *salafiyya,* oder der *Iḫwān al-muslimūn* dem Historiker als unmittelbare Reaktion auf zeitgenössische Bedrängnis erscheinen mag, so ist doch nicht zu verkennen, daß subjektiv ihre Rechtfertigung und ihre Anziehungskraft auf der Wiederaufnahme von Zielsetzungen beruhen, die von dem künftighin als maßgeblich anzuerkennenden Zeitalter formuliert und wenigstens angeblich auch verwirklicht worden waren. Die Anschauung von Geschichte, die sich in dieser Haltung verbirgt, zeigt markante Ähnlichkeit mit der des Westens seit der Renaissance, da das Mittelalter als eine bloße Unterbrechung des echten Wachstums der Zivilisation der Verachtung verfiel und eine direkte Verbindung hergestellt wurde zwischen dem Altertum und der modernen Epoche, wobei die Zwischenzeit als ein bedauerlicher und beschämender Fehltritt verrufen wurde.

(2) Den formalen Möglichkeiten der ‚klassischen' Kultur wird absoluter Wert zugesprochen.

Das Verlangen, zeitgenössische Leistung in Formen umzusetzen, die einer anderen Kultur Befriedigung gegeben hätten, scheint am häufigsten im Recht, in der Literatur und den schönen Künsten wirksam geworden zu sein. Die Rechtsgelehrten, die für die sogenannte Rezeption des römischen Rechts im Spätmittelalter und in den Anfängen der Neuzeit verantwortlich waren, fühlten sich bewogen von dem Wunsch, die Struktur des Heiligen Römischen Reiches sowohl wie der italienischen Stadtstaaten zu legitimieren und zu konsolidieren. Eine Absicht, antike Kunst, antike Sitten, oder selbst die konkrete Wirklichkeit antiker Institutionen wiederzuerwecken, lag ihnen völlig fern. Sie demonstrierten die Möglichkeit, in einen Kulturzusammenhang einen wesentlichen Zug von außen einzupflanzen, ohne darum die psychologische oder die praktische Notwendigkeit hervorzurufen, das Eindringen zusätzlicher Kulturzüge zu gestatten[25]. Es verdient Beach-

[25] Dies gegen A. J. Toynbee; die Geschichte der Rezeption des römischen Rechts, über welche vgl. Koschaker, *op. cit., passim,* gibt einen wichtigen zusätzlichen Beweisgrund gegen Toynbees Theorie ab, derzufolge „die Durchschlagskraft *(carrying power)* eines Kulturelements dem Grad seiner Trivialität und Oberflächlichkeit in der geistigen Hierarchie kultureller Werte direkt proportional ist"; *A Study of History* (London, New York, Toronto, 1934–54), V, 200; VIII, 514; zum Problem vgl. G. E. von Grunebaum, ‚Westernization in Islam and the Theory of Cultural Borrowing', in *Islam: Essays in the Nature and Growth of a Cultural Tradition* (Menasha, Wis., und London, 1955), S. 237–46.

tung, daß die klassizistische Bewegung zwischen etwa 400 und 600 n. Chr., der das römische Recht sein Fortbestehen durch die gesamte byzantinische Periode verdankt, in ihrem Spielraum vielleicht nicht ganz so umgrenzt war wie diejenige, die zur Rezeption des römischen Rechts in Europa führen sollte; dennoch war auch sie weit davon entfernt, ein ‚totaler' Klassizismus zu sein, der ja in jener Zeit schon wegen der unvermeidlichen heidnischen Assoziationen eine Unmöglichkeit gewesen wäre. Die Überwindung der Vulgarisierung des Rechts durch ‚klassizistische' Mittel war zulässig; die Wiedererweckung des antiken Kulturwollens aber wäre untragbar gewesen[26].

Die doppelgesichtige Reaktion des justinianischen Zeitalters auf sein heidnisches Erbe wiederholt sich, obzwar auf einer weniger bedeutsamen Ebene, in der Einstellung des städtischen Muslims, der sich die literarischen Mittel des Beduinen lieh und sich um Identifizierung mit den künstlerischen Normen der Nomaden bemühte, dabei aber die ihnen nachteiligen Bestimmungen der *šarīʿa* aufrecht erhielt[27]. Die autoritative Anziehungskraft der ‚anderen' Kultur kann sogar noch spezialisierter sein, ist doch

[26] Zu einigen der hier entwickelten Gedanken vgl. Wieacker, *SbHAW*, S. 50–51, wo nebenbei bemerkt das Versagen der Wiederbelebung des klassischen römischen Rechts im Westen in lehrreicher Weise besprochen ist.

[27] Zu dem den *ahl al-ḥāḍira* über die *ahl al-bādiya* bei der Verteilung von *ʿaṭāʾ* und *faiʾ* zuerkannten Vorzug und zu der ausdrücklichen Beschränkung der der Gemeinschaft den letzteren gegenüber auferlegten Hilfsverpflichtung vgl. z. B. die von Abū ʿUbaid al-Qāsim b. Sallām (773–837), *Kitāb al-amwāl,* hg. Muḥ. Ḥāmid al-Fiqqī (Kairo, 1353/1934), S. 227–31, No. 558–563, zusammengestellten (und interpretierten) Traditionsstellen. Man vgl. auch eine Stelle wie die von ad-Damīrī (gest. 1405) in sein *Kitāb al-ḥayawān* (Kairo, 1278/1861), II, 542^{17-19}, eingefügte, wo der Verfasser bei Besprechung der Frage, ob der *waral* (eine große Eidechse) erlaubte Speise sei, sich zu der folgenden Bemerkung veranlaßt fühlt, die hier in der Übersetzung R. Levys, *The Social Structure of Islam* (Cambridge, 1957), S. 174–75, folgen soll. „The Arabs are the prime authorities in any consideration of this subject, for the reason that the faith is an Arab one, and the prophet was an Arab. But the question can only be referred to the inhabitants of towns and villages and not to uncivilized dwellers in the desert, *sukkān al-bilād waʾl-qurā dūn aǧlāf al-bawādī,* who eat without discrimination anything that creeps or crawls."

dargetan worden, daß „der literarische Kult Chinas und die Blüte der *chinoiserie* im Kunstgewerbe *(minor arts)* in England zeitlich nicht zusammenfielen" (wie dies in Frankreich der Fall war)[28]. Diese teilweise Annahme eines fremden Vorbilds hat A. J. Toynbee gut beschrieben. „Künstlerische Splitter einer Fernöstlichen Kultur, die in ähnlicher Weise von ihrem geistigen Herzstück abgelöst worden waren, nahmen in gleichem Maß eine im Entstehen begriffene iranisch-muslimische Gesellschaft[29] im 13. und 14. Jh. der christlichen Zeitrechnung, und eine modern-westliche Gesellschaft seit dem 18. Jahrhundert gefangen, ohne daß zur gleichen Zeit sich eine Ausstrahlung konfuzianischer Philosophie[30] oder mahayanischer Religion ereignet hätte, die der ursprüngliche Rahmen gewesen waren, aus dem diese modisch oberflächlichen *chinoiseries* abgelöst worden waren, so daß sie ihrer Bedeutung verlustig exportierbar wurden"[31], oder, wie wir es lieber ausdrücken würden, „so daß sie exportierbar wurden und in einem fremden Kulturzusammenhang Bedeutung erhalten konnten".

(3) Teile des inneren Erlebnisbereichs der ‚anderen' Kultur werden als normativ betrachtet.

Dieser psychologische Vorgang kann sich an die verschiedensten Erfahrungselemente heften, wie etwa Frömmigkeitstypen – man denke an die Übertragung des (später so genannten) Hesychasmus der Sinai-Asketen nach Byzanz und speziell dem Athos –,

[28] Vgl. W. W. Appleton, *A Cycle of Cathay. The Chinese Vogue in England During the Seventeenth and Eighteenth Centuries* (New York, 1951), S. 62; vgl. des weiteren mit Bezug auf Gartenkunst und Kunstgewerbe R. C. Bald, ‚Sir William Chambers and the Chinese Garden', *Journal of the History of Ideas*, XI (1950), 288, der sich auf die Mitte des achtzehnten Jahrhunderts bezieht. Vgl. auch das Urteil von G. F. Hudson, *Europe and China* (London, 1931), S. 273–74.

[29] Diesen Begriff hat G. E. von Grunebaum einer Kritik unterzogen; vgl. seinen Aufsatz *Toynbee's Concept of Islamic Society* (vorgelegt der Tagung der American Historical Association, Washington, D. C., 28. Dez. 1955; unveröffentlicht).

[30] Zu diesem Punkt vgl. S. 36 f.

[31] *A Study of History*, VIII, 518.

Typen philosophischer Argumentation – man wird sich sogleich der hellenisierenden Philosophen im Islam erinnern – oder auch typische Haltungen politischer oder bürgerlicher Art wie etwa den eigentümlichen Patriotismus der frühen römischen Republik, den die augustäische Ära wieder heraufbeschwor und mit der Autorität des Vorbilds ausstattete.

Im Ganzen, so darf man wohl vermuten, sind sich die Klassizisten dessen nicht bewußt, daß, wenn sie der existentiellen Not des Augenblicks durch ‚Nachahmung' abhelfen, sie aller Wahrscheinlichkeit nach anderen Bereichen der eigenen Kultur, die im gegebenen Moment dem Bewußtsein weniger vordringlich gegenwärtig sind, Abbruch zu tun im Begriff stehen. Indem sie ihrem Stoffhunger nachgaben und sich der Tatsachenfülle des antiken Erbes bemächtigten, opferten sowohl die Araber der Abbasidenzeit wie die Franzosen des sechzehnten Jahrhunderts Maß und Struktur einer Überfülle abwechslungsreichsten Inhalts. In geradem Gegensatz dazu gab das Zeitalter Ludwigs XIII. und Ludwigs XIV. Schmuck für Ordnung, Vielfalt für Klarheit und mit einer sonst in der Literaturgeschichte nur selten anzutreffenden Bewußtheit Begeisterung für Vernunft, eine expressionistisch gerichtete Lyrik für die Stilvollendung der großen Formen[32].

III. Klassizismen lassen sich weiter nach dem genetischen Verhältnis zwischen vorbildlicher und klassizistischer Kultur unterscheiden[33].

[32] Vgl. St. Evremond (st. 1703) bei R. Bray, *La formation de la doctrine classique en France* (Lausanne, 1927), S. 121; weitere Einzelheiten in G. E. von Grunebaum, *Kritik und Dichtkunst. Studien zur arabischen Literaturgeschichte* (Wiesbaden, 1955), S. 130 mit Anm. 2. Vgl. weiter D. Mornet, *Histoire de la clarté française* (Paris, 1929), S. 305, mit Hinblick auf diverse Konsequenzen des französischen Strebens nach Klarheit im siebzehnten Jahrhundert; und im Gegensatz dazu, vgl. S. 18–38, über die Desorganisation der französischen Literatur vor dem Sieg des Klassizismus, das zügellose Verlangen nach buntgemischter Gelehrsamkeit, und den Kampf gegen die Pedanterie – das Fehlen dieser gegen den Pedanten gerichteten Stimmung im islamischen Bereich ist symptomatisch (und vielleicht verantwortlich) für die niemals überkommene Desorganisation weitläufig geplanter Werke in der arabischen Literatur.

[33] Die wichtige Frage nach den Bedingungen, unter denen ein Zeitalter von

A. Zwischen der vorbildlichen und der klassizistischen Kultur besteht orthogenetische Verbindung (d. h. direkte Deszendenz).

(1) Ein Abschnitt der eigenen echten Vergangenheit wird als normativ erwählt, der von der klassizistischen Bewegung weder durch einen wirklichen Bruch in der kulturellen Kontinuität noch durch einen durchgreifenden Wandel in der ethnischen Zugehörigkeit der Kulturträger getrennt ist.

Der Klassizismus, der sich an der Periode der Rechtgeleiteten Kalifen zu orientieren sucht, bietet ein besonders lehrreiches Beispiel, weil er nicht nur diese Kategorie gut illustriert, sondern auch gewisse Zweideutigkeiten enthüllt, die dem Begriff kultureller Kontinuität innewohnen. Die arabischen *rāšidūn*-Klassizisten können Orthogenese behaupten, gleichgültig ob ihre Einstellung überwiegend religiös oder überwiegend nationalistisch motiviert ist. Gänzlich verschieden ist demgegenüber die Position eines indischen oder pakistanischen Muslims ähnlicher Haltung. Seine orthogenetische Verbindung mit den orthodoxen Kalifen steht und fällt mit dem Überwiegen einer religiösen über die nationale Selbstsicht; denn keinerlei Phantasiespiel kann die Geschichte der vorumayyadischen Kalifen (von einigen wenigen und höchst nebensächlichen Ereignissen abzusehen) als integrierenden Bestandteil indischer oder pakistanischer Geschichte umleben. Es mag die Beobachtung in diesem Zusammenhang angebracht sein, daß was wir hier *rāšidūn*-Klassizismus nennen, sich als Ergebnis einer Einstellung kundgibt, die in der islamischen Kulturwelt bis in die Zeit der unmittelbaren Nachfolger der ersten vier Kalifen zurückreicht. Von Muʿāwiya (661–680) wird berichtet, daß er den Spuren Abū Bakrs und ʿUmars zu folgen wünschte, sich jedoch darüber klar war, daß er dies nicht vermochte[34]. Er

seiner eigenen Vorbildhaftigkeit durchdrungen wird, soll in diesem Aufsatz unerörtert bleiben.

[34] G. Levi Della Vida und O. Pinto, *Il califfo Muʿāwiya I secondo il* ‚Kitāb ansāb al-ašrāf' ... *di Aḥmad ibn Yaḥyā al-Balāḏurī*, übers. und kmt. (Rom, 1938), no. 131 (S. 48). Wir verdanken der Studie L. Veccia Vaglieris, Sulla origine della denominazione ‚Sunniti', *Studi orientalistici in onore di Giorgio Levi Della Vida* (Rom, 1956), II, 573–85, eine Vertiefung unseres Verständ-

gab dem Empfinden Ausdruck, daß schon nach dem Hingang dieser ersten und größten der *rāšidūn* der Verfall eingesetzt habe[35]. Dieses Empfinden sollte nicht mehr verschwinden. Um

nisses des ‚Klassizismus' der ersten Kalifen. Schon ʿAlī wollte auf die *sunna* des Propheten zurückgreifen und dabei die *sunan* der ersten drei *Rāšidūn* ausschalten. Die Wendung *sunna māḍiya* scheint auch auf die Regierungszeit ʿAlīs zurückzugehen.

Übrigens hat der Überlieferung nach schon ʿUmar den Islam seiner Zeit mit einem alternden Kamel verglichen; vgl. Ṭāhā Ḥusain, *ʿUṯmān* (Kairo, 1947), S. 79, nach Ṭabarī, *Annales* (Nachdruck; Kairo, 1939), III, 426 (s. a. 35). Auf S. 171 sagt Ṭāhā Ḥusain denen ab, die den Berichten über die Teilnahme von Prophetengenossen am Aufstand gegen ʿUṯmān den Glauben verweigern, weil sie diese erste Epoche der islamischen Geschichte heilig halten *(yuqaddisūna ḏālika 'l-ʿaṣr min ʿuṣūr al-islām)*. Die konventionelle Romantisierung zumal der Zeit bis zum Tode ʿUmars findet einen Fürsprecher in Muḥammad ʿAbdalqādir al-ʿAmāwī, der die Idealperiode des Islam auf die Lebzeiten des Propheten und die Regierung Abū Bakrs und der beiden ʿUmar beschränkt und konsequenterweise den Umayyaden den Abfall vom wahren Islam, *al-inḥirāf ʿan al-islām,* anlastet, der freilich unter den nachfolgenden Dynastien immer weiter fortgeschritten sei; vgl. sein *Mustaqbal al-islām,* 2. Aufl. (Kairo, 1956), S. 8 und 110. – Es sei in diesem Zusammenhang noch erwähnt, daß die Funktion, die E. Dardel, *L'histoire, science du concret* (Paris, 1946), S. 115–16, dem Bild, das sich die römische Kaiserzeit von der republikanischen Periode formte, zuweist, der Rolle durchaus ähnelt, die das stilisierte Frühkalifat im Denken der *rāšidūn*-Klassizisten einnimmt.

[35] *Ibid.,* no. 176 (S. 65–66); der erste Teil ist wiederholt in no. 283 (S. 119). Muʿāwiya selbst hatte einigen Sinn für das Geschichtliche und verstand die Unwiederbringlichkeit der Vergangenheit; die modernen Vorkämpfer einer Rückwendung zu den *rāšidūn* hingegen nicht. Sie sprechen als glaubten sie, daß Veränderung einer historischen oder einer gesellschaftlichen Situation das Ergebnis einer einseitigen Entscheidung der beteiligten Gruppen und vor allem des führenden Mannes sei; die Erfahrung hat gelehrt, daß solche Entscheidungen im allgemeinen sündhaft waren und gleichsam eine willentliche Abkehr von Gottes Wegen darstellten, wofern sie nicht ein ebenso verderbtes Versagen der Willenskraft zum Ausdruck brachten. Das Gefühl für die Einzigkeit des historischen Moments fehlt; genauer gesagt: die konkrete Situation wird als zeitlos verfügbar angesehen, einem Filmstreifen vergleichbar, der nur in den richtigen Projektionsapparat eingespannt werden muß. Diese mechanistische Einstellung im Hinblick auf die Möglichkeit, die Zeit zu manipulieren, beruht ebenso sehr auf einer halbabsichtlichen Vernachlässigung geschichtlicher Analyse wie auf einer ebenfalls halbgewollten Interesselosigkeit an einer zergliedernden Selbstsicht. W. Hartke hat es vermocht, den in mancher Hinsicht vergleichbaren ahistorischen Ausblick der letzten Jahrhunderte des alten Rom (besonders des vierten) herauszuarbeiten; er sieht das Leben

nur auf ein oder das andere Beispiel hinzuweisen, so begegnen wir ihm bei Ibn Taimiyya (st. 1328)[36] und wiederum nur wenig später in den Schriften eines Persers, des ʿAlī b. aš-Sihāb al-Hamadānī (st. 1385), der die Feststellung machte, daß „seit Adams Zeit es nur eine beschränkte Anzahl von Menschen gegeben hat wie Joseph, Moses, David, Salomo, Muḥammad und die orthodoxen Kalifen, in deren Person die Eigenschaften eines gerechten Herrschers offenbar gemacht wurden und die den ihnen auferlegten Pflichten in der passenden Weise nachgekommen sind“[37]. In seinen ersten Anfängen schon nahm der arabische Nationalismus Zuflucht zur Autorität der gleichen Periode. ʿAbd ar-Raḥmān al-Kawākibī (1849-1902) verficht diesen Standpunkt. „Der Islam brachte schließlich die Prinzipien einer politischen Freiheit, die zwischen Demokratie und Aristokratie die Mitte hält, und stellte die Einheit der Gottheit auf eine gesicherte Grundlage. Er brachte der Welt die Herrschaft der ersten vier Kalifen, deren gleichen die Menschheit niemals, weder vor- noch nachher, gesehen hat. Diese Kalifen verstanden den Sinn des Korans, der voll ist von Lehren gegen Tyrannei und für Gerechtigkeit und Gleichheit.“[38] Im heutigen Pakistan folgt man im

dieser Periode „durch diese akausale Zeitlosigkeit und Identität des eigenen und geschichtlichen Raumes bestimmt“; und er weist darauf hin, daß die *Historia Augusta* (Ende des vierten Jahrhunderts) „nicht nur Kategorien liefern, sondern auch Gestaltung bewirken“ will. „Sie ist Propaganda für eine Ordnung der Weltfragen nach den Maßstäben der römischen Kaisergeschichte. Sie will nicht mehr nur geistige Antwort auf Fragen sein, sondern *will reale Lösung der Probleme durch Wiederverwirklichung der geschichtlichen Vergangenheit*“ (von mir kursiv gesetzt); *Römische Kinderkaiser. Eine Strukturanalyse römischen Denkens und Daseins* (Berlin, 1951), S. 50–51 und 59.

[36] *Minhāǧ as-sunna ʾn-nabawiyya fī naqḍ kalām aš-šīʿa wa ʾl-qadariyya* (Kairo, 1321–22), II, 112[26–28]; vgl. H. Laoust, *Essai sur les doctrines sociales et politiques de Taḳī-d-Dīn Aḥmad b. Taimīya* (Kairo, 1939), S. 281.

[37] *Ḏaḫīrat al-mulūk*, ms. Br. Mus. Add. 1618, fol. 90a, bei Ann S. K. Lambton, ‚The Theory of Kingship in the *Naṣīḥat al-mulūk* of Ghazālī‘, *Islamic Quarterly*, I (1954), 50, Anm. 5.

[38] *Ṭabāʾiʿ al-istibdād;* Zusammenfassung von G. S. Haim, ‚Alfieri and al-Kawākibī‘, *Oriente Moderno*, XXXIV (1954), 330. In diesen Zusammenhang gehört die von dem indischen Modernisten Sayyid Ameer Ali (1849–

allgemeinen Muḥammad Iqbāls (1876-1938) absprechendem Urteil über „muslimischen Imperialismus“ unter den Banū Umayya und seither. Man hat Muʿāwiya als Verderber des Islam angeklagt; und rückwärts gewandtes soziales Denken wird jetzt gemeinhin auf das orthodoxe Kalifat *(ḫilāfat ar-rāšida)* ausgerichtet, die einzige Zeit, da der Islam ‚rein‘, ‚sozialistisch‘ und ‚einfach‘ war. Diese Periode wird dann als „ein Vorbild soziologischer Vortrefflichkeit“ herausgestellt[39]. In der jüngsten Gegen-

1928) vertretene Ansicht, daß die Sklaverei durch Kauf unter den vier ersten Kalifen unbekannt gewesen sei; vgl. Levy, *op. cit.*, S. 76, Anm. 2.

39 W. C. Smith, *Modern Islam in India and Pakistan* (2. Aufl.; Lahore, 1947), S. 134. In ihrer ersten Stellungnahme zur Verfassung von Pakistan (beschlossen am 29. Februar 1956) führt die Jamaʿat-i-Islami am 18. März 1956 unter anderem aus, daß zum ersten Mal seit der Herrschaft des vierten Kalifen „the governmental authority of an Islamic State has passed into the hands of the common people instead of Royal families“, vgl. F. Abbott, The Jamaʿat-i-Islami of Pakistan, *Middle Eastern Journal*, XI (1957), 37–51 (das Zitat steht auf S. 47). Eine gegenteilige Auffassung vertritt H. Z. Nuseibeh, *The Ideas of Arab Nationalism* (Ithaca, N. Y., 1956), S. 62: „A modern Arab nationalist, if true to his nationalist creed, would have to reassess and reinterpret the historical verdict of his forefathers on the record of the Umayyads. In the light of modern nationalist categories, what was once condemned in the Umayyads as villainous secularism must now be lauded as praiseworthy nationalism, for the foundation of Umayyad policy was the Arab-state principle; and Arab fortunes went down with the demise of the Umayyads.“ Es verdient vermerkt zu werden, daß sich Nuseibeh der Funktion des Vorgangs, den wir geneigt wären, eine klassizistische Konstruktion der Vergangenheit zu nennen, bewußt geworden ist: „... historical tradition is a factor contributing to integration provided it is presented in the right way. That is to say, it is not so much a question of creating the present in the image of the past as it is the re-creation of the past in the image of the present.“ *(ibid.*, S. 79). Ein amerikanisch erzogener Araber, N. A. Faris, hat sich auf dem *Colloquium on Islamic Culture in Its Relation to the Contemporary World* (Princeton, 1953), S. 26–27, in ähnlichem Sinne ausgesprochen, doch nicht ohne eine höchst nachdrückliche *réplique* von Seiten des gewesenen Unterrichtsministers von Pakistan, I. H. Qureshi, herauszufordern, der sich um die Verteidigung der muslimischen Geschichtsschreibung bemühte *(ibid.*, S. 27–28). Doch soll andererseits der Protest nicht übergangen werden, den der (ungenannte) Verfasser eines vom Islamic Literary Research and Educational Institute in Karachi im Jahre 1957 zirkulierten Traktats über den islamischen Staat (mein Exemplar hat kein Titelblatt) auf S. 29 gegen die Vorstellung einlegt, die heute wie in der Vergangenheit von vielen Muslimen akzeptiert sei, „that there could be but *one* form of state deserving the adjective „Isla-

wart hat der indische Muslim an-Nadwī (geb. 1913) die als solche angenommene Ideologie der *rāšidūn* zu einem Eckstein in seiner Diskussion der Frage gemacht: ‚Was hat die Welt durch den Niedergang der Muslime verloren?‘[40]

(2) Die entfernte und nur mittelbar innegehabte (orthogenetische) Vergangenheit wird zum autoritativen Vorbild erhoben.

Die römische Idealisierung der großen Zeit Griechenlands, die Verabsolutierungen des Altertums seitens der Renaissance und gewisser auf sie folgenden Perioden bieten Beipiele für diese kulturelle Situation, die übrigens im Licht des bereits Ausgeführten kaum eine ins einzelne gehende Analyse erfordern dürfte. Der Umstand sollte jedoch nicht außer Acht gelassen werden, daß die Einsicht in die existentielle Bedeutung der Verknüpfung der beiden Kulturen – die übrigens sehr viel später gewonnen wer-

mic“ –namely, the form manifested under the four Right-Guided Caliphs– and that, therefore, any deviation from that model must necessarily detract from the „Islamic“ character of the state.“

[40] *Mā ḏā ḫasara 'l-ʿālam bi'nḫiṭāṭ al-muslimīn* (2. Aufl.; Kairo, 1370/1951), besonders S. 100–101 und 105–109; vgl. G. E. von Grunebaum, ‚*Fall and Rise of Islam. A Self-View*‘, in ... *Studi Orientali in onore di G. Levi Della Vida* (Rom, 1956), Bd. 2 S. 420–433. Zur *rāšidūn*-Ideologie vgl. auch W. C. Smith, *Pakistan as an Islamic State* (Lahore, 1951), S. 59; zur Opposition, *ebenda*, S. 95–6; vgl. auch L. Gardet, *La cité musulmane* (Paris, 1954), S. 319, Anm. 2. Die nachstehenden Erwägungen von E. Spranger, ‚Die Kulturzyklentheorie und das Problem des Kulturverfalls‘, *SBAW*, 1926, S. liv, verdienen Beachtung in diesem Zusammenhang. „Am wenigsten ablösbar von den lebendigen Sinnempfängern und Sinnträgern sind Gesellschaftsgebilde in weitester Bedeutung: also Staatsformen, Rechtsordnungen, soziale Schichtungen usw. Sie scheinen unwiderruflich mit dem Schicksal ihrer Kulturgeneration verbunden und lösen sich auf, sobald diese sie nicht mehr versteht und nicht mehr bejaht. Wenn auch sie in einigem Maße weiterleben und weiterwirken, so ist dies doch nur so weit der Fall, als sie selbst Gedanke oder Bild geworden sind. Die Idee des römischen Imperiums zeugte weiter, als das Reich selbst längst verfallen war. Das römische Recht, zur Wissenschaft geworden, konnte noch einmal neue Formen bilden. Aber der Bedeutungswandel, der auch dem Gedanklichen und dem Bildhaften bei seiner Wiederbelebung nicht erspart bleibt, geht dann bis in die Wesenstiefe.“ Die gleiche Einstellung zur Periode der vier ersten Kalifen und speziell zur Persönlichkeit ʿUmars ist im heutigen indonesischen Islam zu beobachten; vgl. G. F. Pijper, *Islam and the Netherlands* (Leiden, 1957), S. 27, sowie die in den Anm. 47 und 48 zitierte Literatur.

den kann als die einfache Einsicht in deren tatsächliche geschichtliche Verbindung und in der Tat sich überhaupt nicht als eine zwingende Kollektiverfahrung durchsetzen muß – vielleicht in gewissem Sinn erst sekundär zustandekommt, das heißt also als ein Ergebnis jener psychologischen Disposition, die an früherer Stelle in diesem Aufsatz (nämlich unter I. B) untersucht worden ist. Dies ist wohl auch der Grund dafür, daß dieselbe Vorbildkultur für verschiedene klassizistisch eingestellte Zeiträume so verschiedene Züge und darum so verschiedene Forderungen beinhaltet. Ebenso liegt es darin begründet, daß manche Zeit großer Leistung niemals und nirgends Vorbildkultur wurde. So bedeutete im siebzehnten Jahrhundert „die klassische Tendenz Harmonie, Würde und Reinheit, nicht nur in Worten sondern auch in Empfindungen und Aufbau. Sie bedeutete in der Tat etwas, das klassischer als die Klassiker war. Für uns Heutige liegt der Wert der großen griechischen Autoren in ihrer Wirklichkeitsnähe. Wir haben einen Blick für ihre Farbigkeit und Greiflichkeit, und für den Widerstreit in ihrem Herzen zwischen der Vernunft und den mannigfachen irrationalen Antrieben der menschlichen Natur. Im siebzehnten Jahrhundert . . . wurden sie wegen ihrer Entferntheit vom Gotischen und Barbarischen geschätzt, und . . . ihre Literatur schien eine abstrakte und übermenschliche Regelmäßigkeit zu verkörpern."[41]

B. Heterogenetische Vorbildwahl.

Eine Fremdkultur wird autoritatives Vorbild.

Die Rolle, welche die persische Kultur in der islamischen Türkei und im islamischen Indien, die der Hindu in Südostasien und Indonesien gespielt haben, läuft hier bis zu einem gewissen Grad derjenigen parallel, die der Hellenismus in der auf Alexander

[41] G. N. Clerk, *The Seventeenth Century* (2. Aufl.; Oxford, 1947), S. 337. Diese Charakteristik enthält selbstverständlich nicht die volle Wahrheit; hat La Bruyère (und nicht nur er) nicht die antike Skulptur und Architektur wegen ihrer Natürlichkeit und nicht etwa wegen ihrer Stilisiertheit bewundert? Vgl. A. Malraux, *Les voix du silence* (Paris, 1951), S. 65. Auf S. 97 bemerkt Malraux mit Bezug auf das siebzehnte Jahrhundert: L'art contemporain de la littérature classique n'est pas une peinture classique.

den Großen folgenden Epoche im Mittleren Osten und die neuerdings der Westen beinahe überall auf unserer Erde übernommen hat. Die Motivierung einer ‚klassizistischen‘ Haltung einer fremden Kultur gegenüber mag im religiösen oder auch im politischen Prestige des ‚Vorbilds‘ gelegen sein, falls sie nicht einfach in einem Gefühl der eigenen Unzulänglichkeit besteht und dem Verlangen, eine gegebene kulturelle und politische Gefällesituation durch einen mehr oder weniger begrenzten Kulturangleichungsprozeß auszugleichen. Der Widerstand innerhalb der aufnehmenden Kultur verringert sich durch orthogenetische Neuinterpretation des Vorbilds; er verliert an Stärke zumal dann, wenn die Kulturangleichung als eine Begleiterscheinung einer religiösen Wandlung erlebt wird, die als solche die kollektive Selbstachtung zu erhöhen angetan ist. Wieweit ein gegebener heterogenetischer Klassizismus als eine freiwillige Reaktion auf die Einwirkung des Vorbilds empfunden wird, beeinflußt nicht allein die Gestalt, die das Vorbild im Bewußtsein der empfangenden Gemeinschaft annimmt, sondern auch die Richtung des Kulturwollens, in dessen Dienst sich die klassizistische Bewegung stellt. Ein kurzer Blick auf die islamischen Länder unserer Tage genügt, um diese allgemeine Feststellung durch eine Fülle von Beispielen zu verlebendigen[42].

IV. Der Klassizismus, der sich stets als ein Ziel gibt, doch in Wahrheit nie mehr als ein Mittel ist, spielt seine Rolle in einer gegebenen geschichtlichen Situation als ein Werkzeug kultureller Manipulation, als ein Instrument für die Verwirklichung des existentiellen (und damit kulturellen) Wollens einer Zeit, die gesonnen ist, ihre Erfüllung in dem heraufbeschworenen Schatten einer autoritativen Mustervergangenheit zu suchen[43]. Das Wollen

[42] Die von Toynbee, *op. cit.*, VIII, 481–82, entwickelte Typologie der *Mimesis* ist zu schematisch und zu dürr, um die Phänomene, die sie kategoriell ordnen will, auch alle unterzubringen.

[43] In diesem Zusammenhang vgl. das unverdienterweise nicht gebührend beachtete Buch von S. C. Gilfillan, *The Sociology of Invention* (Chicago, 1935). Der Verfasser entwickelt und belegt den Gedanken, daß die soziale Situation oder, wie wir lieber sagen würden, die soziale Aspiration einer wirksamen

einer Zeit als ihr wahrer Wertmittelpunkt entscheidet darüber, ob das klassische Vorbild vornehmlich *(a)* eine Autorität oder *(b)* ein Mittel der Ausführung (etwa: beschleunigten Kulturwandels) darzustellen hat.

Man darf nie vergessen, „daß die tiefstgreifenden Veränderungen der Weltsicht, die bemerkenswertesten Wendungen im Strom geistiger Mode letzten Endes auf eine Wandlung in des Menschen Empfinden für die Dinge um ihn zurückgehen, eine Wandlung, die gleichzeitig so subtil und so alldurchdringend ist", daß sich ihre Ursprünge nicht mit völliger Genauigkeit feststellen lassen und sie als eine letzte, elementare Gegebenheit angenommen werden muß. Die Entwicklung von Mechanik und Astronomie im siebzehnten Jahrhundert bleibt in mehrfacher Hinsicht unerklärlich, solange man sich die Tatsache nicht klar gemacht hat, daß nicht nur „in einigen der geistigen Führer ein tiefes Bemühen wohnte darzutun, daß das Weltall wie ein Uhrwerk läuft, sondern" auch, daß „dieses Bemühen seinem Ursprung nach ein religiöses war. Man fühlte, daß die Schöpfung als solche defekt wäre – Gottes nicht ganz würdig –, wenn das ganze System des Universums nicht als ineinandergreifend aufgezeigt werden könnte, ein Modell von Vernünftigkeit und Ordnung darbietend."[44] Es ist in diesem Sinne, daß wir auf dem Primat des ‚Wollens' *(aspiration)*, nach Ordnung wie nach Zeitfolge, bestehen müssen. Der reale Reichtum des antiken Erbes, in seiner Vielfältigkeit und mannigfachen Auslegbarkeit, hat es späteren Zeitläuften von widerstreitenden *aspirations* ermöglicht, in den Alten tatsächlich zu finden, was sie suchten[45].

Die Zweideutigkeit einer Hinwendung zum Klassizismus, die

erfindungsmäßigen Lösung der Probleme, die sich einer möglichen Inangriffnahme darbieten, vorausgeht.

[44] H. Butterfield, *The Origins of Modern Science, 1300–1800* (London, 1949), S. 104–106.

[45] Vgl. das Wort Friedrich von Schlegels: Jeder findet in den Alten, was er sucht; zitiert von Rehm, *op. cit.*, S. 269. Zum Begriff der *aspiration* vgl. die etwas andere Konzeption E. Rothackers, *Probleme der Kulturanthropologie* (Bonn, 1948), S. 140 (86).

sich mit Bezug auf den kulturellen Effekt beobachten läßt, ist gerade seiner Doppelfunktion als vorwiegend einer Autorität oder eines Werkzeugs zuzuschreiben. An und für sich ist Klassizismus neutral; seine Wirkung hängt von seinem Ziel ab, in anderen Worten: von den psychologischen Bedingungen seiner Aneignung. Indem sie das Studium der Alten in den Dienst des Patriotismus stellten, verringerten die französischen Humanisten des sechzehnten Jahrhunderts von allem Anfang an die Gefahren einer kulturellen Paralyse, die in der Annahme einer uneingeschränkten Autorität unweigerlich beschlossen sind; indem sie die Überzeugung von der Perfektibilität der Künste und Wissenschaften entwickelten, verringerten sie die Gefahr um ein weiteres; und sie war am Ende gänzlich gebannt, als die Einstellung allgemein wurde, die Bernard Palissy (st. 1589) die Worte eingab: „Je ne veux aucunement estre imitateur de mes prédécesseurs sinon en ce qu'ils auront fait selon l'ordonnance de Dieu."[46] In ähnlicher Weise sollte später der deutsche Klassizismus das Vorbild der Griechen verwenden, um eine ungeheure Erweiterung des Erfahrungsbereichs zu bewirken und zu rechtfertigen. Ganz anders wiederum die Motivierung der ‚Klassizismen' des islamischen Spätmittelalters, deren Funktion es war, die Schrumpfung des Kulturwollens als moralischen Fortschritt erscheinen zu lassen, und deren reduktive Zwecksetzung durch keines jener philosophischen Axiome kompensiert wurde, die den französischen Humanisten auf die Seite der ‚Modernen' stellte und den französischen Klassizismus des sechzehnten Jahrhunderts auf die *illustration* und die *décoration* des guten Namens seines Landes hinarbeiten ließ.

In manchen seiner Wesenszüge zumindest ist das kulturelle Vorbild ebensooft das Ergebnis einer Konstruktion wie zureichend verstandene geschichtliche Wirklichkeit. Doch tut die Ungenauigkeit des geschichtlichen Begreifens seiner Wirksamkeit (wenigstens im Anfang) keinen Abbruch. Der Einfluß des Tacitus war

[46] Zitiert von Gillot, *op. cit.*, S. 93.

darum nicht weniger wohltätig, weil die Leser des siebzehnten Jahrhunderts ihn fälschlich als Apologeten des Tiberius und als den ersten Verfechter der Staatsräson auffaßten[47]. Es gibt Zeitläufte, in denen sich die Wirklichkeit des Lebens an literarischen Modellen orientiert, während die zeitgenössische Literatur in Nachfolge stereotyper Modelle vom wirklichen Leben nur wenig Notiz nimmt[48]. So mag es geschehen, daß den Zeitgenossen die Frage nach der historischen Tatsachengerechtigkeit des Vorbilds gar nicht ins Bewußtsein tritt.

V. Vom Standpunkt seiner praktischen Wirksamkeit läßt sich Klassizismus sohin beschreiben als

A. ein Wertungsprinzip, d. h. als eine Grundlage der Selbsteinschätzung;

B. ein Ordnungsprinzip für das Weltganze, insoweit dieses für wirksames Erfahren erheblich ist[49]; in diesem Zusammenhang muß die Tatsache festgehalten werden, daß die Tendenz, absolut Gültiges in bestimmten geschichtlichen Perioden verwirklicht zu finden, eines der hervorstechenden Charakteristika der westlichen Neuzeit seit der Renaissance darstellt (ohne freilich auf diese Zeitspanne beschränkt zu sein);

C. ein Gefüge von (Handlungs)motiven.

Zum Verständnis des Klassizismusphänomens als solchen wie auch jedweder konkret gegebenen klassizistischen Bewegung muß man sich vor Augen halten, daß diese drei Aspekte stets gleichzeitig und in wechselnder Abhängigkeit auftreten. Noch wichtiger vielleicht für ein Verständnis jeglichen Klassizismus ist die Einsicht, daß seine Vorkämpfer unweigerlich primär an ihrer

[47] Vgl. D. Ogg, *Europe in the Seventeenth Century* (5. Aufl.; London, 1948), S. 519–20.

[48] Vgl. W. Rehms Ausführungen zum deutschen Hochmittelalter in seinem Aufsatz ‚Kulturverfall und spätmittelalterliche deutsche Didaktik. Ein Beitrag zur Frage der geschichtlichen Alterung', *Zeitschrift für deutsche Philologie,* LII (1927), 301–302.

[49] Rehm, *Griechentum,* S. 54–55, drückt die Sachlage etwas abgeschwächt aus: „... das Wesen aller Klassik: sie lenkt den Blick auf die Grundordnungen des Daseins".

eigenen und nicht an der Vorbildkultur, an sich selbst und nicht an ihren Helden interessiert sind. Dieses Urteil bleibt in Kraft, obzwar sich mit Recht behaupten läßt, daß man die diversen Klassizismen nach dem Grad ihres objektiven oder wissenschaftlichen Interesses an der ‚anderen' Kultur klassifizieren könnte; denn bei näherem Hinsehen wird es sich immer herausstellen, daß das Element, das in Wahrheit einer Variation unterliegt, der Grad ist, zu dem ein tatsachengerechtes Erfassen der ‚anderen' Kultur bzw. einiger ihrer Teilgebiete für unentbehrlich gehalten wird, um das Ziel des betreffenden Klassizismus zu realisieren. Von diesem Gesichtspunkt aus läßt sich etwa der (sehr beschränkte) Klassizismus der sinophilen Bewegung des achtzehnten Jahrhunderts mit dem (unbeschränkten) Klassizismus der Goethezeit vergleichen. Voltaire bedurfte keines vollständigen Bildes chinesischer Institutionen, um die Autorität Chinas und seiner religiösen Einstellung gegen die katholische Kirche auszuspielen. Er mußte ja sogar gewisse Informationen über Korruption und gelegentliche Ausbrüche des Fanatismus bei seinen idealisierten konfuzianistischen Herrschern ebenso unterdrücken wie ihren Wunderglauben, um die propagandistisch wirksame Stilisierung des Vorbilds sicherzustellen[50]. Der französische Sinophi-

[50] Vgl. A. H. Rowbotham, ‚Voltaire, Sinophile', *Publications of the Modern Language Association*, XLVII (1932), 1061–63. Friedrich der Große durchschaute Voltaires Absichten bei seiner Verwendung Chinas als einer Autorität in Kulturfragen; vgl. seinen Brief an Voltaire vom 8. April 1776, der bei U. Aurich, *China im Spiegel der deutschen Literatur des 18. Jahrhunderts* (Berlin, 1935), S. 68, wiedergegeben ist. „Ich sagte ihm (d. h. dem Abbé Pauw): Aber sehen Sie denn nicht, daß der Patriarch von Ferney dem Beispiel des Tacitus folgt? Um die Tugend seiner Mitbürger zu fördern, predigte dieser Römer ihnen als Beispiel die Redlichkeit und Mäßigkeit unserer germanischen Vorfahren, die doch gewiß nicht verdienen, nachgeahmt zu werden. Ebenso ist Herr von Voltaire unermüdlich, seinen Welschen zu sagen: lernt doch von den Chinesen tugendhaftes Handeln, fördert wie sie den Ackerbau und ihr werdet euer Land von Bordeaux und eure Champagne fruchtbar sehen durch eurer Hände Arbeit und in der Fülle reicher Ernten. Da doch nur ein Gesetz gilt in dem weiten Kaiserreich China, o ihr Welschen, müßt ihr nicht wünschen, es ihnen darin in unserem kleinen Königreiche gleichzutun?" Leibniz, nebenbei bemerkt, gab sich größere Mühe, den Ge-

lismus hatte seinen Niedergang begonnen, mit anderen Worten, man hatte begonnen, dem fremden Kulturvorbild die Autorität zu entziehen, als ein scharfsichtiger französischer Beobachter sich imstande fand, Wesen, Ziel und Vorgangsweise der Bewegung zu analysieren. „In unseren Tagen ist das Kaiserreich China der Gegenstand besonderer Aufmerksamkeit und besonderen Studiums geworden. Die Missionäre faszinierten als erste die öffentliche Meinung durch rosa-gefärbte Berichte von diesem fernen Land, zu fern als daß es ihren Unwahrheiten hätte widersprechen können. Dann nahmen die Philosophen diese Berichte auf und entnahmen ihnen, was immer sie gebrauchen konnten, um Mißstände, die sie in ihrem eigenen Land beobachteten, anzuklagen und zu beseitigen. So wurde dieses Land (d. h. China) in kurzer Zeit die Heimat von Weisheit, Tugend und Rechtschaffenheit, seine Regierung die bestmögliche und am längsten bestehende, seine Sittlichkeit die reinste und schönste in der bekannten Welt; ebenso waren seine Gesetze, seine Kunst, sein Gewerbfleiß derart, daß sie allen Nationen der Erde als Vorbild dienen konnten."[51]

brauch, den er von chinesischen Verhältnissen machte, seinem Wissen von ihnen anzupassen; vgl. D. F. Lach, ‚Leibniz and China', *Journal of the History of Ideas,* VI (1945), 436–55.

[51] Baron Grimm, *Correspondance littéraire,* 15. September 1766, bei A. Reichwein, *China and Europe. Intellectual and Artistic Contacts in the 18th Century* (New York, 1925), S. 96. Was die Motive der englischen Sinophilie betrifft, so sind diese von Appleton, *op. cit.,* S. 41, einleuchtend dargestellt worden. „In England ... übte die konfuzianische Legende auf orthodoxe wie auf heterodoxe Denker ihre Anziehung aus. Ihr Materialismus sprach die englischen Deisten an, der Humanismus und das wohlwollende Patriarchat, die Konfuzius stützte, ebenso wie die zur Vollkommenheit ausgebildete, obzwar mumifizierte chinesische Lebensweise befriedigten solide Tories wie vorsichtige Whigs. Konfuzius war der vornehmste Apostel eines wohlgeordneten *status quo.* Die Augustäer waren gestimmt, ihr Elysium nicht wie ihre Nachfahren in der urtümlichen Unschuld der Südsee, sondern in den ruhmvollen Errungenschaften einer zivilisierten Vergangenheit zu finden. Mit ihrem instinktiven Mißtrauen Hobbesischer Prägung gegenüber einer desorganisierten Gesellschaft zogen die Klassizisten, die englischen ebenso wie die französischen, den Weisen dem Wilden, das Statische dem Dynamischen vor." Vgl. weiter zur Frage der europäischen Sinophilie und ihrer Ziele das mit reichen Literaturangaben versehene Buch von A. H. Rowbotham, *Missionary*

Der deutsche Klassizismus ist genügend bekannt und auch an dieser Stelle hinreichend erörtert worden, um den Gegensatz zur Sinophilie, der übrigens durchaus kein totaler ist, herauszustellen: so stark und so hochbewertet das Element wissenschaftlichen Verantwortungsbewußtseins auch war, so neutralisierte es in der deutschen Bewegung darum doch keineswegs den Drang nach zweckvoller und halbdichterischer Stilisierung des Erbes.
An sich ist eine klassizistische Haltung ebensowenig ein Symptom des Aufstiegs wie des Verfalls; sie deutet nicht einmal an, ob die Zeitgenossen in einer Epoche des Fortschritts oder des Rückschritts, der Ausweitung oder der Schrumpfung zu leben vermeinen. Das Wesen des Vorbilds, wie es geschichtlich gestaltet ist oder wie es von denen, die auf der Suche nach einer Autorität sind, aufgefaßt wird, hat einen gewissen Einfluß auf Richtung und Grenzen der kulturellen Bewegung, die seine Aneignung ermöglichen soll. Doch ist es zuvörderst die ‚Stimmung' und das Wollen der übernehmenden Kultur und damit die Funktion, die der Entlehnung zugeteilt wird, was uns bis zu einem gewissen Grad wenigstens ein Urteil darüber gestattet, ob ein bestimmter Klassizismus von Mut oder von Furcht gezeugt ist, ob Vergreisung oder Verjüngung ihm Pate gestanden sind.

and Mandarin. The Jesuits at the Court of China (Berkeley und Los Angeles, 1942), S. 247 ff. 278–79. 280–81 und 284–85.

Die in der Diskussion geäußerten Bedenken gelten in erster Linie der Allgemeinheit des neuen Begriffes „Klassizismus", der Kulturströmungen und kulturelle Haltungen auf einen Nenner bringt, die bislang sorgsam auseinandergehalten wurden.

1. Das Wort „klassisch" selbst, das im zweiten Jahrhundert v. Chr. ein Mal vorkommt, diente der Kennzeichnung eines literarischen Stilniveaus: als classici galten die vorbildlichen Schriftsteller, als proletarii die schlechten. Der sog. „Atticismus", d. h. der Rückgriff auf die Dichter des 5. und 4. Jahrhunderts, begann bereits im ersten vorchristlichen Jahrhundert und kann als Reaktion auf die Unzulänglichkeiten des hellenistischen Stils, des „Asianismus", betrachtet werden. Da in Griechenland dieser Klassizismus statisch blieb, in Rom hingegen die Klassik zeitigte (Cicero, Caesar, Vergil, Horaz), so könnte man Klassizismus in diesem Falle für Griechenland gelten lassen (Reaktion auf den eigenen Niedergang), für das römische Phaenomen (Suche nach einem Vorbild zur Stütze eigner Bestrebungen) scheint *Renaissance* treffender. (Gelzer)

2. Rückgriffe auf Archaisches geschehen immer, es handelt sich um einen dauernden Prozeß, wie ihn Curtius[52] dargestellt hat, den Klassizismus kennzeichnet ein *Programm;* das gilt für das augustäische Zeitalter wie für das 19. Jahrhundert. Und zwar tragen vorzüglich zwei Gruppen diese klassizistischen Bewegungen: Künstler und Dichter einerseits, Magister andererseits. Griechenland belieferte Rom und Kleinasien mit einer ungeheuren Zahl von Lehrern; zu ihnen zählte Dionys von Halikarnass (ca. 60 v. Chr. – ca. 5 v. Chr.), der das griechische klassizistische Programm entwarf. Ebenso finden wir neben den Dichtern des deutschen Klassizismus Lehrer wie J. H. Voss oder Christian G. Heyne. (Reinhardt)

[52] Ernst Robert Curtius: Europäische Literatur und lateinisches Mittelalter. Bern 1948. 2. Aufl. 1954.

3. Wenn man die laufenden Rückgriffe außer Betracht läßt, so bliebe am einzelnen Modellfall zu untersuchen, ob es sich jeweils um wirklichen Klassizismus handelt: die italienische Renaissance bedient sich bei ihrer Selbstbesinnung der Musterkultur als eines rein äußerlichen Vehikels; sie beginnt mit literarischem Klassizismus, um dann in eine Phase der Selbstentfaltung in der Kunst zu münden; die Romantik beruft sich recht willkürlich auf ein in der gewünschten Form gar nicht vorhanden gewesenes deutsches Mittelalter; als echter Klassizismus darf wohl nur das über Zeit und Geschichtlichkeit souverän sich hinwegsetzende Wiederanknüpfen an die vier rechtgeleiteten Kalifen gelten. (Preiser)

Gegen diese Bedenken macht der Vortragende prinzipiell geltend, daß man bei der Bemühung um einen *Begriff* eine gewisse Farblosigkeit in Kauf nehmen müsse. Man kann einen Befund systematisch darstellen, oder kann der gelebten Wirklichkeit durch detaillierte Beschreibung ihr Recht angedeihen lassen. Beide Verfahrensweisen bedingen den Fortschritt und die Entfaltung der Wissenschaft, d. h. es bedarf einerseits der wachsenden Einsicht in die Einzelphänomene (Einzelfakten und deren Analyse), andererseits der Verfeinerung der Begriffsbildung, die dem gesammelten Material neue Sichten abgewinnt. Verfeinerte Begriffe sind notwendig, da man neue Antworten nur auf neue Fragen erhält. Zur Bewältigung des anschwellenden Faktenmaterials sind immer wieder Generalisierungen notwendig, und erst sie verleihen den Fakten einen für die jeweilige Zeit gültigen Sinn.

Begriffe wie „Entwicklung“ oder eben „Klassizismus“ dienen zugleich der Differenzierung und der Generalisierung. Der Differenzierung dient der Klassizismusbegriff insofern, als er Klassizismen von einfachen restaurativen Bewegungen trennt, der Generalisierung, weil er gemeinsame, nicht unmittelbar als solche hervortretende Züge in verschiedenen Kulturströmungen zu erkennen erlaubt.

Die Wissenschaft ganz allgemein, in die Zivilisationen wie die unsere Geldmittel und menschliche Arbeit in großem Umfange investieren, dient vorwiegend zwei Zwecken: der bewältigenden

Ordnung des Tatsachenmaterials und der Förderung und Artikulierung des sich wandelnden Selbstverständnisses; der Drang nach Selbstverständnis gebietet recht eigentlich so hohe Investitionen. Begriffe wie der hier vorgeschlagene sind, von „objektiver Richtigkeit" ganz abgesehen, wesentliche Hilfen, weil sie das Material dem Selbstverständnis zugänglich machen.

Prüft man anhand des generellen Begriffs Klassizismus die speziellen Phänomene, so fallen positive und negative Vorzeichen fort, d. h. Werturteile, die Bezeichnungen wie „Klassik", „Romantik" oder „Renaissance" inhaerieren. Das Verliebtsein der Romantik etwa, besonders das des Novalis, in ein fiktives deutsches Mittelalter fällt unter „Orthogenetischen Klassizismus"; um es genauer einzuordnen, wäre hinsichtlich seiner Funktion zu fragen, ob es sich dabei um einen Versuch der Selbststilisierung handelt oder eher um das Aufschlagen einer Bühne zur Selbstrealisierung.

Der neue Überbegriff soll Termini wie Renaissance und Romantik nicht ausmerzen, die zum Verständnis der Einzelphänomene nützlich sind; er soll vielmehr ermöglichen, durch Einordnung und Subsumierung aller Spielarten historisch wirksam gewordener[53] Rückgriffe neue Blickpunkte für das geschichtliche Denken zu gewinnen, die aus der Analyse von Spezialfällen, eben etwa der Romantik, nicht gewonnen werden können.

Daß ein nicht wertender genereller Begriff zur Ordnung beiträgt, wird schon ersichtlich bei der Scheidung von „klassisch" und „klassizistisch", die, wie ja selbstverständlich, vom Standort des Betrachters abhängt; Cicero und Vergil sind Klassiker, besonders von Rom aus gesehen; die Literaturen kleinerer Ordnung (etwa die finnische, slowenische), die sich aus den großen ihre vorbild-

[53] Historisch nicht wirksam wurde z. B. der Konflikt um die Ara Pacis (Andreas Alföldi: A conflict of ideas in the late Roman Empire. Oxford 1952), ein Musterbeispiel für einen absurden, jeder reellen Grundlage entbehrenden Klassizismus, der denn auch nach einigen Jahren der Selbstauszehrung erlag.

lichen Modelle aussuchen, gelten den betreffenden Völkern als klassische, uns als klassizistische Werke.
Die Frage nach dem Aufkommen von Klassizismen (etwa die Abhängigkeit von sozialen Veränderungen) wie auch die nach ihrem Ende scheint nicht ohne weiteres beantwortbar; jedenfalls läßt sich der deutsche Klassizismus so wenig mit der französischen Revolution verknüpfen wie die Ablösung des Hellenismus durch den Klassizismus im ersten Jahrhundert mit sozialen Umwälzungen (Reinhardt). Der Vortragende hält denn auch Veränderungen der existenziellen Haltung für möglicherweise beschreibbar, aber nicht für erklärbar. Aus nicht zu nominierenden Gründen bemächtigt sich einer Generation ein neues Lebensgefühl, der Wille, einen ganz bestimmten Sinn in ihr Leben zu bringen, während eine spätere völlig anderen Zielen nachlebt; z. B. läßt sich kaum begründen, warum in der Gnosis das Gefühl der Fremdheit auf dieser Erde[54] plötzlich überhand genommen hat. Um die neue Einstellung zu rechtfertigen, greift man auf Autoritäten zurück. Im Islam wurde eine weltoffene, den Naturwissenschaften geneigte Epoche abgelöst von einer, in der auch die Hochgelehrten in erster Linie die absolute Allmacht Gottes und die völlige Abhängigkeit des Menschen ausmalten; beide Epochen konnten sich auf den Koran stützen, ohne ihn zu entstellen.
Um eine ähnlich abrupte Umorientierung handelt es sich bei der im Vortrag gestreiften Wandlung des religiösen Denkens im 17. Jahrhundert. Nach dem Tode Keplers (1630), dem es darum zu tun war, die Allmacht Gottes zu erkennen und nach-zu-denken, und der als Letzter eine echte Synthese zwischen religiöser Tradition und wissenschaftlicher Erkenntnis zu finden strebte, wird kein derartiger Versuch mehr unternommen. Huygens (1629-1695) und Newton (1642-1720) sind nicht minder fromme Christen, und Newtons Werk entspringt den gleichen Motiven wie das Keplers, aber in den rein mathematisch gehaltenen Schrif-

[54] Vgl. Hans Jonas: Gnosis und spätantiker Geist. Göttingen 1934. Teil II, 1, 1954.

ten finden sie sich nicht mehr ausgedrückt. Versuche zu einer Synthese zwischen traditioneller Religion und naturwissenschaftlicher Erkenntnis werden – nach Jahrhunderten zunehmender Auseinanderentwicklung, auch innerhalb des Naturwissenschaft treibenden Individuums selbst – erst wieder im 20. Jahrhundert gemacht und sind, von welcher Seite auch immer sie unternommen werden, ebenso künstlich wie gefährlich. (Hartner)
Der Vortragende, dem es um Konfrontierung islamischer und abendländischer religiöser Denkungsweise ging, hatte weniger diese Wandlung im Auge als das dem ganzen 17. Jahrhundert eignende Anliegen, die Welt als formulierbares, durchschaubares System zu erkennen, das entweder von Gott more geometrico eingerichtet worden oder von Hause aus so war – im krassen Gegensatz zu den religiösen Bedürfnissen im klassischen orthodoxen Islam, wo die Allmacht Gottes keinerlei Zwang ausgesetzt sein darf, nicht einmal dem der selbstgegebenen Gesetze, die daher auch nur als jederzeit ablegbare Gewohnheiten Gottes formuliert werden: den Europäer beunruhigen Unregelmäßigkeiten, den Muslimen scheinen Regelmäßigkeiten das Verwunderliche.

W. H. McNeill

DER BEGRIFF DES KULTURVERFALLS

Wenn man sich fragt, was unter dem Begriff des „Kulturverfalls“ zu verstehen ist, so stößt man auf eine doppelte Schwierigkeit. Zunächst einmal hat das Wort „Kultur“ viele Bedeutungen. Die Ethnologen gebrauchen es, um – im Gegensatz zu angeborenem Verhalten – alle die Gewohnheiten, Sitten und Fertigkeiten zu bezeichnen, die Menschen im gesellschaftlichen Zusammenleben erwerben. Andererseits wird dasselbe Wort von Geisteswissenschaftlern oft auf einen viel engeren Bereich menschlicher Tätigkeit angewandt, nämlich auf die Werke der Kunst und die Ergebnisse des abstrakten Denkens. In diesem Vortrag werde ich das Wort mehr in seinem engeren Sinne gebrauchen, schon deshalb, weil die Schwankungen der Kulturtätigkeit in diesem engeren Sinne drastischer sind als die Veränderungen in der Gesamtstruktur einer Gesellschaft, und weil sie gleichzeitig verhältnismäßig leicht aus den erhaltenen Zeugnissen vergangener Epochen abgelesen werden können.

Wie steht es nun mit dem Wort „Verfall“? Gäbe es einen einheitlichen, klaren und absoluten Maßstab für die Beurteilung des Wertes eines Kunstwerkes oder der Qualität eines philosophischen Buches, so wäre die Feststellung von Wachstum oder Verfall eine einfache Sache des Messens oder des Vergleichens; aber dem ist nicht so. Ebensowenig kann eine statistische Norm verwendet werden, die nicht absolute Qualität, sondern absolute Quantität künstlerischen und intellektuellen Schaffens zu messen unternimmt: denn selbst wenn ein solches Verfahren sonst befriedigend wäre, so war doch die Erhaltung und Vernichtung solcher Werke so unberechenbaren Zufälligkeiten unterworfen, daß jeder Versuch dieser Art der tragfähigen Grundlage entbehren würde.

Vielleicht also sollten wir darauf verzichten, einen absoluten, allgemeingültigen Maßstab zu finden, mit dem der kulturelle Aufschwung oder Verfall gemessen werden könnte, und sollten statt dessen spezielle Kulturtraditionen isoliert für sich betrachten und daraufhin untersuchen, ob es in ihrer Geschichte Perioden gibt, in denen ein „Verfall" deutlich eingesetzt hat. Es mag scheinen, als ob wir damit eine Lösung der Schwierigkeit gefunden hätten: Kulturtraditionen leben nicht ewig, noch verschwinden sie plötzlich; sie sterben langsam ab. Ein solches „Absterben" mag man mit gutem Recht als „Verfall" bezeichnen.

Aber damit erhebt sich ein anderes Problem: Was ist eine „Kulturtradition" oder eine „Kulturindividualität" (um einen Ausdruck Diltheys zu gebrauchen)? Wie können ihre Grenzen, sowohl chronologisch als auch geographisch, bestimmt werden? Selbst wenn wir uns in der Praxis auf die Namen einer Reihe von Kulturindivualitäten einigen könnten und z. B. eine ägyptische, eine mesopotamische, eine griechisch-römische, eine westeuropäische, eine chinesische Kultur und andere mehr der Art unterscheiden würden, und wenn wir darüber hinaus gültige chronologische und geographische Grenzen für jede dieser Kulturen festlegen könnten, *ein* Problem würde immer noch bestehen: wie unterscheiden wir ihren Aufschwung von ihrem Verfall? Solange eine Kultur lebt, ist sie Veränderungen unterworfen, raschen oder langsamen; und jede Veränderung bringt mit sich den Verfall von etwas Altem, um für das Wachstum eines Neuen den Weg frei zu machen. Wie können wir da das Ergebnis einer solchen Entwicklung als „Verfall" bezeichnen, wenn wir es unter anderem Gesichtspunkt als „Aufschwung" ansprechen müssen?

Man könnte vielleicht vermuten, daß man sich auf das Urteil der Zeit selber stützen könne. Das würde bedeuten: in solchen

Epochen, in denen die Menschen glauben, daß die beobachteten Wandlungen im ganzen gut sind, und in denen sie das Neue als eine Verbesserung dem Alten gegenüber willkommen heißen, sprechen wir von „Aufschwung“. Dagegen in Jahrhunderten, da die Menschen glaubten, daß die tatsächlich eintretenden Veränderungen eine Änderung zum Schlechteren bedeuten und daß die jetzt lebende Generation hinter der Größe ihrer Vorfahren zurückbleibt, beobachten wir eine Periode des Verfalls. Dies ist jedoch ein gefährliches Spiel, denn fast jede Veränderung wird von einigen Personen oder Gruppen begrüßt und von anderen beklagt werden. Wenn die Meinungen der Zeitgenossen also nicht übereinstimmen, wessen Urteil sollen wir dann als maßgebend betrachten? Aber ganz davon abgesehen: bis vor kurzem haben die meisten, wenn nicht sogar alle Wertsysteme, die sich in konkreten Einrichtungen verwirklichen konnten und so in der Lage waren, das Selbstverständnis einer beträchtlichen Anzahl von Menschen zu beeinflussen, ihre Ideale rückwärts in der Vergangenheit gesucht. Als Folge davon wurden Neuerungen, die sich nicht als Rückkehr von der korrupten Gegenwart zu einer sittlich überlegenen Vergangenheit legitimieren ließen, gewöhnlich als in ihrem Wesen und mit Notwendigkeit „schlecht“ angesehen.

Ich bin nicht sonderlich vertraut mit den Erscheinungen außerhalb des westlichen Kulturbereiches. Ich bin gerne bereit, mich hierin von Ihnen belehren zu lassen. Aber ich habe den Eindruck, daß die chinesischen Philosophen und Beamten ihre Leitbilder weit einmütiger in der Vergangenheit gesucht haben als die ihnen entsprechenden Schichten im Westen. Andererseits scheinen die Inder in der Aufstellung ihrer Ideale sich von Zeit und Geschichte erstaunlich emanzipiert zu haben. Aber in der Praxis waren es die aus der Vorzeit überkommenen heiligen Bücher, der Veda, die Upanischaden, das buddhistische Tipitaka oder das Mahabharata, zu denen man für moralische und intellektuelle Belehrung seine Zuflucht nahm. Was die griechisch-römische Welt betrifft, so wäre es leicht, eine lange Reihe von Dichtern und Propheten anzuführen, die uns versichern, daß das Zeitalter, in dem sie lebten, in besonderem und ausgesprochenem Maße ein Zeitalter des „Verfalls“ war – mögen unsere Zeugen nun Hesiod, Plato, Livius oder Salvian sein. Christliche Auslegungen der Geschichte änderten kaum etwas an dieser Überzeugung; sie verbreiteten sich oft mit einer gewissen Freude über die Verderbtheit der eigenen Zeit, da diese auf die Nähe des Jüngsten Gerichtes zu deuten schien. Erst im 17. Jahrhundert begann in einigen Ländern West-Europas, und selbst da zuerst nur innerhalb einer eng begrenzten Schicht, die Grundidee des Fortschrittes aufzutauchen und solche rückwärtsgerichteten Wertsysteme in Frage zu stellen; und in unseren eigenen Tagen hat sich gerade unter den führenden Geistern der westlichen Welt wieder der Zweifel erhoben, ob man außerhalb des engen Bereichs der Technik von wirklichem und dauerndem Fortschritt reden dürfe.

Einige Stimmen, etwa die des Herodot, ließen sich vielleicht anführen, die ein optimistischeres Bild der Welt entwerfen, in der sie leben; aber im Großen und Ganzen glaube ich, daß, wenn wir uns auf die Urteile der Zeitgenossen verlassen wollten, wir entdecken würden, daß die klarsten und eindrucksvollsten der erhaltenen Zeugen kulturelle Wandlungen und sonstige Veränderungen, die sie in ihrer Umwelt beobachten, verdammen und beklagen. Wir würden daher zu dem paradoxen Schluß gelangen, daß die Kulturgeschichte aus einer ununterbrochenen Kette von Verfallsperioden besteht. „Aufschwung“ würde – wenn es ihn überhaupt gibt – nur in den dunklen und zeugnislosen Zeiten der Vorgeschichte der einzelnen Kulturen zu finden sein.

Selbst Zeiten, in welchen ein besonders rasches und deutliches Fortschreiten der Kultur stattfand, und welche uns im Rückblick als „goldene“ Zeitalter erscheinen, machten wahrscheinlich auf die meisten Zeitgenossen den Eindruck äußerster Verworrenheit und Unsicherheit. Das ist sogar gerade was wir erwarten sollten, wenn ich mit meiner Behauptung Recht habe, daß die in der Vergangenheit herrschenden Werte sich immer jeder Veränderung widersetzten und sie beklagten; denn ein „goldenes“ Zeitalter ist – seinem Wesen nach – eine Zeit rascher Wandlungen und des Aufkommens neuer Kulturformen. Solch ein Zeitalter wird erst von der Nachwelt bewundert und verehrt werden, während den Zeitgenossen selber der Verfall der älteren und vertrauten Kulturformen einerseits, die revolutionäre Neuheit des hervorbrechenden Neuen andererseits allein zum Bewußtsein kommt. Man könnte sogar die Vermutung wagen, daß unsere eigene Zeit späteren Generationen als ein „goldenes“ Zeitalter erscheinen könnte; das scheint mir mindestens ebenso wahrscheinlich wie die üblichere Ansicht, daß wir am Rande kulturellen Verfalls schweben.

Wohin führt uns diese Betrachtung? Wenn wir keinen allgemeinen, absoluten und objektiven Maßstab finden können, an welchem Aufschwung und Verfall der Kultur sich ablesen lassen, und wenn die Selbstinterpretation aufeinanderfolgender Epochen oft in starkem Widerspruch zu dem Urteil späterer Generationen steht (unsere eigene unmittelbare und natürliche Einschätzung von Aufschwung und Verfall der einzelnen Kulturen einbegriffen),was können wir dann unter „kulturellem Verfall“ überhaupt verstehen? Denn sicherlich gab es Zeitalter des Kulturverfalls in der unmittelbar verständlichen Bedeutung des Begriffs; Altägypten und Altbabylonien nach 700 v. Chr. und das Römische Reich des 3. und 4. Jahrhunderts n. Chr. sind deutliche Beispiele kulturellen Verfalls – mindestens versichert uns das jedes Schulbuch.

Der gesunde Menschenverstand kann oft nützliche Hilfe leisten, und es wird sich lohnen, einen Augenblick zu überlegen, was vielleicht die Kulturen Ägyptens, Babyloniens und Roms während der Perioden gemeinsam gehabt haben, während deren sie gewöhnlich als im Verfall begriffen angesehen werden.

Ein ihnen allen gemeinsames Kennzeichen finden wir in einer Neigung zu bewußtem Archaismus. In Babylonien z. B. versuchte König Nabonid (555–539 v. Chr.), alte Tempel mit dem genauen Grundriß und mit Ziegelsteinen genau der gleichen Größe, wie sie hunderte oder sogar tausende von Jahren früher verwendet worden waren, wiederaufzurichten. Ähnlich findet man in dem Ägypten der 26. Dynastie bewußte Nachahmungen der Skulpturen des Alten Reiches, die oft so geschickt ausgeführt sind, daß es nicht immer leicht ist, sie von echten alten Kunstwerken zu unterscheiden. Auch in Rom finden sich bewußte und oft außerordentlich geschickte Versuche, frühe griechische Vorbilder nachzuahmen, vor allem während der Regierungszeit des Kaisers Hadrian. Es wäre jedoch nicht richtig, wenn man behaupten wollte, daß der Archaismus in diesen Zeiten unwidersprochen vorherrschte. In Babylonien haben wir unmittelbar vor der kleinmütigen, altertümelnden Haltung, wie sie aus einer Reihe von Inschriften aus der Zeit des Nabonid spricht, die pompösen Palast- und Festungsbauten des Nebukadnezar. Kein Anzeichen eines schwachherzigen Archaismus findet sich in dem Schmuck seiner Palastmauern. Freilich wissen wir zu wenig über die frühe babylonische Kunst, als daß wir mit Sicherheit sagen könnten, wieweit die Technik und der Stil des Palastes des Nebukadnezar wirklich neu waren und wieweit sie vielleicht nur eine ältere Tradition fortsetzten.

Die moderne Literatur, soweit ich sie kenne, neigt zu der Annahme, daß die ägyptische Kultur in den Jahrhunderten zwischen dem Zusammenbruch des Neuen Reiches und der mazedonischen Eroberung durch und durch archaisch war. Ich habe jedoch den Verdacht, daß, wenn mehr Material für diese Zeit zur Verfügung stünde und wenn die Ägyptologen nicht so fasziniert wären von den früheren Perioden ägyptischer Geschichte, und den Endphasen der ägyptischen Unabhängigkeit sorgfältigere und speziellere Studien gewidmet hätten, sie doch vielleicht Neuerungen und Schwankungen innerhalb dessen entdecken würden, was auf den ersten Blick als einheitlich archaisches, unbewegliches Ganzes erscheint. Besonders auf dem Gebiete der Religion scheinen bedeutende Veränderungen in Kult und Lehre während der XXI. Dynastie (1085–950) und den auf sie folgenden Dynastien stattgefunden zu haben; und es scheint möglich, daß solche Veränderungen selbst noch in späteren Zeiten auftraten, wenn auch alle diese Neuerungen den Anspruch erhoben, eine Rückkehr zu den guten alten Sitten der Vorfahren darzustellen. Der Mysterienkult der Isis z. B. muß eine ägyptische Geschichte gehabt haben, bevor er sich nach außen in die griechisch-römische Welt ergoß. Aber die erhaltenen ägyptischen Berichte bieten erstaunlich wenig Nachrichten über ihn, ebenso wie heidnische Schriftsteller römischer Zeit über die ersten zwei Jahrhunderte des Christentums bemerkenswert wenig zu sagen wissen.

Den Fall Roms kennen wir weitaus besser; und hier beobachten wir deutlich eine ganze Reihe neuer Strömungen, die mit dem Archaismus des zweiten Jahrhunderts n. Chr. konkurrieren: in der Religion, in der Kunst und in der Philosophie entfalten sie ihren tiefgreifenden und weitreichenden Einfluß. Mag das Aufkommen des Christentums und der mit ihm konkurrierenden Mysterienreligionen auch Gibbon als Zeichen des Niederganges erschienen sein; sie können in Wirklichkeit wohl kaum so interpretiert werden, es sei denn, man mäße der rationalistischen und naturalistischen Weltanschauung absoluten Wert bei, wie Gibbon und viele andere Altertumswissenschaftler nach ihm getan haben. Ähnlich zeigt in der Kunst die lange Reihe von Porträtköpfen, die in republikanischer Zeit beginnt und bis zu der Riesenstatue von Barletta in Süditalien hinabreicht (mag diese nun ein Porträt von Valentinian II. sein oder nicht), eine Entwicklung, die nicht einfach als Verfall abgetan werden kann. Denn wenn auch die technische Virtuosität verschwindet, die in hellenistischer und frührömischer Skulptur so hoch entwickelt ist, und wenn auch die naturalistische Akribie abnimmt, so könnte man dem entgegenstellen, daß der Begriff der Porträtkunst selbst sich verändert, so daß im späten 3. Jahrhundert der Künstler nicht mehr nur den äußeren Menschen, sondern eine innere seelische oder geistige Haltung wiederzugeben versucht. So angesehen ließen diese Werke frühere Vorbilder hinter sich und deuteten vorwärts auf spätere byzantinische und mittelalterliche Formen. So ist auch die Philosophie des Plotin und des Augustinus kraftvoll und neu, selbst wenn sie, wie im Falle Plotins, als Erneuerung und Umformung eines alten Gedankensystems auftritt; denn diese Denker erforschen und entwickeln eine neue Dimension des menschlichen Geistes – die mystische Erfahrung –, welche Philosophen früherer Zeiten nicht gekannt oder nicht positiv bewertet hatten.

Was war dann also in Verfall begriffen? Der Archaismus des hadrianischen Kreises mag sehr wohl ein Symptom gewesen sein; ich bin sogar überzeugt, daß er ein wichtiges Symptom war für das Schwinden des Selbstvertrauens in der bis dahin im römischen Kulturleben führenden Schicht; aber im Gesamtverlauf der römischen Kulturentwicklung war das nicht mehr als eine kurzlebige Oberflächenerscheinung. Wenn wir über die Geschichte Babyloniens besser unterrichtet wären, so erschiene vielleicht der Archaismus des Nabonid nicht viel bedeutsamer als der des Hadrian. Selbst in Ägypten, wo selbstbewußter Archaismus offenbar eine größere Rolle gespielt hat als in Rom oder Babylonien, möchte man vermuten, daß dieser Archaismus als eine Art Verkleidung für bedeutsame Wandlungen auf religiösem Gebiet, und vielleicht auch auf anderen Gebieten, gedient hat.

Aber ein anderes Merkmal scheinen zum mindesten zwei unserer im Verfall begriffenen Kulturen zu teilen; und ich bin geneigt, diesem Merkmal größere Bedeutung diagnostischer Art zuzumessen. In jeder der drei Perioden, welche allgemein als Zeiten des Kulturverfalls angesprochen werden, war nur eine begrenzte Schicht der Gesamtgesellschaft wirklich Träger oder Repräsentant der sinkenden Kulturtradition. Darüberhinaus waren in Mesopotamien sowohl wie in Rom diese Schichten wahrscheinlich in ihrer geistigen Haltung in zunehmendem Maße isoliert von der großen Masse des Volkes. Das war zu einem Teil die Folge davon, daß sie an kulturellen Ausdrucksformen festhielten, die für die meisten ihrer Zeitgenossen leer oder unverständlich geworden waren; teilweise erklärt es sich auch aus sozialen und wirtschaftlichen Gründen.

Sowohl in Ägypten als auch in Mesopotamien hatten Priesterschaften während vieler Jahrhunderte in besonderem Maße als

Wahrer hoher literarischer und künstlerischer Traditionen gedient. In Mesopotamien hatte sich freilich schon im dritten Jahrtausend v. Chr. eine andere, mindestens halb-unabhängige künstlerische und literarische Überlieferung gebildet, die in einem zugleich kriegerischen und bürokratischen Königtum ihren Mittelpunkt hatte. Paläste und Festungen einerseits, Gesetzessammlungen und Verwaltungsurkunden andererseits standen nicht unter priesterlicher Kontrolle. Und auf diesen Gebieten der Kultur lassen sich, glaube ich, zu keiner Zeit in der Geschichte Mesopotamiens wirkliche Anzeichen des Niederganges finden. Vielmehr kann man hier, wie ich denke, einen unregelmäßigen Rhythmus wechselnder politischer Verfestigung und Auflösung wahrnehmen. In den folgenden Perioden politischer Konsolidierung wurden immer kompliziertere und eindrucksvollere militärische, administrative und gesetzliche Ordnungen geschaffen; zugleich wurden immer großartigere Paläste und Lustgärten, Festungen und Straßen gebaut, als beredte Zeugen des oft unterbrochenen, aber beharrlichen Aufstiegs der weltlichen, politischen und wirtschaftlichen Kultur Mesopotamiens. Kein ähnlich kraftvoller Aufschwung kann in den mehr intellektuellen und im engeren Sinne religiösen Bereichen mesopotamischer Kultur beobachtet werden. In der Zeit des Hammurabi allerdings finden wir eine glänzende, wenn auch kurze, Entwicklung der Mathematik und gleichzeitig wichtige Wandlungen in der Theologie: das Emporkommen von Marduk von Babylon und von Schamasch und anderen Göttern, die mit den Amoritern in Zusammenhang stehen. Nach dieser Epoche sind, soweit die mir bekannte Literatur mir ein Urteil erlaubt, nur geringe Veränderungen eingetreten, bis dann der Einfluß der mazedonischen Eroberung und der griechischen Kultur die babylonischen Priester und Theologen noch einmal zu neuen Spekulationen anregte.

Dies, glaube ich, war die Lage, die den Verfall der alten babylonischen Kultur hervorrief. Der unentwegte Konservativismus einer Priesterschaft, deren Anspruch auf Macht, Reichtum und Autorität auf traditioneller Bewahrung von Text und Ritus beruhte, verhinderte jede merkliche Neuerung in dem von ihr beherrschten Kultursektor. Was alt war, war gut; und ein frommer König wie Nabonid, der unter starkem priesterlichem Einfluß stand, konnte, um sich der Gunst der Götter und Menschen zu versichern, an nichts anderes denken, als an den Wiederaufbau alter Tempel, unter sorgfältigem Anschluß an die alten Muster. Es wäre leichtfertig, wenn ich über die Beziehungen zwischen den Priesterschaften des alten Babylon und der Gesamtbevölkerung ein Urteil wagen wollte. Es gab in Babylon große Feste, bei denen die Bevölkerung eine Zuschauerrolle spielte. Aber es ist völlig unsicher, ob dem Volke die religiöse Bedeutung dieser Begehungen überhaupt zum Bewußtsein kam. Wir haben zum mindesten einen erstaunlichen Text aus dem ersten Jahrtausend v. Chr., der die herrschenden religiösen Ansichten ablehnt und einen tiefen Weltüberdruß und einen allgemeinen Skeptizismus ausdrückt. Aber er ist nicht typisch. Die meisten Texte, die nicht von Geschäfts- oder Verwaltungsangelegenheiten handeln, bestehen aus getreuen Kopien älterer Dokumente, wie sich viele in der Bibliothek der assyrischen Könige erhalten haben. Ich halte es freilich aus der Natur der Sache heraus für unwahrscheinlich, daß der Geist der Entfremdung von der bestehenden Religion, der sich so erstaunlich klar in diesem isolierten Dokument ausdrückt, nur eine individuelle Haltung dieses einen Autors darstellte. In einer Gesellschaft, die den Aufschwung des Handels und, als Folge der assyrischen Politik der Verpflanzung von Aufrührern, die Vermischung sehr verschiedener Völker und Kulturen erlebte, gewannen sicherlich Individualismus und großstädtische kulturelle Vielfalt weiterhin an Boden auf Kosten des sozialen Zusammenhalts und der geistigen Solidarität der Gemeinschaft als ganzer. Die Religion der babylonischen Priesterschaften war jedoch eine öffentliche Religion, eine Religion für die Gemeinschaft, nicht für Einzelne. Ihre Theologie und ihr Mythus hatten dem enttäuschten Einzelnen kaum einen Trost zu bieten, wenn er sich von Göttern oder Menschen ungerecht behandelt fühlte. Selbst in der konservativen Sphäre der Religion gibt es Zeugnisse, die es wahrscheinlich machen, daß das Wachsen des Individualismus, das wir bisher nur vermutet haben, tatsächlich stattgefunden hat. Im ersten Jahrtausend v. Chr. ließen sich babylonische Priester dazu herab, private und persönliche Fragen, welche den Göttern gestellt wurden, mit Hilfe von Orakeln und Vorzeichen zu beantworten, was sie vordem nicht getan hätten. Früher hätten sie ihre Mitwirkung auf Angelegenheiten beschränkt, die für die Gesamtgesellschaft von Bedeutung waren. Das könnte als eine Konzession an den sich wandelnden Charakter der babylonischen Gesellschaft angesehen werden; aber ich bin entschieden der Meinung, daß dieses Zugeständnis nicht dazu führen konnte, eine enge und beide Teile befriedigende Beziehung zwischen der Priesterschaft und der Masse des Volkes herzustellen. Denn erstens war es zu kostpielig, die hohen Götter über individuelle Angelegenheiten zu befragen; nur die wirklich Reichen konnten sich einen solchen Luxus erlauben. Die Armen und die mancherlei Fremden, wie die Juden, mußten sich anderswo nach religiöser und geistiger Führung umsehen. So fanden sich die Priester des Marduk mit ihrem Reichtum und ihren Riten, ihrer Wissenschaft und ihrer Kunst der Gesamtgesellschaft gegenüber in hohem Maße isoliert. Ich habe den Verdacht, daß die alte Religion und die kulturellen Ausdrucksformen, die so unlösbar mit ihr verbunden waren, für die Massen mehr und mehr zum unterhaltenden Schauspiel wurden und nicht lebendige Erfahrung des Göttlichen darstellten. Dies muß jedoch bloße Vermutung bleiben; es liegt in der Natur der Sache, daß wir niemals hoffen können, wirklich zu wissen, was der Durchschnittsbabylonier in Stadt und Land gedacht und gefühlt hat.

Das Gleiche gilt für Ägypten, wo die angestammte Religion im ersten Jahrtausend Gedanken entwickelte und in der Seelsorge anwandte, welche offenbar selbst den Armen und Niedrigen die Aussicht auf eine ewige Seligkeit als Entschädigung für ihre Leiden in dieser Welt eröffneten. Der Archaismus und Konservativismus der ägyptischen Priesterschaft scheint, zum mindesten an der Oberfläche, so groß wie irgend in Mesopotamien; aber ich habe den Eindruck, daß sie einen stärkeren Einfluß auf Einbildungskraft und Gefühle des Volkes behaupteten, als es dort in den gleichen Jahrhunderten der Fall war; und sie haben diesen Einfluß in der Tat während der mazedonischen und bis in die römische Zeit hinein aufrechterhalten. Damals wurde Ägypten zum Nährboden für die Mysterienreligionen neuen Stils, welche sich im 1. und 2. Jahrhundert n. Chr. über das römische Reich zu verbreiten begannen. In dieser, wie in so mancher anderen, Hinsicht scheint Ägypten ein Sonderfall gewesen zu sein, zum Teil vielleicht wegen der einzigartigen geographischen Isolierung, deren das Land sich erfreute, unter der es aber auch zu leiden hatte.

Ich fühle mich tatsächlich versucht, dem „gesunden Menschenverstand", dessen Führung ich mich weiter oben anvertraut habe, hier zu widersprechen und zu behaupten, daß die ägyptische Kultur während des letzten Jahrtausends v. Chr. nicht im Verfall begriffen war, sondern sich in einem eigenartigen Gleichgewichtszustand sozialer Kräfte befand, der nur mit den Bedingungen verglichen werden kann, wie sie während des Konfuzianischen Zeitalters in China herrschten.

Ich stelle mir vor, daß sowohl Alt-Ägypten als auch das mittelalterliche und früh-neuzeitliche China fähig waren, eine im äußeren Anschein streng konservative kulturelle Haltung sozusagen mit unterirdischer und vielleicht weithin unbewußter Anpassung alter kultureller Formen an die sich wandelnden Bedingungen der sozialen Ordnung zu verbinden. Beide Gesellschaften waren sowohl durch psychologische als auch durch geographische Schranken weitgehend von der Außenwelt isoliert. Ich glaube, daß es dadurch den Priestern Ägyptens und den Gelehrten und Beamten Chinas möglich war, sich die aktive Gefolgschaft der Gesamtbevölkerung zu erhalten, ohne daß irgendeine wesentliche Wandlung in den hergebrachten kulturellen Ausdrucksformen sichtbar wurde. Wenn diese Analyse der Wahrheit irgend nahe kommt, sollte man nicht von einem „Verfall" dieser Kulturen sprechen. Relativ späte Stadien der ägyptischen und chinesischen Kultur weisen eine überraschende innere Geschlossenheit auf,

und die Kulturträger waren ungewöhnlich erfolgreich in dem Versuch, übernommene Kulturformen an die Bedürfnisse und Interessen der Gesamtbevölkerung anzugleichen.
Wenn wir uns Rom zuwenden, wird das Bild klarer. In der Kaiserzeit waren die Träger der griechisch-römischen klassischen Überlieferung besonders in den westlichen Provinzen eine wenig zahlreiche Schicht von „gentlemen“, die ihr Einkommen im wesentlichen aus ihrem Grundbesitz zogen und die durch eine etwas künstliche rhetorische und literarische griechische Bildung von der Masse der Bevölkerung geschieden waren. Wir wissen natürlich kaum besser Bescheid über die Einstellungen und Gefühle der Bauern und Handwerker römischer Zeiten als über die der entsprechenden Schichten der älteren orientalischen Gesellschaften; aber gelegentliche Hinweise und Andeutungen in späten römischen Quellen erlauben uns die Vermutung, daß ein weitreichender Mangel an Sympathie zwischen der Landbesitzerklasse und den einfacheren Schichten der Gesellschaft bestand. Die Revolten und militärischen Unruhen des dritten Jahrhunderts n. Chr. sind von Rostovtzeff als eine Bewegung der Bauernschaft gegen die „Bourgeoisie“ (wie er sagt) erklärt worden – eine Gruppe, die ich lieber als Grundbesitzer- oder Rentierklasse bezeichnen würde. Wenn er auch vielleicht seine Quellen etwas hart anpackt, um die römischen Geschehnisse mit seinen eigenen Erfahrungen im revolutionären Rußland in Einklang zu bringen, so finde ich seine Idee doch überzeugend. Ich kann mir die tiefgreifenden kulturellen und sozialen Wandlungen, wie sie in spätrömischer Zeit eingetreten sind, nur dadurch erklären, daß die Ideen und Empfindungen der Masse der Bevölkerung in zunehmendem Maße der Kultur und den sozialen und wirtschaftlichen Ansprüchen der Grundbesitzerklasse fremd und feindlich gegenüberstanden. Ich glaube, daß der Verfall der klassischen heidnischen Kultur nur eintreten konnte, weil die Menschen, welche die hellenische Tradition hochhielten und verehrten, zu einer verhältnismäßig kleinen und soziologisch isolierten Gruppe zusammengeschmolzen waren.

Hier möchte man vielleicht einwenden: Kann eine Kultur nicht durch Angriff von außen und durch Eroberung zerstört werden? Um ein Beispiel zu nennen: hatten die germanischen Einfälle in das Römerreich nicht doch etwas zu tun mit dem Zerfall der römischen Kultur und mit dem Hereinbrechen der „dunklen Jahrhunderte" der westeuropäischen Geschichte?
Ich würde antworten: Ja und Nein. Wenn im 4. und 5. Jahrhundert n. Chr. die heidnisch-klassische Kulturüberlieferung noch hinreichend kraftvoll gewesen wäre, und wenn die Träger dieser Überlieferung nicht innerhalb des römischen Volksganzen gesellschaftlich isoliert gewesen wären, dann, glaube ich, würden die eindringenden Barbaren die Kultur ihrer unterworfenen Feinde angenommen haben; sie wären die Erben des alten Hellas geworden, genau wie die Römer selber sechs- oder siebenhundert Jahre früher der Kultur der im politischen Ringen Unterlegenen erlegen waren. Aber da in Wirklichkeit der innere kulturelle Zusammenhalt der römischen Gesellschaft schon gelockert war, konnten die Barbareneinfälle und die damit verbundenen Erschütterungen einen entscheidenden Einfluß ausüben: sie vollendeten die Vernichtung der kleinen gebildeten und besitzenden Oberschicht, die den alten heidnischen Überlieferungen treu geblieben war, und ersetzten sie durch eine neue Schicht großer Landbesitzer von überwiegend barbarischer und kriegerischer Eigenart und Lebensweise. Aber selbst diese neuen Herren des Landes übernahmen wesentliche Bestandteile der römischen Kultur. Vor allem nahmen sie das Christentum an und assimilierten sich dadurch, wenn auch nicht der alten heidnischen Aristokratie, so doch der großen Masse der römischen Bevölkerung, welche im Christentum (und in anderen mit ihm konkurrierenden Mysterienreligionen) einen Ersatz für die überkommene heidnische Kultur gefunden hatte.
Eine gewisse Ähnlichkeit mit dieser Entwicklung zeigt die Eroberung Mesopotamiens durch die noch halb barbarischen Perser. Sie waren nicht sonderlich beeindruckt von der hochentwickelten literarischen und künstlerischen Überlieferung im Lande, und

ungleich allen früheren Eroberern des Zweistromlandes eigneten sie sich die mesopotamische Kultur nicht an. Stattdessen gab am Ende ein persisches Heer der babylonischen Kultur den Gnadenstoß; denn nach der Plünderung Babylons durch die Krieger des Xerxes und nach der Zerstreuung der Priester des Marduk wurden die geistigen und künstlerischen Ideale und Lebensformen, welche die Priester so lange aufrechterhalten hatten, nie wieder völlig hergestellt. Einzelne Elemente der Kultur lebten natürlich weiter und verbanden sich mit neuen Denkweisen. Auf diese Weise entstand z. B. die hellenistische Astrologie.

Hier zeigt sich wieder ein interessanter Gegensatz zu der ägyptischen Entwicklung; denn auch dort wurden im 4. Jahrhundert n. Chr. von persischen Heeren Tempel zerstört und die Priesterschaften auseinandergejagt. Aber sobald der unmittelbare militärische Druck nachließ, bildeten die Priesterorganisationen sich von neuem, und Kulturformen, die den alten sehr ähnlich waren, traten wieder die Herrschaft über den ägyptischen Boden an. Ich kann diesen Unterschied nur auf die Verschiedenheit zurückführen, die ich weiter oben erschlossen habe: daß in Ägypten ein sehr viel näheres und wärmeres Verhältnis zwischen den Massen der Bevölkerung und den priesterlichen Kulturträgern bestand, als in Mesopotamien.

Ich leugne natürlich nicht, daß es Fälle in der Geschichte gegeben haben könnte, wo ein Eroberer eine blühende Kultur zerstört hat. Aber ich glaube, das kann nur geschehen, wenn der Eroberer selbst über eine deutlich überlegene Kultur verfügt, eine Kultur, die ihn gegen Einflüsse von seinen neuen Untertanen immun macht und zugleich die unterworfenen Gruppen mit dem Gefühl ihrer eigenen Unterlegenheit und Schwäche erfüllt. Der einzige Fall, wo diese Bedingung gegeben zu sein scheint, ist die Eroberung von Mexiko und Peru durch die Spanier. Aber einige Gelehrte vertreten die Ansicht, daß sowohl die aztekische wie die Inka-Kultur bereits vor dem spanischen Angriff Zeichen innerer Spannung und Auflösung verrieten. Ich will darüber keine Entscheidung fällen, sondern will es mit der allgemeinen Aufstel-

lung genug sein lassen, daß Barbareneinfälle in ein Kulturland nicht unbedingt, sogar nicht mit Wahrscheinlichkeit, zu Kulturverfall führen, wenn nicht bereits vorher innere Entwicklungen in der Mitte des Kulturvolkes die Kulturträger so von der Masse der Bevölkerung isoliert haben, daß sie verwundbar geworden sind.
Um zusammenzufassen: Meine Theorie ist, daß Kulturverfall dann eintritt, wenn die Träger einer bestimmten Kultur eine mehr oder weniger geschlossene Gruppe zu bilden beginnen, sich von der Gesellschaft, die sie umgibt, isolieren und es ablehnen, den Ideen und Empfindungen, welche die Gesamtbevölkerung durchdringen, ernsthafte Aufmerksamkeit zu schenken. Solch ein Verhalten ermöglicht eine Art künstlicher Verlangsamung des normalen kulturellen Wandlungsprozesses. Einer geistig derart isolierten Gruppe scheint das Alte immer das Beste zu sein. Die guten alten Formeln werden als die einzigen angesehen, die einem gebildeten Menschen anstehen. Wie kann man anders seine Überlegenheit über die rohe Masse, die einen umgibt, bewahren, als wenn man sorgfältig darauf achtet, daß alles, was man sagt, tut oder bewundert, korrekt und elegant ist und in Einklang steht mit geheiligtem Herkommen.
Ich habe bereits ausgeführt, daß in fast allen geschichtlich bekannten Gesellschaftsordnungen ein vorwiegend konservatives Wertsystem bestanden hat; es kann daher nicht meine Absicht sein, es so darzustellen, als ob das Verhalten dieser kleinen, sozial isolierten Gruppen wesentlich verschieden sei von dem Verhalten, das wir bei der großen Mehrzahl aller Menschen in den meisten Fällen als normal beobachten. Ganz im Gegenteil. Aber ihr Verhalten erscheint als eine Übersteigerung der normalen Haltung. Ihr Konservatismus sträubt sich mit ungewöhnlicher Hartnäckigkeit dagegen, neue Ideen oder Empfindungen auch nur zu erwägen. Zweifellos ist ein Hauptgrund dafür der Vorteil, in ökonomischer oder anderer Hinsicht, der den Trägern einer solchen kulturellen Überlieferung aus ihrem Bildungsmonopol und aus der gesellschaftlichen Stellung erwächst, die mit dem Besitz einer solchen Kultur zusammenfällt.

Aber was auch immer die Gründe sein mögen, die Auswirkungen einer solchen gesellschaftlichen Isolierung sind ähnlich denen der geographischen Isolierung, der sowohl Ägypten wie China in historischer Zeit ausgesetzt waren. Sie läßt eine Stabilisierung kultureller Formen zu, schafft den passenden Nährboden für einen Archaismus und führt wohl meistens früher oder später zu einem katastrophalen Bruch mit der kulturellen Überlieferung; denn eine isolierte und verhältnismäßig kleine Schicht ist großen Gefahren ausgesetzt, da sie ihrem Wesen nach unfähig ist, sich auch nur die willige Gefolgschaft der mit ihr im selben Gesellschaftskörper zusammenlebenden Massen zu sichern; unfähig auch, möchte man annehmen, in vollem Selbstvertrauen und wirklicher Selbstsicherheit ihren eigenen selbst-gewählten Idealen nachzuleben – man denke nur an Mark Aurel. Wenn die Katastrophe dann eintritt, tritt das Phänomen auf, das wir gemeinhin mit Kulturverfall bezeichnen: die Tradition wird unterbrochen, meist wohl ganz plötzlich, im Lauf von zwei oder drei Generationen. Die Elemente der alten Tradition, die sich hinüberretten, werden in etwas deutlich Neues und Verschiedenes eingegliedert und werden voraussichtlich innerhalb des neugeformten Kulturzusammenhangs nur eine untergeordnete Rolle spielen.
Augustins Verhältnis zu Plato, oder Mao-Tse Tungs Verhältnis zu Konfuzius können erläutern, was ich meine; und das Verhältnis von Berossos (schrieb vor 261 v. Chr.) oder selbst Poseidonios (ca. 135– ca. 52 v. Chr.) zu den alten mesopotamischen Priesterschaften könnte vielleicht als weiteres Beispiel dienen.
Das Phänomen des kulturellen Verfalls, wie ich es zu analysieren versucht habe, scheint mir einfach eine Steigerung oder Störung dessen zu sein, was ich als den normalen Rhythmus des Kulturwandels und der Kulturentfaltung ansehe. Verfall ist, wenn man die Dinge in weiterem Zusammenhang sieht, eine Phase des Aufschwungs. Diese Formulierung mag paradox erscheinen, aber ich glaube, sie ist es durchaus nicht. Ich habe bereits ausgeführt, daß jeder Wachstumsprozeß die Ablehnung alter kultureller Ausdrucksformen und die Entwicklung neuer Formen einschließt.

Was ich jetzt sage, ist, daß „Verfall“ dann eintritt, wenn der Rhythmus gleichsam künstlich verlangsamt wird durch die geistige oder soziale Isolierung der Träger einer bestimmten Kultur. Der Rhythmus der Kulturveränderungen wird in solchen Fällen nicht nur zeitlich aufgehalten, sondern er wird zugleich qualitativ und quantitativ radikalisiert, so daß er, statt der Nachwelt das Bild einer mehr oder weniger ungebrochenen Kulturentwicklung zu bieten, als ein Bruch der Kontinuität, d. h. als Verfall, erscheint.

Was ich als Kultur im „Aufstieg“ bezeichnen würde, ist eine Kultur, die neuen Einflüssen und Ideen, mögen sie nun aus fremden Kulturen stammen oder innerhalb des Gesellschaftskörpers selbst aufkommen, verhältnismäßig aufnahmebereit gegenübersteht. Mögen auch Anpassungen und Wandlungen, Neuansätze und Wagnisse immer auf Widerstand stoßen und die Empfindungen Vieler verletzen –, sie werden trotzdem unternommen werden; und wenn sie in der rechten Weise unternommen werden, wird die große Mehlzahl der Gesellschaftsglieder ein Gefühl der Verbundenheit mit ihren Künstlern und Denkern wahren und in Achtung zu ihnen aufblicken, soweit sie nicht nur einem esoterischen Kreise, sondern der Masse des Volkes etwas zu sagen haben. Dazu bedarf es keiner gewollten Popularisierung, noch weniger einer Verflachung und Vergröberung dessen, was gesagt und getan wird. Selbst die abstrakteste Wissenschaft wird, wenn sie überhaupt ein Daseinsrecht hat, entfernte, vielleicht, aber doch sehr reale Wirkung und Bedeutung für alle Glieder der sie tragenden Gesellschaft haben. Man denke nur an die Rolle der Physik in unserer Gegenwart und an die kaum weniger unzugänglichen Spekulationen der mittelalterlichen Theologie.

Im Gegensatz dazu ist nach meiner Theorie eine Kultur dann im „Verfall“ begriffen, wenn ihre Träger Anregungen von außen keine ernste Aufmerksamkeit mehr schenken und wenn sie sich damit zufrieden geben zu wiederholen, was schon früher gesagt, und das zu tun, was immer getan worden ist. Wenn in einem solchen Falle die Gesellschaft als Ganzes gegen Einwirkungen von außen erfolgreich abgeschlossen ist, scheint mir die Möglichkeit zu bestehen, daß ein beide Seiten befriedigender Ausgleich zwischen den Kulturträgern und dem Rest der Bevölkerung zustande kommt. Ägypten und China wären wieder die Beispiele, die der Verwirklichung eines solchen Zustandes nahekommen. Für Gesellschaften, die so innerlich ausbalanciert und zugleich gegen äußere Erschütterungen relativ gesichert sind, schlage ich den Namen „Gleichgewichtskulturen" vor. Sie scheinen mir eine Mittelstellung einzunehmen zwischen dynamischen Hochkulturen, die in raschem Wandel begriffen sind, und den „folk societies" Redfields, d. h. Gesellschaften, die sich durch Stabilität und durch enge Verbundenheit und sakrale Weihe aller Lebensbeziehungen auszeichnen. Solche „Gleichgewichtskulturen" haben mit den dynamischen Hochkulturen die Komplexheit und die eindrucksvolle Kulturhöhe gemeinsam; aber sie gleichen „Volksgesellschaften" in ihrer inneren Ausgewogenheit und Stabilität. Ich sehe keinen Grund, warum eine solche Gleichgewichtskultur nicht unbegrenzt dauern sollte, solange keine drastische neue Erfahrung sich aufzwingt, die ihr inneres Gleichgewicht erschüttert. Solch eine Erfahrung kann fast mit Sicherheit nur von außen kommen (d. h., wenn wir klimatische Veränderungen ausschließen), von einer neueinsetzenden Berührung mit einer fremden Gesellschaft, die technisch und militärisch so stark entwickelt ist, daß die herkömmlichen Mittel der Auseinandersetzung mit fremdem Einfluß versagen. Dies war das Schicksal Ägyptens in seinem Zusammenprall mit den assyrischen, persischen, mazedonichen und römischen Heeren. Es trifft aber ebenso auch für die neuere Geschichte Chinas zu, als dieses Land sich den Schiffen, Eisenbahnen, Flotten und Armeen der westlichen Welt gegenübersah.

Wenn nun umgekehrt eine Gesellschaft aus geographischen oder aus anderen Gründen sich von ihren Nachbarn nicht so vollständig abschließen kann, wird die Bemühung der Kulturträger, sich sozusagen abzukapseln, wahrscheinlich nur einen vorübergehenden, weit geringeren Erfolg haben. Wenn sie selbst für eine Reihe von Menschenaltern Geist und Seele gegen jede gewichtige Neuerung verschließen konnten, so wird die übrige Masse der Gesellschaft sicher ihrem Beispiel nicht folgen. Der Erfolg der Mysterienreligionen und des Christentums in der römischen Kaiserzeit ist natürlich das deutlichste Beispiel dafür, wie ein Teil der Gesamtbevölkerung, der in der herrschenden Kultur der Herrenklasse so gut wie nichts fand, was seinen Bedürfnissen entgegenkam, sich fremden Göttern zuwandte und damit seinen wirtschaftlichen und politischen Meistern die kulturelle Gefolgschaft verweigerte. Die Katastrophe, die das 3. Jahrhundert n. Chr. über die Curiales der römischen Provinzen brachte, mag erneut als Beispiel dienen für das Schicksal, das wohl jeder insichgekehrten, sozial isolierten Kulturträgerschicht wartet.

Damit habe ich meine Ansichten zu dem Thema dieses Vortrages dargelegt. Zum Abschluß möchte ich nur noch meine Überzeugung unterstreichen, daß die Geschichte sich im wesentlichen in einer Richtung vorwärts bewegt. Kultureller Verfall scheint mir eine Anomalie – vielleicht könnte man sagen: eine krankhafte Entartung – zu sein, die jedoch den ganz allgemeinen und durchgängig sichtbaren Rhythmus der Menschengeschichte nicht zu unterbrechen vermag. Ich sehe in der Weltgeschichte keine Kreisläufe, sondern einen einheitlichen Prozeß, der mit majestätischem Rhythmus durch die Zeit wandelt. Kulturverfall richtig gesehen ist eine Katastrophe nur von dem Standpunkt der Träger der zerfallenden Kultur. Der Unterton, den dieses Wort für uns hat, stammt von der Haltung, welche den Humanisten der Renaissance und ihren Nachfolgern, den klassischen Philologen und den Althistorikern, eigen ist. Für sie, und bis zu einem gewissen Grade auch für uns, mag der Verfall der heidnischen klassischen Kultur als eine Katastrophe erscheinen; aber für jeden Erben der westeuropäischen Kultur sollte es völlig klar sein, daß der Bruch mit der reichlich abgestandenen, verflachten und nicht länger schöpferischen Kultur des heidnischen Rom notwendig war, um das Neu-Aufblühen der Kultur im Mittelalter möglich zu machen. Alle Grausamkeit, Gewalttätigkeit und Roheit des beginnenden Mittelalters sollte die Tatsache nicht verdecken, daß wichtige technische, soziale und politische Veränderungen in diesen Jahrhunderten sich durchsetzten, die es, im Gegensatz zu den Bedingungen der römischen Zeit, ermöglichten, daß der ganze Norden Europas einem Zustand der Hochkultur entgegenwuchs. – Während die Mittelmeerkultur der Antike sich zersetzte, begannen in Nordeuropa zunächst verdeckte, aber folgenreiche neue Entwicklungen, die dieses Gebiet auf das Niveau der Mittelmeerländer emporhoben. Und da ich überzeugt bin, daß die mittelalterliche und die moderne europäische Kultur im ganzen „besser" sind als die der klassischen Zeit, bin ich willens, mich zu einem Fortschrittsglauben zu bekennen – einem Glauben nicht nur an technischen Fortschritt, der unbestreitbar ist und mit den ersten Anfängen menschlichen Lebens auf dieser Erde beginnt, sondern auch an Fortschritt in Dingen des Geistes. Wir mögen qualitativ die alten Griechen nicht überragen; aber wir sind über sie hinausgegangen in der Ausdehnung, der Fülle und der Vielfalt unseres geistigen und künstlerischen Lebens. Kulturverfall scheint daher mir – dem optimistischen und vielleicht etwas zu selbstsicheren Amerikaner – eine schmerzliche Episode, nicht das unausweichliche Schicksal menschlicher Kultur. Ich bin überzeugt, daß keine Kultur sich dem Wandel entziehen kann; und da der Mensch Verstand besitzt und Erinnerungsvermögen, und da er fähig ist, sein natürliches Erinnern durch Wissenschaft künstlich auszuweiten, so ist das Endergebnis des Kulturwandels ein sich immer mehrender Reichtum, eine zunehmende Mannigfaltigkeit und Tiefe und eine immer vielseitigere Ergründung und Auswertung der Möglichkeiten, die in der menschlichen Natur beschlossen sind.

In Anbetracht der Tatsache, daß bereits der Terminus ‚Kulturverfall' ein Werturteil darstellt, dreht sich die Diskussion um den Maßstab, an dem Verfall gemessen wird, sodann aber um die Definition des dehnbaren Begriffes ‚Kultur' und um die jeweils in Rechnung gestellte Kultureinheit.
Das Urteil von Zeitgenossen über das jeweilige Kulturniveau wird als nichtmaßgebend übereinstimmend abgelehnt, obgleich keine Einigkeit darüber erzielt werden kann, ob Zeitgenossen ganz allgemein zur Überbewertung der Vergangenheit oder zu der der Moderne geneigt haben.
Die Lückenhaftigkeit des babylonischen und ägyptischen Materials erschwert dem Beurteiler die Unterscheidung zwischen Stillstand und Verfall (McNeill), zwischen während längerer Zeit herrschender archaisierender Tendenz und ihrem nur kurz währenden bewußten Ausdruck; die Unterscheidung sollte aber wohl gemacht werden: bewußt archaisierend beispielsweise ist die Epoche Hadrians (Preiser).
Bedenken gegen die Ansicht des Vortragenden über das Wachsen neuer Kulturblüten im Schatten des offiziellen Konservativismus der gelehrten Schicht werden geäußert; auf das 1.–3. nachchristliche Jahrhundert trifft sie zu, was man an der Patristik, an Skulptur, Architektur und dem Recht ablesen kann. Die spätantiken Mysterienlehren aber organisch an die ägyptische Kultur anzuschließen, obwohl sie andernorts (Syrien, Griechenland) die gleiche, wenn nicht eine größere Rolle spielten, erscheint gewagt, und die babylonischen Nachrichten aus einer Zeit trostlosen Verfalls fließen allzu spärlich (Preiser). Einigkeit scheint darüber zu herrschen, daß in Babylonien seit Hammurabi nichts wesentlich Neues entwickelt wurde (McNeill), in Ägypten das ganze Neue Reich von Rückgriffen auf Archaisches lebte (Preiser), was als lange anhaltendes Gleichgewicht angesprochen werden kann (Hartner). Uneins ist man sich in der Bewertung solchen Gleichgewichts; die ägyptische Kultur hat sich lange auf einer gleich-

mäßigen Stufe gehalten, aber eben auf einer gleichmäßig niedrigen (Preiser), die andrerseits dem ägyptischen Bauern erlaubte, in die kulturelle Sphäre hineinzuwachsen (McNeill).
Was man jeweils als einen ausbalancierten Zustand anspricht, hängt von der Entfernung ab, aus der man die Phänomene betrachtet: je nach der Weite des Überblicks gewinnen oder verlieren kleinere Schwankungen an Bedeutung; das zeigt sich z. B. in der Beurteilung der chinesischen Kultur durch Außenseiter: die Missionare des 16. und 17. Jahrhunderts hielten das Kulturniveau für gleichbleibend hoch, zwischen 1840 und 1910 überwog die Ansicht, China befinde sich seit Konfuzius (551–479 v. Chr.), spätestens aber seit der Ming- (1368–1644) oder der Mandschu-Dynastie (1644–1912) in dauerndem Verfall, und heute erachtet man den Zustand der Kultur der chinesischen Spätzeit als mehr oder weniger ausgewogen (Eberhard).
Starke Bedenken regen sich, weil der Vortragende das 3. und 4. Jahrhundert als die letzte Verfallszeit bezeichnete und mithin ganz Europa vom 9. Jahrhundert an als Einheit begreifen will, ebenso wie im Mittelmeerraum Griechenland und Rom. Da sich indessen keine Einigung erreichen läßt, ob man das Abendland als Ganzes oder isolierte europäische Territorien zu behandeln habe (Preiser), eine jede Kulturbetrachtung aber selbstverständlich den Consensus über den Umfang des zu betrachtenden Gegenstandes voraussetzt, fragt es sich, ob man zu einer absoluten Definition der Kultur, und damit auch des Kulturverfalls, gelangen könne, wenn man von McNeills Auffassung ausgeht, Kultur sei ein Akkumulationsprozeß. Ließe sich die Menge der geistigen Werte quantifizieren, so könnte man übersehen, ob deren Gesamtsumme zu- oder abgenommen hat; tatsächlich läßt sich häufig feststellen, daß in Verfallsperioden die Anzahl der Kulturerrungenschaften zusammenschrumpft; aber wie man eine derartige zahlenmäßige Erfassung ermöglichen könnte, bleibt fraglich (Eberhard).
Die Meßbarkeit der Kultur wird einstimmig verworfen, nebst A. L. Kroebers darauf zielendem Versuch (McNeill).
Welche Kriterien hat man aber in der Hand, um Höhe und

Wachsen, Absinken und Verfallen einer Kultur zu bestimmen? Wenn z. B. die Zeit nach 400 v. Chr. als trostlose Verfallszeit der babylonischen Kultur bezeichnet wird (Preiser), so läßt sich dem entgegenhalten, daß gerade in dieser Epoche die babylonische Mathematik und Astronomie – unter Ausschaltung metaphysisch fundierter Modelle wie im griechischen Raume – durch rein empirische Betrachtungsweise sich zu einer technischen Beherrschung des mathematischen und astronomischen Apparates aufgeschwungen hat, wie sie in Europa erst im 19. Jahrhundert erreicht worden ist (Hartner). Wird auf der Charakterisierung als Verfallszeit bestanden, da es für Endphasen der Kultur typisch sei, sich auf wissenschaftliche Fragen zurückzuziehen, und wird darüber hinaus das 19. Jahrhundert ungeachtet seiner blühenden Naturwissenschaft und klassischen Altertumswissenschaft den Verfallsepochen zugerechnet (Preiser), so bleibt zu konstatieren, daß einem derartigen Verfallsbegriff bereits ein metaphysisches Schema zu Grunde liegt, das eine vielseitige Kultur höher wertet als einzelne Spitzenleistungen. Das gleiche Schema zeitigt z. B. die Abwertung der italienischen Kultur des 10. und 11. Jahrhunderts, da Salerno nicht berücksichtigt wird (Hartner).
Will man von einer Art Akkumulation ausgehen, obwohl von Quantifizierung Abstand genommen worden ist, so ist es in erster Linie der „Fortschritt“, der sich unter diesem Gesichtspunkt behandeln ließe. Tatsächlich haben Sarton, Conant und Dingle erwogen, Fortschritt als „accumulated knowledge“ zu definieren, aber ihre Methoden lassen sich nur auf die exakten Naturwissenschaften, auf die Technik, in gewissem Sinne auch auf die Archäologie anwenden, nicht aber auf den gesamten Bereich kultureller Phänomene. Vielmehr zeigt gerade der naturwissenschaftliche Fortschritt, als dessen Kriterium die wachsende Beherrschung allen Naturgeschehens gilt, in aller Deutlichkeit, daß dieser Akkumulationsprozeß eine Preisgabe anderer Errungenschaften nach sich zieht, die in früherer Zeit nur selten nachweisbar ist – im Gefolge von Television, Comic Strips und dgl. wird z. B. das Lesen in hohem Ausmaß verlernt (Hartner).

Die Auffassung der Kultur als eines akkumulativen Prozesses erweist sich bei näherer Besprechung weder auf neuere Literatur noch auf Musik anwendbar, womit auch dieser Weg zu einer exakten Definition von Kulturverfall sich als ungangbar erweist.

Ein möglicherweise weiterführender, wenngleich unzeitgemäßer Gesichtspunkt wird gegen die „soziologische" Vorstellung des Vortragenden, es komme beim Kulturverfall auf die Zahl der Kulturträger an, geltend gemacht: der Wert der Exclusivität. Wenn der Vortragende meint, Sophokles und Euripides seien vom ganzen Volke verstanden worden, so ist zu bedenken, daß es sich bei besagtem Volk um Bürger handelte, neben denen es aber Metöken, Sklaven und andere Ausgeschlossene gab. Die Altphilologen sehen den antiken Kulturverfall als einen Nivellierungsprozeß an; immer mehr Leute kommen in den Genuß der allgemeinen Bildung, und eben dadurch wird sie entwertet. Die begriffliche Trennung von Kultur und Zivilisation ist für die Beurteilung von kulturellen Zuständen sehr wichtig, denn nur innerhalb der Kultur kann die Frage nach dem Sinn des menschlichen Lebens gestellt werden.

Epochen, in denen diese Frage nicht gestellt wird, in denen man sich auf „Fortschritt", auf Anhäufung von Errungenschaften beschränkt, sind zivilisiert genug, aber vom Kulturverfall geprägt (Rahn).

Helmut Coing

KLASSIZISMUS IN DER GESCHICHTE DES RÖMISCHEN RECHTS

Will man über klassizistische Züge in der Geschichte des römischen Rechts Aufschluß gewinnen, so hat man zwei Tatbestände zu untersuchen: 1. die Entstehung des *corpus juris* im 6. Jahrhundert in Beryt, 2. das Wiederaufleben des römischen Rechts im Mittelalter in Bologna.

Nach einer langen Phase des streng formgebundenen Archaismus beginnt mit dem praetorischen Recht nach den punischen Kriegen im 2. bis 1. Jahrhundert v. Chr. eine rasche und einzigartige Entwicklung im römischen Recht, die sich in den Edikten der Praetoren, sprachlich noch unbeholfenen, doch grundsätzliche Regelungen abgebenden Gebilden niederschlägt: eine Entwicklung, welche die Grundlage für das Privatrecht überhaupt schuf. Kennzeichnend für diese Epoche ist die Überwindung des Formalismus, erweiterter Rechtsschutz, Verbindung des Rechts mit ethischen Werten (Treu und Glauben). Insbesondere wird der Einzelpersönlichkeit, unabhängig vom Familienverband, Achtung und Rechtsschutz verschafft. Mit dem Sturz der Republik geht die Gesetzgebung auf die Militärmonarchen über.

In der nun beginnenden klassischen Periode ist die Tendenz vorwiegend praktisch. Es gilt, zwei vorgegebene Rechtsmassen, das *jus civile* der archaischen Zeit und das praetorische Recht, zu verschmelzen und den neuen Erfordernissen gemäß kasuistisch fortzubilden. Im Wesentlichen handelt es sich demgemäß um eine kommentierende Literatur und um Sammlungen von Entscheiden, dazu tritt als neue Gruppe die kasuistische Behandlung bisher nicht erfaßter Tatbestände. Die dafür ausgearbeiteten Regeln werden dann, verbunden mit dem Namen ihres Schöpfers, allmählich kanonischer Bestand.

Dem abrupten Abbruch der klassischen Epoche in der ersten Hälfte des 3. Jahrhunderts folgt die Epoche des sogenannten Vulgarrechts (Ernst Levy), in welcher, unter dem Einfluß der provinziellen Rechtssprechung, ethische Grundlage, rationelle Verfeinerung und Reichtum der Kasuistik sich vermindern.

In der Provinz muß schon immer eine schwächere und verhältnismäßig primitive Form des römischen Rechts gegolten haben, die Hochblüte des klassischen Rechts dagegen wird auf die Stadt Rom und die Rechtsprechung der Kaiser beschränkt gewesen sein. Nicht, als hätten die Provinzjuristen das klassische Recht nicht anwenden wollen, vielmehr waren ihre Fähigkeiten, in Folge vorwiegend rhetorischer Ausbildung, einfach nicht hinreichend für die Beherrschung eines so komplizierten Apparates.

Das führt zur Verwischung wichtiger Unterschiede und zu dem Streben nach Faustregeln (Verwechslung von rechtlicher Verfügungsgewalt und faktischem Besitz), dann dazu, daß Zweck und Mittel nicht mehr sinnvoll aufeinander abgestimmt sind (Sanktionen, die in keinem Verhältnis zum erstrebten Ziel stehen).

Im Westreich geht im Zuge dieser Entwicklung die klassische Literatur weitgehend verloren. Das Zitiergesetz des 4. Jahrhunderts nennt nur noch fünf Schriftsteller der spätklassischen Epoche als Autoritäten, die übrigen sind, abgesehen davon, daß sie sich zitiert finden, nicht mehr vorhanden. Man besitzt eigentlich nur noch die großen Sammelwerke der severischen Juristen. An die Stelle des Juristen tritt auch in der Gesetzgebung seit Konstantin der Rhetor, was sich schon im Stil des Gesetzestextes widerspiegelt. Bereits seit Diokletian wird nicht mehr oder nur sehr mangelhaft der Versuch unternommen, das neu zu schaffende Recht in das bestehende Begriffssystem einzubauen. Das endet schließlich im Westen, vor allem in den germanischen Nachfolgestaaten, im 7. und 8. Jahrhundert in einer völligen Barbarisierung des römischen Rechts.

Eine entsprechende Bewegung im Osten, über die allerdings nicht so reichhaltiges Quellenmaterial vorhanden ist, wurde dort nach der großen politischen Katastrophe des 3. und 4. Jahrhunderts aufgefangen. Grundlage ist die Sammlung der klassischen Texte in einer Ordnung, die es erlaubt, neues Material anzuschließen. In beschränktem Rahmen arbeitet man auch an der begrifflichen Grundlegung. Aufschlußreich für diese Entwicklung sind die Sinai-Scholien (Randnoten zu einem Text des Ulpian, starb 228 n. Chr.). Der wichtigste Schritt ist die Einführung des systematischen Rechtsunterrichts, wahrscheinlich zum ersten Mal in der Antike. Nach vier Jahren des Studiums des klassischen Rechts und einem Jahr des Studiums der Kaiser-Konstitutionen wurde ein Abschlußexamen abgelegt. Damit war zunächst einmal der Juristenstand im Osten des Reiches neu geschaffen; ihm wurden offensichtlich Staatsämter übertragen und die Rhetoren wurden wieder verdrängt.

Der erste Kodex des Justinian aus dem Jahr 528 war eine Sammlung der kaiserlichen Entscheidungen. Dieses Unternehmen nahm aber schon bald unter dem Einfluß der Professoren von Beryt eine ganz besondere Wendung: man beschloß schon 530, auch die klassische Rechtsliteratur zu kodifizieren, nicht in der Form von Grundsätzen, sondern in Form von nach Sachtiteln geordneten Auszügen. Diese Sammlung wurde für authentisch erklärt. Als Ergänzung wurde ein offizielles Lehrbuch, fußend auf den Institutionen des Gaius (aus dem 2. Jahrhundert n. Chr.), geschaffen. Fritz Pringsheim charakterisiert diese Entwicklung so, man habe Neuregelung und Klassik verschmelzen müssen. Habe man vorher geltendes Recht für die eigene Zeit schaffen wollen, so wollte man nun das großartige Geschaffene erhalten – vorher Kaiserrecht und Praxis, nachher klassisches Recht und Theorie. In wieweit die Gerichte Justinians das neue Gesetz anwendeten, ist nicht bekannt. Erschwerend hat vielleicht gewirkt, daß dieses für griechisch Sprechende verfaßte Gesetzwerk lateinisch geschrieben war.

In die Tat umgesetzt haben das corpus juris jedenfalls die Schüler von Bologna, aufbauend auf der rein philologischen Vorarbeit der Glossatorenschule des 11. und 12. Jahrhunderts. Die Geltung des römischen Rechts schreitet dann fort nach Frankreich, Spanien, Deutschland, Polen. Diese Rezeption beruht auf Folgendem: man nimmt das Recht des *corpus juris* für kaiserliches Recht, ohne jedes Gefühl für geschichtlichen Abstand. Man identifiziert naiv den mittelalterlichen Kaiser mit dem römischen, die italienische Stadt mit dem römischen *municipium*. Überdies überträgt man für spezielle Bereiche gedachte Regelungen des römischen Rechts auf ganz andere Gebiete und löst mit dem römischen Recht Probleme, an welche die alten Juristen nie gedacht hätten (die Vorherrschaft des Kaisers wird auf den Anfang eines kaiserlichen Briefes über die *Lex Rhodia de iactu* gegründet, wo der Kaiser sich zwar als Herrn der Welt bezeichnet, doch für den vorgetragenen Spezialfall gerade auf diese Lex verweist). So wird, nach einem Wort von Kantorowitz, das römische Recht zu einem Schatzhaus, in das jeder eintreten kann, der eine Lösung braucht.

Trotz vorliegender Bedenken wegen möglicherweise zu weiter Fassung soll Herrn v. Grunebaums Begriff des Klassizismus akzeptiert werden. Gegenüber den Bestrebungen von Herrn McNeill, einen wertfreien Begriff des Kulturverfalls zu gewinnen, scheint es für das Recht möglich, einen zwar wertgebundenen, aber genaueren Maßstab einzuführen. Ausgehend von dem Recht als *ars aequi et boni* gibt es drei Kriterien für die Höhe der Entwicklung eines Rechts: Zunächst die Art der ethischen Grundlagen; und zwar ist festzustellen, ob sie überhaupt, ob noch nicht oder nicht mehr eine Rolle spielen. Als zweites Kriterium soll die Sachgerechtigkeit fungieren, einfacher gesprochen, die Zweckmäßigkeit (Wahrheitsfindung im Prozeß: Gottesurteil, zwei Tatzeugen, freie Beweisfindung; ein Wasserordal ist nur sehr begrenzt sachdienlich). An dieser Stelle kommt der Gesichtspunkt zur Geltung, den Herr McNeill entwickelt hat, wie weit eine Kultur noch in der Lage ist, mit neu auftauchenden Problemen fertig zu werden. An dritter Stelle wäre festzustellen, wie weit die Rationalität des Rechtes reicht, wie weit es gelungen ist, die Entscheidungen in ihren Grundlagen erkennbar zu gestalten, und wie weit die Möglichkeit, den Tatbestand in seiner besonderen Art zu erfassen,geht. (Die *lex Aquilia* etwa kennt nur die widerrechtliche Handlung, erst in späteren Kommentaren wird differenziert nach Schuldhaftigkeit, Fahrlässigkeit usw.)

Wie müssen wir nun Beryt und Bologna in diesem Sinn beurteilen? Über die Motive der Gelehrten von Beryt und Konstantinopel wissen wir nichts, doch zeigt ihr Werk, daß sie aus Verehrung für das Altertum gehandelt haben. Justinian selbst hat in der *constitutio tanta* deutlich ausgesprochen, daß er das Altertum wieder herstellen wolle (Zusammenstellung zahlreicher solcher Äußerungen bei Pringsheim). Bei Justinian handelt es sich um echte Rückwendung zu einer als vorbildlich empfundenen Epoche, und alle 4 Kriterien von Herrn v. Grunebaum treffen auf ihn zu. Obwohl wir, wie gesagt, nicht wissen, wie weit die Wirkung des justinianischen Gesetzwerkes ging, können wir doch feststellen, daß ihm die Eindämmung des Rechtsverfalls, namentlich in technischer Hinsicht, gelungen ist. Gleichwohl wird viel Totes mitgeschleppt. Als Ganzes erweist sich das Werk als bewußt klassizistisch, mit dem Erfolg einer begrenzten Restauration.

Hingegen paßt die Haltung der Bologneser Juristen nicht in Herrn v. Grunebaums Schema. Dank der unhistorischen Grundhaltung ist für sie vor allem ein Gefühl der ihnen durch das römische Recht vermittelten Überlegenheit maßgebend. Zwar hat Engelmann von einer Wiederherstellung der Rechtskultur gesprochen. Das ist objektiv richtig, doch bleibt fraglich, ob die Italiener den Wandel ähnlich empfunden haben. Da es sich hier nicht um eine bewußte Wiederbelebung einer als vorbildlich anerkannten Epoche handelt, scheint Bologna nicht als klassizistische Bewegung gelten zu dürfen. Entscheidend ist für die Bologneser das Gefühl, sich im Besitz der an keine Zeit gebundenen Wahrheit zu wissen.

All dies führt zu dem Schluß, daß ein klassizistisches Recht aus dem 6. Jahrhundert in viel späterer Zeit und unter ganz veränderten Umständen Kultur-fortbildend gewirkt hat. Im 19. Jahrhundert wurde das *corpus juris* noch einmal das Objekt eines echten Klassizismus, aus dem in der Folgezeit unser geltendes Privatrecht erwuchs.

Diskussion

Eine gewisse Skepsis wird hinsichtlich der Unabhängigkeit der Bologneser Rechtsschule von der römischen Renaissance angemeldet, zumal gerade im 11. Jahrhundert der Romgedanke allenthalben blühte, in der Stadt selbst eine Art Denkmalschutz eingeführt und das Werk der *mirabilia urbis* abgeschlossen wurde, die lombardischen Kanzleien einen römischen Anstrich annahmen und dgl. mehr. (Keller)

Es bleibt auch zu fragen, auf welche Weise ein abgestorbenes Recht, das anerkannter oder behaupteter Maßen das Recht des Tages ausmerzen will, einen Fortschritt hervorrufen könne; ob nicht doch eben die römische Herkunft dieses Rechts die Zeitgenossen der Rezeption geneigt gemacht habe. (von Grunebaum)

Die Vermutung, die römische Sprache sei einer der für die Rezeption sprechenden Faktoren gewesen (Behrens), wird vom Vortragenden bestätigt: man hat immer lieber klassisches Latein gelesen, als ein in Volgare geschriebenes Gesetz.

Den ins Treffen geführten Argumenten zugunsten eines entscheidenden Einflusses des Romgedankens begegnet der Vortragende mit der Feststellung, ausschlaggebend für die Rezeption des römischen Rechtes sei die Überzeugung von dessen *Richtigkeit* gewesen. Justinian berief sich darauf, die vetustas sei bei ihm, die Bologneser hingegen pochten darauf, die veritas sei mit ihnen.

Kulturgeschichtlich scheint diese Haltung das Gegenteil von Klassizismus zu sein.
Ein Recht braucht seine Brauchbarkeit nicht einzubüßen, auch wenn es vorübergehend „absterben“ mag, weil eine große Anzahl von Konflikten (Schadenersatzkonflikte und dgl.) konstante Größen sind, die es im Altertum so gut wie im Mittelalter gesetzlich zu regeln galt. Eben weil das Recht in gewisser Weise ein je nach technischer Ausbildung mehr oder minder brauchbares Instrument zur Handhabung konstanter Konflikte darstellt, ließ es sich vom heidnischen in den christlichen Bereich verpflanzen.
Daß für die Rezeption der Faktor der Richtigkeit maßgebend gewesen ist, erhellt schon aus der Tatsache, daß das römische Recht auch in Frankreich rezipiert wurde, das sich dem Romgedanken nicht verpflichtet fühlte, sich vielmehr die Lehre von den einelnen regna aus der Politeia zu Nutze gemacht hat. Weitere Aufschlüsse ließen sich wohl aus dem, hier nicht berücksichtigten, englischen Recht gewinnen. Das liber pauperum etwa ist für englische Studenten verfaßt worden. Indizien für die ausschlaggebende Gewichtigkeit des „Wahrheits“- und „Richtigkeits“-Momentes lassen sich allenthalben finden; Thomas von Aquin nimmt das römische Recht einfach als *das* Recht, ohne doch jemals im Zusammenhang damit Rom zu verherrlichen, und umgekehrt wird in England, wo ein wirklicher Kampf zwischen Anhängern und Gegnern des römischen Rechtes stattfand, die römische Herkunft niemals als Argument gebraucht. Bracton (ca. 1216–1268) sprach auch nicht vom römischen Reich, sondern von Paris und Bologna. (Kronstein)
Die Aneignung von Wissenswertem und „Richtigem“ beschränkt sich aber keineswegs auf das Gebiet der Jurisprudenz. Gerade im späten 11. Jahrhundert, das als eine Blütezeit des Romgedankens gelten darf, beginnt das Zeitalter der großen naturwissenschaftlichen Übersetzungen, wenn man von kleineren vorangegangenen Unternehmungen des Gerbert (des späteren Papstes Sylvester, 940–1003) und des Hermannus Contractus (1013–1054) absehen will. In der Überzeugung, mittels der Übersetzungstätigkeit in

den Besitz der Wahrheit gelangen zu können, hat man sich von 1100 an bis zur Zeit Friedrichs II. (1194–1250) bemüht, diesen Weg so weit wie möglich zu erschließen, das Werk des Ptolemäus zu rekonstruieren u. a. m. Der Ursprung dieser Wahrheit und ihre Geschichte spielte keine Rolle. Vielmehr widmete man sich mit dem gleichen Interesse der Übersetzung von Texten, die sich mittelbar aus dem Indischen herleiteten. (Hartner)

Zum Begriff des Klassizismus prinzipiell regt der Vortragende an, das Gefühl für den historischen Abstand hineinzunehmen, das beispielsweise bei Justinian eine so große Rolle gespielt habe; allerdings verenge sich damit der Begriff, da viele Epochen des Sinnes für Geschichtliches ermangelten. Herr von Grunebaum findet nicht, daß dieses neu einzuführende Kriterium, das Gefühl geschichtlichen Abstands, den Rahmen seiner vier Punkte sprenge; man müsse berücksichtigen, daß die selbstverständliche Hinnahme einer Identität zwischen Einst und Jetzt schon in sich eine gewisse Option darstelle, die ihre Gründe haben müsse und Klassizismus nicht ausschließe. Wenn etwa die Muslime unserer Zeiten auf die Rāšidūn zurückgreifen, auf eine fiktive Urepoche des Islam, so wollen sie damit keineswegs sagen, sei seien im Augenblick völlig anders, vielmehr meinen sie, sie trügen verschiedene Elemente in sich, die sie zu der angestrebten Angleichung berechtigten. Die eigene Zeit auf Grund solcher Elemente in den Dienst dieser Angleichung zu stellen, ist ein durchaus klassizistisches Unterfangen, was durch das Gefühl historischer Identität nicht aufgehoben wird.

Willy Hartner

KLASSIZISMUS UND DEKADENZ IN DER GESCHICHTE DER NATURWISSENSCHAFTEN

Sind die Begriffe des Klassizismus und der Dekadenz, so wie sie Herr v. Grunebaum in seinem einleitenden Vortrag definiert hat, auch auf die Geschichte der Naturwissenschaften anwendbar? Die Frage stellen, heißt sie bejahen. Denn in der Tat, fast möchte es mir scheinen, daß die Dinge hier wenn möglich noch klarer am Tage liegen als auf irgend einem anderen Teilgebiet der Menschheitsgeschichte. Die Aufgabe des Referenten muß somit nicht so sehr in einem Existenznachweis der genannten Erscheinungen als vielmehr in der Einordnung und Analyse wohlbekannter Tatsachen bestehen.

I. Lassen Sie mich, um vom Bekannten auszugehen, bei den Griechen beginnen. In der Frühzeit der Kultur entstehen hier, zunächst nicht im Mutterland, sondern in den jonischen und dorischen Kolonien Kleinasiens und Süditaliens, Zentren der spekulativen Naturbetrachtung, die sich, soweit wir es beurteilen können, ganz wesentlich von dem unterscheiden, was wir für die noch älteren Kulturen – die mesopotamische und die ägyptische – als typisch ansprechen müssen. Zwar ist es sicher, daß jene ersten Zentren in nicht unbeträchtlichem Umfang wissenschaftliche Einzelerkenntnisse vom alten Orient übernommen haben. Aber trotz der Lückenhaftigkeit der Überlieferung besteht kein Zweifel, daß diese orientalischen Kulturen für die im Entstehen begriffene hellenische nicht „heterogenetische Vorbilder“ (gemäß der

Grunebaumschen Definition) gewesen sind. Vielmehr erkennen wir schon von den ersten Anfängen an als Zeichen eines gänzlich neuen, echt hellenischen Geistes jene typische Tendenz zum Systematisieren – in mancher Hinsicht verschieden von der auf den ersten Blick verwandt anmutenden chinesischen[1] –, die sich vor allem darin äußert, daß man die Gesamtheit der Erscheinungen auf einen einzigen, oder doch wenigstens eine eng beschränkte Zahl von Ur-Gründen zurückführt, die ausdrücklich nicht im Bereich der Theologie gesucht werden. Ich erinnere an den Begriff einer physischen *ἀρχή* bei den jonischen Naturphilosophen, an seine Umdeutung ins Immaterielle, als das der Gesamtheit der Dinge immanente normative Prinzip der „Zahl" bei den Pythagoreern, sowie an die empedokleischen Elemente.

Die hier genannten Konzeptionen – zu denen in der letzten vorklassischen Epoche noch weitere, wie etwa der Atomismus Leukipps (5. Jhdt. v. Chr.), hinzutreten – haben später (vereint oder getrennt) für kürzere oder längere Zeit die Rolle eines klassischen Vorbilds gespielt, allerdings weniger in Griechenland selbst als in den Nachfolgekulturen wie der islamischen und der christlich-europäischen. Die Gesamtsituation der Vorklassik selbst jedoch charakterisiert sich durch die Schärfe der aufeinanderprallenden Gegensätze, die die Entstehung eines einheitlichen Weltbildes ausschließt. Zwar gibt es bereits Schulen, wie die pythagoreische, die ein für ihre Anhänger verbindliches wissenschaftliches „Dogma" entwickeln (ganz analog dem religiösen Dogma, durch das an die Stelle der individuellen Überzeugung der für eine ganze Gruppe bindende, bis ins Einzelne festgelegte „Glaube", d. h. die fremde Autorität tritt) und für die die Berufung auf den Meister („*αὐτὸς ἔφα*") jede weitere Diskussion abschneidet; aber ein solches wissenschaftliches Dogma reichte kaum je über den Kreis der Initiierten hinaus, und seine Existenz ist weit weniger typisch für den Geist der Epoche als die stolze Überheblichkeit

[1] S. den 2. Teil des vorl. Aufsatzes, S. 91 ff.

des einzelnen Forschers oder Denkers, für den es keine Autorität außer der eigenen gibt.

Sehr zu Recht sprechen wir also hier von „Vorklassik“ im Gegensatz zur platonisch-aristotelischen Epoche der Philosophie, ebenso wie der Naturwissenschaft im eigentlichen Sinn, die für die Folgezeit bis auf unsere Tage zur „Klassik“ schlechthin wird. Denn ohne Zweifel hat schon die erste Zeit des Hellenismus die beiden von Plato und Aristoetles begründeten Richtungen der naturwissenschaftlichen Forschung zum klassischen Vorbild erhoben und in ihnen höchste Vollendung der Darstellung erblickt. Aber ebenso sicher ist, daß eigentlich klassizistische Tendenzen in jener Zeit noch kaum eine Rolle gespielt haben.

Bekanntlich hat dann der Aristotelismus im Laufe der weiteren Entwicklung den Platonismus mehr und mehr in den Hintergrund gedrängt, bis er schließlich zur Zeit der Hochscholastik praktisch allein das Feld behauptete. Dies wird verständlich, wenn man bedenkt, daß die platonischen Schriften, soweit sie sich mit naturwissenschaftlichen Fragen beschäftigen, weit weniger zur Kodifizierung und Dogmatisierung geeignet sind als die aristotelischen. Gerade der Kodex und das Dogma aber sind es, deren die naturwissenschaftliche Forschung an einem gewissen Punkt ihrer Entwicklung am dringendsten bedarf. Diese These läßt sich auch am Beispiel anderer Kulturen als der griechischen verifizieren. Es scheint hier tatsächlich eine Regel vorzuliegen, die keine Ausnahme zuläßt, und ebenso scheint keine Kultur außer der europäischen aus innerer Kraft das schließlich zur unerträglichen Fessel gewordene Dogma abgeschüttelt zu haben.

Rein äußerlich schon unterscheidet sich das Werk des Aristoteles von dem Platos dadurch, daß es nicht nur alle Gebiete der Naturwissenschaft umfaßt, sondern sie auch nach Möglichkeit gesondert darstellt, so daß der Wißbegierige das für ihn zum Studium einer bestimmten Disziplin – der Physik, der Astronomie, der Biologie – Wichtige jeweils in einem gesonderten Werk gesammelt vorfindet. Demgegenüber wird er bei Plato Betrachtungen über naturwissenschaftliche oder naturphilosophische Fragen in vielen Schriften verstreut finden, und zwar besonders Bemerkenswertes nicht selten gerade da, wo er es am wenigsten erwarten würde. Ich erinnere nur an die Erörterung der acht ineinander rotierenden „Spindeln", mit denen im 10. Buch der *Politeia* die Planetenbewegungen veranschaulicht werden. Außerdem kommt erschwerend für das Verständnis hinzu, daß die frühen und mittleren Schriften Platos in wichtigen Fragen einen ganz anderen Standpunkt widerspiegeln als die späten; hier genügt es, auf den Gegensatz zwischen dem Weltbild des *Phaidon*, der *Politeia* und des *Timaios* hinzuweisen. Und schließlich muß auch die Art der Darstellung selbst – die Dialogform, die nicht immer deutliche Stellungnahme des Verfassers und die Einkleidung wichtiger Feststellungen in Form von Mythen – den praktische Belehrung Suchenden verwirren. Bezeichnender Weise haben daher auch nur die bedeutendsten Denker des arabischen Mittelalters, wie al-Kindī (starb nach 870), al-Fārābī (starb 950) und Ibn Sīnā (980-1037), sich mit mehr oder weniger Erfolg um das platonische Gedankengut neben dem aristotelischen bemüht, wovon jedoch die naturwissenschaftlichen Fragen kaum berührt wurden. Überdies stieß man hier bei der Scheidung des Echten vom Apokryphen (vor allem Neuplatonischen) auf unüberwindliche Schwierigkeiten.

Die eigentliche Wiederentdeckung Platos erfolgte somit erst zu Beginn der Neuzeit. Aber der Platonismus der Renaissance ist alles andere als Klassizismus; es ist vielmehr gerade die im Platonismus liegende Freiheit, die zur Quelle neuer Erkenntnisse und einer neuen Methodik wird. Dabei ist insbesondere nicht zu vergessen, daß die seit dem späten 16. Jahrhundert immer stärker betonte Wichtigkeit des Experiments[2] sich nicht auf Plato gründet; denn bekanntlich hat gerade er mit besonderem Nachdruck

[2] s. W. Hartner, Tycho Brahe et Albumasar. La question de l'autorité au début de la recherche libre en astronomie, in *Actes du colloque de Royaumont sur la science au XVIe siècle*, Paris 1958 (noch nicht erschienen).

sich von denen distanziert, die ihre Schlüsse experimentell zu belegen suchen[3].

Ganz im Gegensatz zu den platonischen sind die aristotelischen Schriften zur Naturwissenschaft nicht zuletzt auch vom didaktischen Standpunkt aus gesehen Meisterwerke, denen sich in der Antike wenig zur Seite stellen läßt – in der Mathematik etwa Euklid (Ende des 4. Jhdts. v. Chr.) und Apollonius (ca. 262–190 v. Chr.), in der Astronomie Ptolemaios (ca. 85–160 n. Chr.). Eine solche unübertreffliche Meisterschaft am Anfang der Entwicklung bedeutet zunächst einen einzigartigen Vorteil: In dem von einem einheitlichen Gesichtspunkt aus geschriebenen, von inneren Widersprüchen scheinbar fast freien Werk des Aristoteles ist das gesamte naturwissenschaftliche Wissen der vorhellenistischen Zeit kritisch gesichtet und vereint. Es schildert die beobachtbaren Phänomene, führt sie auf eine begrenzte Zahl erster Ursachen zurück und ermöglicht damit eine sinnvolle, einheitliche Erklärung der auf den disparatesten Gebieten gemachten Beobachtungen.

Die der Theorie zugrundeliegenden Postulate erscheinen dabei ebenso einleuchtend wie tragfähig. Einige von ihnen, vor allem das der Kreisförmigkeit der Himmelsbewegungen, gehen auf die Autorität Platos oder noch Älterer zurück, wodurch ihr Gewicht weiter erhöht wird. Andere, wie das einer *vis intrinseca,* kraft derer jedes Element seinem natürlichen Ort zustrebt, besitzen einen so hohen Gehalt an Anschaulichkeit, daß sie Zweifel kaum zuzulassen scheinen. Die alte, noch in den Schriften Platos lebendige Diskussion über die Frage, ob ein Wesensunterschied zwischen den sublunaren und den translunaren Regionen besteht, wird hierdurch positiv entschieden; und im direkten Zusammenhang damit lehnt der Aristotelismus die Hypothese der Mehrheit der Welten und der Unendlichkeit des Universums ab. Die aristotelische Welt ist also groß im Verhältnis zu unserer Erde, aber sie gestattet dem Menschen das Gefühl des Geborgenseins im Endlichen, im Gegensatz etwa zur Welt Aristarchs (um 280 v.

[3] *Timaios* (68) und vor allem *Pol.* VII (531).

Chr.), die nicht mehr als erhaben, sondern als erdrückend empfunden werden muß. Es ist also durchaus verständlich, daß, wie Plutarch berichtet[4], auch schon das Altertum sich gegen diese mit *theologischen* Argumenten gewandt hat, obgleich eine der islamischen oder christlichen vergleichbare Dogmatik noch nicht existierte.

Wie anschließend durch einen Vergleich mit einer ganz fremden Kultur, nämlich der chinesischen, gezeigt werden soll, vollzieht sich die Entwicklung mit einer Zwangsläufigkeit, die offenbar durch die Struktur des menschlichen Denkens selbst bedingt ist: Im griechischen Kulturkreis stehen sich wie gesagt zu Beginn die verschiedensten Lehrmeinungen gegenüber, die ihrerseits teils auf mythischem Erbgut, teils auf fremder oder eigener Beobachtung, teils auf reiner Spekulation fußen. Nach etwa zwei Jahrhunderten scheint die Zeit reif für die ersten, allen bekannten Phänomenen Rechnung tragenden Synthesen. Bei der platonischen lassen die in den verschiedenen Entwicklungsstufen voneinander abweichenden Auffassungen deutlich das unausgesetzte Ringen um die Erkenntnis der Wahrheit erkennen und schließen jeden Zweifel daran aus, daß Plato zu keiner Zeit im Besitz *endgültiger* Wahrheit zu sein wähnte. Aber auch bei Aristoteles verhält es sich kaum anders. Zwar erfordert es eingehendere textkritische Untersuchungen, um einen Einblick in die Entstehungsgeschichte seiner Schriften zu gewinnen – zwar zeugt das Gesamtwerk von einer erstaunlichen Einheitlichkeit und Geschlossenheit; aber gleichwohl ist es auch hier deutlich, daß Aristoteles nie dem Irrtum verfällt, das letzte Wort gesprochen zu haben.

Daß keiner der Späteren sich dem Einfluß der im *Organon* niedergelegten naturwissenschaftlichen Anschauungen verschließen konnte, leuchtet ohne weiteres ein. Aber doch kann von einer Dogmatisierung auf Jahrhunderte hinaus noch nicht die Rede sein. Vielmehr verhält es sich so, daß auch in der peripatetischen Schule selbst von der Möglichkeit zu unabhängiger Entwicklung

[4] *De facie in orbe lunae*, Kap. 6: „... wie Kleanthes, der es für die Pflicht der Griechen hielt, Aristarch von Samos der Gottlosigkeit anzuklagen ...“.

reichlich Gebrauch gemacht wird. Hier ist zunächst vor allem der zweite Nachfolger des Aristoteles in der Leitung des Lykeion, Straton von Lampsakos[5] (Haupt des Lykeions 288–270 v. Chr.), zu nennen, der die teleologische Betrachtungsweise durch die Annahme von physikalischen Ursachen und Kräften ersetzte und selbst die Psychologie vom mechanistischen Standpunkt aus behandelte. Aber auch ein halbes Jahrtausend später, um 200 n. Chr., finden sich beim berühmtesten Exegeten des *Organon*, Alexander von Aphrodisias, noch durchaus selbständige Züge.
Im großen ganzen aber war um diese Zeit eine prinzipielle Diskussion über die in den aristotelischen Schriften niedergelegten naturwissenschaftlichen Ansichten des Meisters schon kaum mehr möglich. Dies ist vor allem jenem großen Astronomen zu verdanken, der um 150 n. Chr. die erste einheitliche Darstellung aller Gebiete der Astronomie verfaßte und dessen Name fortan mit dem des Aristoteles untrennbar verbunden blieb: Ptolemaios von Alexandria. Sein wahrhaft klassisches Werk, das wir heute mit seinem ihm von den Arabern gegebenen Namen „Almagest" zu nennen pflegen, beruft sich schon auf der ersten Seite des Vorworts auf die Autorität des Aristoteles und legt sodann – wenigstens dem äußeren Anschein nach – allen folgenden Betrachtungen die aristotelische Bewegungslehre zu Grunde. Es ist dies jene von mir schon erwähnte[6] Lehre, die auf der Scheidung des Universums in die sublunaren Sphären der vier irdischen Elemente und die translunaren des himmlischen Äthers mit den diesen Elementen immanenten natürlichen Bewegungstendenzen beruht. Aber wohl gemerkt handelt es sich hier nur um die Übernahme dieses einen, prinzipiellen Teils des aristotelischen Weltbilds; denn bekanntlich setzt Ptolemaios im übrigen an die Stelle der mathematisch schlecht zu behandelnden und dem Augenschein nicht gerecht werdenden homozentrischen Sphären die viel lei-

[5] vgl. G. Rodier, *La physique de Straton* (Thèse), Paris, 1890, und H. Diels, Über das physikalische System des Straton, in *S.-Ber. d. Kgl. Preuß. Ak. d. Wiss.*, Berlin, 1893, S. 101–27.
[6] s. o. S. 81.

stungsfähigere, auf Apollonius und Hipparch (ca. 190–ca. 120 v. Chr.) zurückgehende Hypothese der Exzenter und Epizykel.[7] Beruft man sich nun in späterer Zeit auf das aristotelische Weltbild, so bedeutet dies im wesentlichen zwar die Anerkennung des phoronomischen Teils in seiner originalen Fassung, dagegen nicht die ursprüngliche aristotelische, sondern die von ihr gänzlich verschiedene ptolemäische Interpretation der Planetensphären. Aber auch die von Ptolemaios aus Gründen der mathematischen Notwendigkeit stillschweigend eingeführten Abweichungen von den aristotelischen Postulaten (bestehend in der Ungleichförmigkeit der Bewegung des Epizykel-Mittelpunkts im Exzenter, in der Einführung des *punctum aequans*, sowie vor allem in den kühnen Neuerungen seiner Merkurtheorie[8], werden durchweg akzeptiert, ohne daß man sich an einer so evidenten Inkonsequenz stößt.

Wenn wir also von der bei den Gelehrten des Islams erfolgten Kanonisierung der naturwissenschaftlichen Lehren des Aristoteles sprechen, so bezieht sich dies – da die Astronomie die zentrale Rolle spielt – praktisch immer auf die ptolemäische Modifikation derselben. Der Name des Ptolemaios ist es auch, der weitaus am häufigsten von den islamischen Astronomen zitiert wird, während der des Aristoteles weit seltener, bei al-Battānī (vor 858–929) z. B. überhaupt nicht vorkommt.

Erst als man sich im maurischen Spanien mit der ptolemäischen Lehre kritisch auseinanderzusetzen beginnt (so bei Ǧābir b. Aflaḥ [starb ca. Mitte des 12. Jhdts.] und vor allem al-Biṭrūǧī [lebte

[7] Ptolemäus verwirft die aristotelische Hypothese vor allem aus dem Grunde, weil sie die beobachteten Helligkeitsschwankungen der Planeten nicht zu erklären vermag. Daß die ptolemäische Hypothese ihrerseits das Verhältnis der scheinbaren Monddurchmesser im Apogäum und Perigäum völlig falsch mit 1 : 2 (statt 7 : 8) angibt, wird gelegentlich vermerkt. Aber noch Copernicus begnügt sich mit der nicht ausreichenden Verbesserung des Verhältnisses auf 3 : 4, und erst Kepler bringt hier eine befriedigendere Übereinstimmung zwischen Theorie und Beobachtung.

[8] vgl. W. Hartner, The Mercury Horoscope of Marcantonio Michiel of Venice, in *Vistas in Astronomy* (Ed. A. Beer), Vol. 1, London und New York, 1955, Abschnitt 9b (S. 107 ff.).

um 1200])[9], beruft man sich wieder auf den *Ḥakīm wāḥid*, den „Magister primus"[10], und spielt ihn, wo erforderlich, gegen Ptolemaios aus. Aber al-Biṭrūǧīs Aristotelesbild ist, wie Carmody[11] zu Recht betont, keineswegs ein unverfälschtes. Zwar zitiert er entscheidende Stellen aus der *Physik* und *De coelo* fast wörtlich, aber im übrigen kann der Aristoteles, auf den er sich beruft, keinen Anspruch auf Authentizität erheben.

Abgesehen von den erwähnten entscheidenden Grundprinzipien erweist sich also der mit den Namen Aristoteles und Ptolemaios verknüpfte Klassizismus der islamischen Naturforscher nicht so sehr als ein Symptom sklavischer Abhängigkeit, sondern vielmehr als eine Sicherung vor dem Verlust des eigenen Standortes, wodurch jeder wissenschaftlichen Tätigkeit ein Ende gesetzt werden müßte. Die größten Denker, wie al-Bīrūnī (973–1048) und Ibn al-Haitham (ca. 965–1039), mögen sich über die Fragwürdigkeit dieses Standorts sehr wohl im klaren gewesen sein. Aber vor einer radikalen Verwerfung der Fundamente mußten sie zurückschrekken, denn die geistige, insbesondere die theologische Situation konnte damals den Gedanken an eine Revolutionierung des Weltbilds überhaupt noch nicht aufkommen lassen. Vergessen wir nicht, daß auch die aus dem humanistischen Denken der Renaissance entsprungene copernicanische „Revolution" alles andere als radikal gewesen ist. Copernicus hütet sich, das alte Gebäude bis auf die Grundmauern einzureißen, und erwägt nicht einmal die Möglichkeit, den ptolemäischen Bewegungsmechanismus der Exzenter und Epizykel abzuschaffen. Umso verständlicher muß es uns also sein, daß die Gelehrten des Islams sich mit Verbesserungen und Verfeinerungen innerhalb des vorgegebenen

[9] vgl. W. Hartner, Quand et comment s'est arrêté l'essor de la culture scientifique dans l'Islam, in *Classicisme et déclin culturel dans l'histoire de l'Islam,* (Ed. R. Brunschvig und G. E. v. Grunebaum), Paris 1957, S. 325 f., 328, 332.

[10] *Al-Biṭrūjī de motibus celorum,* ed. F. J. Carmody, Berkeley and Los Angeles, 1952, II, 6 (S. 75) und III, 1–6.

[11] Carmody (*l. c.,* S. 23) spricht von einer „systematisation of Aristotle by preconceived plan".

Rahmens begnügten, ohne dem Gedanken an radikale Änderungen überhaupt Raum zu geben.

Das Bild, das wir uns von der beginnenden Hochscholastik zu machen haben, ist nicht sehr verschieden von dem hier skizzierten islamischen. Dank den bahnbrechenden Arbeiten Anneliese Maiers[11a], durch die bisher unbestrittene Thesen Pierre Duhems als unhaltbar erwiesen wurden, wissen wir heute, daß ebensowenig von einem einheitlichen Weltbild der Scholastik gesprochen werden kann wie davon, daß in gewissen scholastischen Modifikationen der aristotelischen Phoronomie, vor allem in der sogenannten Impetus-Lehre (die sich ihrerseits schon in vorscholastische Zeit, genauer gesagt bis auf Johannes Philoponos [gestorben um 560 n. Chr.] zurückführen läßt), ein Vorstadium des Begriffes der Trägheit zu erblicken sei. Nein, das Denken des Naturwissenschaftlers verläuft auch hier in traditionellen Bahnen; kleinere oder auch einschneidendere Abweichungen vom Dogma sind möglich – bei der „erzwungenen Bewegung" *(modus violentus*, z. B. dem Wurf oder dem Pfeilschuß) ist die Verlegung des *movens* aus dem *medium* in das *proiectum* eine sehr wesentliche Neuerung –, aber daß, wie etwa in Nicole Oresme's *Traité du Ciel et du Monde* (ca. 1377)[12] auch entscheidende Grundprinzipien wie das der ruhenden Erde in Frage gestellt werden[13], gehört noch im 14. Jahrhundert zu den großen Seltenheiten.

Allerdings haben wir gerade im 14. Jhdt. noch einen weiteren Namen zu nennen, wenn wir der Frage der wachsenden Kritik an den Grundlagen nachgehen: den des jüdischen Gelehrten Ḥasdai Crescas aus Barcelona (ca. 1340–ca. 1411)[14]. Ähnlich wie der 200 Jahre jüngere Giordano Bruno führen ihn rein rationalistische, nicht auf Beobachtung und Experiment gestützte Betrach-

[11a] A. Maier, 1. *Die Vorläufer Galileis im 14. Jhdt.*, Rom, 1949; 2. *Zwei Grundprobleme der scholastischen Naturphilosophie*, 2. Aufl., Rom, 1951; 3. *An der Grenze zwischen Scholastik und Naturwissenschaft,* Rom 1952.

[12] Bibl. Nat., fonds français, ms. no. 1083 (zitiert nach R. Dugas, *Histoire de la Mécanique,* Neuchatel, 1950, S. 58).

[13] Dugas, *l. c.*, S. 62–63.

[14] vgl. H. A. Wolfson, *Crescas' Critique of Aristotle,* Cambridge, Mass., 1929.

tungen dazu, das Dogma der Endlichkeit und Einheit des Universums ebenso wie das der Verschiedenheit der sublunaren von der translunaren Welt zu verwerfen. Aber ebenso wenig wie sein Zeitgenosse Nicole Oresme hat er durch seine undogmatische oder besser gesagt antidogmatische Haltung in breitere Kreise gewirkt; denn noch im 15. Jhdt. fällt es schwer, selbst bei den größten Astronomen wie Peurbach und Regiomontan anderes als höchst bescheidene Ansätze zur Kritik nachzuweisen. Bei Peurbach möchte man sogar eher von einer geradezu erstaunlichen Abhängigkeit von den islamischen Meistern sprechen[15], die bezeugt, daß es hier noch in erster Linie um nichts anderes als die Aneignung von faktischem Wissen geht.

Etwa 70 Jahre später aber zeigt es sich, daß eine kleine Zahl von urteilsfähigen Männern bereit ist, sich dem kühnen Neuerer Copernicus anzuschließen. Dabei ist es bezeichnend, daß die erste Mitteilung über die neue Lehre, der *Commentariolus* (ca. 1512), nur wenige Jahre vor dem offiziellen Datum der Lutherischen Reformation (1517) im Freundeskreis des Copernicus bekannt gegeben wurde. Denn sind auch die Tendenzen, denen die Revolution des Weltbildes und die Reformation entsprangen, grundverschieden, so haben sie doch das Eine gemeinsam, daß man sich nicht mehr blind dem Zwang menschlicher Autorität beugen will. Und ebenso wenig kann es als Zufall gewertet werden, daß in der bildenden Kunst sich genau gleichzeitig jenes neue Raumgefühl offenbart, von dem Michelangelos Sixtinische Kapelle zeugt und das einen Bruch mit der gesamten Tradition darstellt.

Eine sehr beschränkte Zahl von unabhängigen Denkern also ist es, die zu Beginn des 16. Jhdts. die neue Ära einleitet. Während jedoch die Reformation zu einer Massenbewegung wird und der neue Stil der Malerei sich gleichfalls rasch durchsetzt, gewinnt der Copernicanismus geradezu auffallend langsam an Boden. Dies liegt selbstverständlich vor allem daran, daß nur wenige in der

[15] vgl. W. Hartner, *The Mercury Horoscope* (s. Fußnote 8), Abschnitt 12 (S. 127 ff.).

Lage waren, sich in den schwierigen, ganz neuartigen Gedankengängen zurechtzufinden, so daß es für den Laien unmöglich, ja geradezu absurd scheinen mußte, sich der dem Augenschein widersprechenden Lehre anzuschließen. Hierzu kam, daß der größte Astronom des späten 16. Jhdts., Tycho Brahe, überzeugter Gegner des Copernicus war und daß überdies die praktischen Vorteile der neuen Lehre, speziell die Genauigkeit der mit ihr erzielten Resultate, nicht so überwältigend waren, wie dies zuweilen behauptet wird.

Entscheidend für die zunehmende Gegnerschaft war jedoch ohne Zweifel der Umstand, daß man im Lauf der ersten 50 Jahre nach dem Tode des Copernicus im protestantischen ebenso wie im katholischen Lager auf die tödliche Gefahr aufmerksam geworden war, die der Sieg der neuen Lehre für die Kirchen bedeuten mußte. In der Tat konnten die offiziellen Vertreter der christlichen Bekenntnisse sich nicht an den Fragen desinteressiert erklären, denn die Grundzüge des aristotelisch-ptolemäischen Weltbilds gemäß der von mir gegebenen Difinition[16] waren längst als mit der biblischen Auffassung übereinstimmend zum integrierenden Bestandteil der christlichen Dogmatik schlechthin geworden. Innerhalb des vorgegebenen Rahmens konnten Diskussionen über Spezialfragen toleriert werden – die gelehrten Disputationen zwischen Thomisten und Scotisten über das Wesen des die natürliche Bewegung verursachenden *principium intrinsecum* legen davon Zeugnis ab –, aber eine Sprengung des Rahmens selbst, die hier zum ersten Mal versucht wurde, konnte man nicht hingehen lassen. Erinnern wir uns, daß der größte christliche Exeget des Aristotelismus, St. Thomas von Aquin, schon knapp vierzig Jahre nach seinem Tod auf dem Konzil zu Vienne (1311–12) als „doctor communis“ anerkannt wurde, daß auf dem Tridentinum (1545–63) seine *Summa theologica* neben Bibel und Dekretalien einen Ehrenplatz auf dem Altar angewiesen bekam und daß schließlich Papst Pius V. (1566–72) ihn zum fünften *Doctor*

[16] s. o .S. 88 f.

ecclesiae (nach Ambrosius, Augustinus, Hieronymus und Gregor dem Großen) erklärte[17].

Der mit den Namen Aristoteles und Ptolemaios verknüpfte Klassizismus ist mithin weit mehr als eine Privatangelegenheit der Naturforscher. Es geht um den Bestand des christlichen Dogmas selbst, und auch der Protestantismus nimmt hier offiziell keine andere Haltung ein. Schon bei Nicole Oresme herrscht im wesentlichen die gleiche Situation, denn unter den sieben für die Unbewegtheit der Erde angeführten, von ihm widerlegten Gründen[18] sind die ersten fünf dem Aristotelismus, die letzten beiden aber der Bibel entnommen. Und es sind die gleichen Bibelstellen, die in Luthers Tischreden und später im Galilei-Prozeß vom Heiligen Offizium gegen den Copernicanismus angeführt werden (Pred. Sal. 1. 5)[19]: „Oritur sol et occidit et ad locum suum revertitur... Deus firmavit orbem Terrae qui non commovebitur", sowie insbesondere der Passus Josua 10. 12/13: „Sonne, stehe still zu Gibeon, und Mond, im Tal Ajalon!..."

Oresme hatte sich mit dem Hinweis begnügt, daß die Bibel hier wie auch sonst sich der landläufigen Audrucksweise bedient und deshalb nicht im philosophischen Sinn wörtlich genommen werden dürfte. Seine Schrift hatte zu seinen Lebzeiten kaum Verbreitung gefunden und deshalb auch keinen Anstoß erregen können. Ganz anders aber lagen die Dinge, nachdem Copernicus durch sein in gelehrten Kreisen weit verbreitetes Buch das Dogma in seinen Grundfesten erschüttert hatte. Die Vertreter der Kirche und der offiziellen Wissenschaft, denen man heute gern den etwas billigen

[17] s. G. Sarton, *Introduction to the History of Science*, Vol. III, Baltimore, 1947, S. 916.

[18] s. Dugas, *l. c.* (vgl. Fußnote 12), S. 62.

[19] Auch in Melanchthons *Initia doctrinae physicae* (Wittenberg, 1549, danach 16 weitere Auflagen bis 1589) sind es genau dieselben Bibelstellen, die gegen Copernicus zitiert werden. Dagegen schließen sich seine physikalischen Argumente in höherem Maße an *Alm.* I, 5–7 an als die von Oresme angeführten und widerlegten; unter diesen ist eines ausdrücklich als averroistisch bezeichnet. (Zu Melanchthons Gründen s. E. Zinner, Entstehung und Ausbreitung der coppernikanischen Lehre, in *S. Ber. d. Phys.-med. Soz. zu Erlangen*, Bd. 74, Erlangen, 1943, S. 272).

Vorwurf der „Fortschritts-Feindlichkeit" macht, hatten schlechterdings keine andere Wahl, als sich ohne Vorbehalt auf den aristotelischen Standpunkt zurückzuziehen und ihm das Gewicht eines Glaubensartikels zu geben. So wird gerade in der Zeit des Zusammenbruchs des alten Weltbilds der aus dem Geist der Scholastik geborene naturwissenschaftliche Klassizismus zur letzten Waffe, mit der die Kirche ihren Anspruch auf die Beherrschung des menschlichen Denkens in seiner Gesamtheit verteidigt. Die neuen Ideen, denen zufolge die Naturforschung vom Experiment ihren Ausgang nehmen soll, können noch nicht als erprobt gelten, und deshalb darf die Feststellung, daß es sich bei diesem Klassizismus um ein „reaktionäres" (zugleich defensives und aggressives) Phänomen handelt, nicht unbedingt als Vorwurf aufgefaßt werden[20]. Gewiß, im Galilei-Prozeß ist primär bestimmend die Angst der Kirche um den Verlust ihrer unumschränkten Macht. Aber deutlich schwingt doch auch die legitime Befürchtung mit, es möchte hier ein Relativismus gutgeheißen werden, der zum Untergang jeglicher Ordnung führen müßte.

Im Laufe der folgenden Jahrhunderte vollzog sich, den ihre verlorene Position verteidigenden Kirchen zum Trotz, die endgültige Befreiung des Menschen vom Glaubenszwang in wissenschaftlichen Fragen. Nur ihr ist der unermeßliche Aufschwung der naturwissenschaftlichen Erkenntnis bis zu unseren Tagen zu verdanken. Aber in dieser Befreiung vom Zwang lagen zugleich auch alle jene Gefahren begründet, durch die unsere Kultur – und mit ihr die Kulturen anderer Völker – bedroht und heute schon zu einem großen Teil zerstört wurde: Aus der Erkenntnis der Naturgesetze entsprang der Gedanke der Naturbeherrschung,

[20] Ich verweise hier auf das wichtige Buch von G. de Santillana, *The Crime of Galileo,* Chicago, 1955, wo, wie mir scheint, zum ersten Mal ernsthaft versucht wird, ein unparteiisches Urteil über den Galilei-Prozeß zu fällen. Dort (S. 118) wird erwähnt, daß die Jesuiten von ihrem General strikten Befehl hatten, sich jeder Meinungsäußerung zu enthalten, die zur Schwächung der aristotelischen Position beitragen könnte. In einem Brief aus dem Jahr 1614 bezieht der Jesuit Grienberger sich auf dieses Gebot, stellt dann aber als seine private Meinung fest, er stimme Galilei zu.

aus ihr die Hybris, durch organisatorische Maßnahmen das Glück der Menschheit gewaltsam herbeiführen zu wollen – aus ihr schließlich jene geistige Schwäche einer Führungsschicht in allen politischen Lagern, aus deren hysterischer Angst jederzeit auch die physische Vernichtung der Menschheit entspringen kann.

II. Bei unseren bisherigen Betrachtungen haben wir uns ganz auf eine Analyse der in ihren Grundzügen allgemein bekannten Entwicklung unserer eigenen Kultur beschränkt. War dabei verschiedentlich auch von charakteristischen Merkmalen der Naturwissenschaftsgeschichte und Naturphilosophie des Islams die Rede[21], so geschah dies ausschließlich deshalb, weil eine Würdigung der europäischen Kultur ohne Eingehen auf den Islam ausgeschlossen ist. In einem höheren Sinn bilden die beiden ja bei aller Verschiedenheit eine untrennbare Einheit: Sie entspringen den gleichen Wurzeln, sie arbeiten mit denselben Begriffen und sind nach denselben klassischen Vorbildern orientiert. In beiden herrscht überdies eine weitgehende Übereinstimmung in der Tendenz, etwa auftretende Gegensätze zwischen religiösem und philosophisch-naturwissenschaftlichem Denken auszugleichen. Es genügt, hier auf die beiden großen Namen Ibn Rušd (Averroes) und St. Thomas hinzuweisen, deren Lebenswerk praktisch ausschließlich diesem Bemühen galt.

Wir wollen uns nun jener aus ganz anderen Wurzeln gewachsenen, gänzlich fremden Kultur zuwenden, auf die ich im ersten Teil meines Vortrags schon mehrmals angespielt habe: der chinesischen[22]. Die Dinge liegen hier in mancher Hinsicht so erstaunlich ähnlich, daß meine Behauptung gerechtfertigt erscheinen muß, es handle sich um eine durch die Struktur des menschlichen Denkens selbst bedingte Zwangsläufigkeit der Entwicklung[23].

[21] Für eine ausführliche Darstellung der islamischen Verhältnisse verweise ich auf meinen in Fußnote 9 zitierten Aufsatz.

[22] Zur Frage der allgemeinen klassizistischen Tendenzen in China verweise ich auf meinen Aufsatz über „Classicisme et déclin culturel dans la civilisation chinoise“ in *Classicisme et Déclin Culturel* (s. Fußnote 9), S. 367–75.

[23] s. o. S. 84 f.

Bei genauerer Betrachtung werden wir allerdings auch sehr wesentliche Unterschiede hinsichtlich der Definition des klassischen Vorbilds zu konstatieren haben.
Beginnen wir mit einer kurzen Zusammenfassung der wichtigsten Tatsachen:
Teils aus Beobachtung und Erfahrung, teils aus Mythen und religiösen Vorstellungen erwächst – ganz ähnlich wie bei der griechischen und anderen uns bekannten Kulturen – das primitive Weltbild. Die für die Feldbestellung wichtigsten astronomischen Tatsachen – vor allem die ungefähre Länge des Sonnenjahres und des Mondmonats – sind schon im 2. Jahrtausend bekannt. Aus den Sternphasen (heliakische Auf- und Untergänge und Kulminationen) weiß man die Jahreszeiten zu erkennen; aus dem Bestreben, Sonnen- und Mondlauf aufeinander abzustimmen, ergibt sich – auch dies ganz wie bei anderen Völkern – der lunisolare Kalender in seiner primitivsten Form. Auch die beiden für die chinesische Zeitrechnung (Tages-, Monats- und Jahreszählung) so außerordentlich charakteristischen Zyklen der „Zehn himmlischen Stämme“ und der „Zwölf irdischen Zweige“, sowie ihre Verbindung zum großen Sechziger-Zyklus, gehen in jene frühe Zeit zurück. Gerade dieser letztere Zyklus spielt schon in den Knocheninschriften der Shang-Zeit (vor 1000 v. Chr.) eine wichtige Rolle.
Soweit wir es auf Grund der neuesten textkritischen Untersuchungen mit Sicherheit sagen können, erstreckt sich diese früheste, noch fast systemlose Phase der Wissenschaftsgeschichte bis etwa 100 Jahre nach der konfuzianischen Epoche, d. h. also bedeutend länger als man früher angenommen hat. Diese Erkenntnis gründet sich vor allem darauf, daß das Kapitel *Hung-fan* des *Shu-ching* (Buch der Urkunden), das bisher als die älteste Quelle für die Yin-Yang- und Elementen-Theorie galt (zugeschrieben dem Beginn der Chou-Zeit, ca. 1000 v. Chr.), nunmehr als eine Interpolation der letzten Chou- oder gar Ch'in-Zeit (3. Jahrhundert v. Chr.) erwiesen scheint[24]. Die für die gesamte spätere Entwick-

[24] vgl. hierzu J. Needham, *Science and Civilisation in China*, Vol. II, Cam-

lung charakteristische Theorie der 5 Elemente wird nun aber durch die moderne Textkritik nicht nur einer genau bestimmbaren historischen Zeit zugewiesen, sondern sogar der Anonymität entrissen und als die – wenn auch auf ältere Vorstellungen zurückgehende – Schöpfung eines einzelnen Mannes entlarvt: des Philosophen Tsou Yen aus dem Staate Ch'i (ca. 350–270 v. Chr.), den wir somit als den eigentlichen Begründer des wissenschaftlichen Denkens in China ansehen müssen. Und ebensowenig kann bezweifelt werden, daß die Theorie der polaren Gegensätze, des Yin und des Yang, in ihren frühesten Anfängen nicht vor die konfuzianische Zeit zurückreicht[25], und daß auch sie durch denselben Tsou Yen in ihre klassische Form gegossen wurde.

Ziehen wir nun einen Vergleich zwischen der chinesischen und der griechischen Naturphilosophie in ihren Anfängen, so drängt sich zunächst die erstaunliche äußere Ähnlichkeit der Konzeption auf: An beiden Stellen operiert man mit einer beschränkten Anzahl (vier oder fünf) von „Elementen", deren Wechselwirkung das gesamte Entstehen und Vergehen in der Natur beschreiben soll. Die Theorie der polaren Gegensätze spielt bei dem den Pythagoreern nahestehenden Arzt und Physiker Alkmaion von Kroton (6. Jhdt. v. Chr.) eine entscheidende Rolle und scheint somit direkt vergleichbar mit der des Yin und Yang, die vom *Huang-ti Nei-ching* (etwa frühe Han-Zeit) an insbesondere auch die gesamte Heilkunde beherrscht[26]. Die äußeren Übereinstimmungen gehen dabei so weit, daß man nicht selten die Möglichkeit eines Zusammenhangs (Übertragung oder gemeinsame Quelle) ins Auge gefaßt hat – ganz gewiß zu Unrecht.

bridge, 1956, S. 232 ff., 242 ff. und 273 ff. Die beste Textausgabe und (engl.) Übersetzung des *Shu-ching* ist die von B. Karlgren: The Book of Documents, in *The Museum of Far Eastern Antiquities*, Bulletin 22, Stockholm, 1950; das Kapitel *Hung-fan* findet sich dort auf S. 28–35. Vgl. zur Frage der Datierung dieses Kapitels weiter unten S. 95.

25 Die Symbole selbst sind selbstverständlich älter.

26 vgl. K. C. Wong und L. T. Wu, *History of Chinese Medicine*, 2nd Ed., Shanghai, 1936 und W. Hartner, Heilkunde im alten China, in *Sinica*, Bd. 16, S. 217–65 und Bd. 17, S. 27–89.

Bei genauerer Betrachtung jedoch wird man alsbald auf entscheidende Unterschiede aufmerksam, so vor allem in der Elementen-Lehre, der in ihrer chinesischen Prägung nicht so sehr die Vorstellung materieller Partikel oder „Bausteine“ als die von Qualitäten oder „Fundamentalprozessen“[27] anhaftet: Das Wasser tropft, fließt abwärts, es repräsentiert alles Flüssige, die Lösung; das Feuer erhitzt, brennt, steigt nach oben und repräsentiert Hitze und Verbrennung; usw. Verallgemeinernd möchte man sagen, daß die zur Diskussion stehenden Begriffe in China primär durchweg Symbolcharakter besitzen, während man sie in Griechenland primär als Realitäten auffaßt und ihnen nur in gewissen Fällen (so etwa bei Plato) symbolischen Gehalt beimißt.
Was aber in China zusätzlich besonders auffällt, ist das Bestreben, das Ansehen und die Ehrwürdigkeit der gültigen Theorien dadurch ins Unermeßliche zu steigern, daß man ihren Ursprung auf mythische oder halbmythische Persönlichkeiten – seien es die Kaiser Huang-ti oder Shen Nung, sei es der Bruder des Begründers der Chou-Dynastie, der berühmte Herzog von Chou (Chou-kung) – zurückführt. Denn wie wir gesehen haben, hat es des Scharfsinns der neuesten Historiker und Philologen bedurft, um die Bedeutung Tsou Yen's als des wahren Schöpfers der wissenschaftlichen Theorien des alten Chinas zu erkennen. Ein längerer Abschnitt in Ssu-ma Ch'ien's *Shih-chi* (Kap. 74) ist ihm zwar gewidmet. In späterer Zeit aber scheint sein Name fast geflissentlich vergessen worden zu sein. Welche Gründe im besonderen hier mitspielten, soll noch besprochen werden.
Dieser Klassizismus also, dessen klassisches Vorbild in eine fast ganz sagenhafte (wenn auch zwei Jahrtausende lang als historisch angesehene) Zeit versetzt wird, beherrscht fortan das gesamte Denken. In jener frühen Zeit nämlich, zu Beginn der Kultur, herrschte die Vollkommenheit. Alles Spätere war Abstieg, wenn auch gewisse Epochen an Größe noch der des Urbeginns vergleichbar waren: so die glückliche Hsia-Dynastie (der die hi-

[27] vgl. J. Needham, *l. c.*, Vol. II, S. 243.

storische Kritik bestenfalls noch ein knappes Jahrhundert um die Mitte des 2. Jahrtausends zubilligt), berühmt als die Zeit der Schöpfung des idealen Kalenders, so auch noch die Epoche des Chou-kung, in der die Fundamente der Gnomonik und der Geometrie gelegt wurden.

Das Rezept – sit venia verbo – ist alt. Es findet sich schon im Shu-ching, Shih-ching und in den frühen konfuzianischen Schriften, vor allem dem Lun-yü, angewandt und ist offenbar dem spezifisch chinesischen, extrem traditionsgebundenen Denken adäquat. Es kann uns daher nicht erstaunen, daß man darauf zurückgreift, wann immer dies angezeigt erscheint. Als nun in der späteren Han-Zeit der Taoismus mehr und mehr erstarrt und sich dabei auch die taoistische These einer ethischen Indifferenz der Natur durchzusetzen droht, so wie wir sie etwa bei Lao-tzu und Chuang-tzu erkennen, bieten sich die Theorien Tsou Yen's als ideales Hilfsmittel zur Stützung des Konfuzianismus an. Denn wie die Erfahrung gezeigt hat, gaben gerade sie das erforderliche philosophische Fundament für die konfuzianische These ab, daß ethische und kosmische Wohlordnung ein und dasselbe sind[28].

Während also der westliche (islamisch-europäische) Klassizismus des naturwissenschaftlichen Denkens in seiner vollen Ausbildung eine späte Erscheinung ist und sich nachdrücklich auf historische Persönlichkeiten – vor allem Aristoteles und Ptolemaios – beruft, ist der chinesische schon auffallend früh nachweisbar, vermeidet die Nennung historischer Persönlichkeiten, und bemüht sich anstatt dessen um die Schaffung eines mythischen, in die graue Vorzeit verlegten Idealbilds. Um den Ausdruck „auffallend früh" näher zu erläutern, verweise ich der prinzipiellen Wichtigkeit wegen nochmals auf den Umstand, daß die Einschiebung des den Klassizismus begründenden Kapitels *Hung fan* des *Shuh-ching* noch vor der Restauration der Han-Zeit (206 v. Chr.) gemacht wurde. Hält man an der Historizität der ominösen, aus strikt geschichtsfeindlicher Haltung entsprungenen Bücherver-

[28] vgl. J. Needham, *l. c.*, S. 267.

brennung vom Jahr 213 v. Chr. fest (die im Lichte der modernen Geschichtsforschung allerdings mehr und mehr den Charakter einer konfuzianischen Zwecklegende annimmt), so müßte dieses Kapitel der Zeit vor Ch'in-shih Huang-ti's Thronbesteigung (221 v. Chr.) zugewiesen werden, da sein Inhalt ja mit den antihistorischen Tendenzen dieses Kaisers unvereinbar ist[29].

Es ist das besondere Verdienst Joseph Needhams, uns im 2. Band seines Werkes über die Wissenschafts- und Kulturgeschichte Chinas[30] ein anschauliches Gemälde der verschiedenen sich seit der nachkonfuzianischen Epoche bekämpfenden naturphilosophischen Richtungen entworfen zu haben. Obgleich nun dieser Kampf bis in späte Zeiten fortdauerte, setzte sich doch allmählich in weitesten Kreisen – auch bei offiziellen Nicht-Konfuzianern (Taoisten, Buddhisten) – das Bewußtsein dieses vom Konfuzianismus getragenen Klassizismus durch. So kommt es, daß das Ideal prinzipiell und ausschließlich in der Vergangenheit gesucht wird: Zur Wiedererlangung der glücklichen Zustände von ehedem beizutragen, wird höchste Aufgabe des kulturbewußten Chinesen. Und mit der Zeit reihen sich so an die primären Ideale der fünf Urkaiser, der Hsia-Dynastie und der ersten Chou weitere klassische Vorbilder – die Epochen der Han, T'ang und Sung – und daneben Schreckbilder wie die Zeit des Ch'in-shih Huang-ti oder auch eines Ch'ao Ch'ao.

Das naturphilosophische System artet in einen starren Schematismus aus und hemmt immer mehr die natürliche Entfaltung der Wissenschaft. Gelegentlich versuchen unabhängige Geister, dem Zwang zu trotzen und eigene Wege zu gehen, aber der Erfolg ihrer Mühe ist stets nur von kurzer Dauer. Gewiß, es gibt auf manchen Gebieten nicht unbeträchtliche Fortschritte: In der astronomischen Instrumenten- und Beobachtungstechnik und in der Kenntnis der astronomischen Perioden (Jahreslänge, Monatslänge, Planetenumläufe) werden von der Han-Zeit an während

[29] s. o. S. 94 und Fußnote 24.

[30] s. Fußnote 24; vgl. auch A. Forke, *The World-Conception of the Chinese*, London, 1925.

einer Reihe von Jahrhunderten wesentliche Verfeinerungen und Verbesserungen eingeführt (wobei manches, wenn auch keineswegs alles, auf fremden Einfluß zurückgehen mag). In der Medizin erwachsen mitunter aus der Verbindung der Theorie mit dem Experiment epochemachende Entdeckungen, wie z. B. die seit dem 11. Jahrhundert geübte Immunisierung gegen Pocken durch eine Art von „Impfung“ mit Pustelsekret geringer Virulenz[31]. Aber es entspricht der Struktur des chinesischen Denkens, daß offenkundige Konflikte zwischen Theorie und Empirie niemals zur Revision der Theorie führen, geschweige denn zur ihrer Entthronung.

Zum letzten Mal erfüllt sich die Wissenschaft mit neuem Leben, als während der Mongolenzeit (1280–1368) – wenn auch nur im beschränkten Maß – Verbindung mit dem Westen aufgenommen wird[32]. Nach dem jetzigen Stand unseres Wissens handelt es sich dabei weniger um direkte Einflüsse (das Werk des großen Astronomen Kuo Shou-ching scheint von solchen kaum zu zeugen) als um Anregungen allgemeiner Art, die den Verfall noch einmal aufhalten. In dieser Zeit dürfte sogar umgekehrt der Westen in entscheidender Weise von China bereichert worden sein: Denn fast mit Sicherheit können wir annehmen, daß die Einführung der äquatorial orientierten und dadurch erheblich vereinfachten Armillarsphäre und damit auch der Äquatorialkoordinaten (Tycho Brahe) über den Islam (Torquetum, „Türkeninstrument“) auf China zurückgehen, wo sie seit dem 2. Jahrhundert im Gebrauch gewesen waren[33].

Es scheint fast eine müßige Frage, weshalb China nicht aus eigener Kraft die Fesseln abschütteln und – ähnlich wie Europa zur Zeit der Renaissance – vom Denken in vorgegebenen Bahnen zur

[31] s. Wong-Wu, *History of Chinese Medicine* (vgl. Fußnote 26), S. 215 f. und W. Hartner, *Heilkunde im alten China* (s. Fußnote 26), S. 256–59.

[32] s. W. Hartner, The Astronomical Instruments of Cha-ma-lu-ting, their Identification, and their Relations to the Instruments of the Observatory of Marāgha, in *Isis,* Vol. 41 (1950), S. 184–94.

[33] vgl. J. Needham, *l. c.,* S. 377 ff.

freien, primär auf Empirie gegründeten Forschung übergehen konnte. Es mag sein, daß das Fehlen einer dem Christentum vergleichbaren dogmatisch fundierten Religion den dem Denken auferlegten Zwang weniger stark empfinden ließ und daß daher der Drang nach Befreiung sich nicht mit so explosiver Gewalt geltend machte. Es mag sein, daß das Gefühl der den Menschen mit seiner Umgebung – der „Natur" – verbindenden kosmischen Einheit und Harmonie so stark war, daß der Gedanke, sich aus dieser Verbundenheit zu lösen und der Natur kritisch sich gegenüberzustellen, um schließlich ihr Meister zu werden, überhaupt nicht aufkommen konnte.

Europa allein also ist aus eigenem Antrieb aus dem circulus vitiosus ausgebrochen. Es hat dadurch eine unerhörte Machtstellung erreicht und sich zugleich in die gefährlichste Situation seiner langen Geschichte begeben[34]. China hat in seiner konservativen Haltung lange Zeit die stärkste Sicherung gegen moralischen und politischen Verfall besessen. Aus dem Bestreben, es Europa gleichzutun, erwuchs ihm, nicht anders als allen anderen Völkern des Ostens, das Verderben. Zwar wissen wir nicht, wie die Dinge sich entwickelt hätten, wenn China noch eine längere Zeit der Abgeschlossenheit beschieden gewesen wäre. Aber es kann kein Zweifel bestehen, daß die chinesische Kultur durch die Erhebung der europäischen materiellen Kultur zum Vorbild im Sinne eines „heterogenetischen Klassizismus" zerbrechen mußte. Auf der Suche nach neuen, dem westlichen, jedoch nicht dem chinesischen Denken adäquaten Wegen, ist China von einem gefährlichen Experiment zum anderen, von einem Extrem zum entgegengesetzten gegangen. Nachdem es sich schließlich mit unendlicher Mühe und mit der leider keineswegs desinteressierten Unterstützung Europas von den Fesseln des traditionellen Denkens befreit hatte, hat es sich nach vielen Umwegen in die Ketten eines ihm fremden,

[34] vgl. W. Hartner, Humanismus und technische Präzision. Zur Frage der persönlichen Verantwortung, in der Festschrift *„Wissenschaft und Wirtschaft"* der Metallgesellschaft A. G., Frankfurt a. M., 1956.

nicht weniger starren doktrinären Denkens begeben. Daß es diese mit den modernsten Mitteln der Wissenschaft gehärteten neuen Fesseln sprengen wird, scheint nicht mehr zu erwarten.

Diskussion

Die Diskussion ging aus von der Frage, ob man auch von Klassizismus sprechen dürfe in Fällen, in denen uns erst nachträglich die Verknüpfung mit der Vergangenheit einsichtig wird, etwa im Fall der Auflösung algebraischer Gleichungen, wo gewisse Ansätze über Babylon, die Araber und Italiener bis auf uns gekommen seien (Behrens). Wenn auch die Herkunft dieser Ansätze nicht bis ins letzte bewußt gewesen sei, so wurde erwidert, hätten sich doch die Cossisten um 1500 mit Adam Riese (ca. 1492–1559) auf al-Ḫwārizmī (starb nach 846) als auf ein klassisches Vorbild berufen, der durch die Übersetzung von Leonardo Pisano (frühes 13. Jahrhundert) zugänglich war. Ebenso habe es Übersetzungen des ʿUmar Ḫayyām (starb 1132) gegeben.

Strenges Festhalten an der Tradition sei in der Terminologie festzustellen, ferner in der Wahl der Mengeneinheiten bei der Auflösung diophantischer Gleichungen: die bei den frühen Indern als Mengeneinheiten gebräuchlichen Perlhühner, Gänse und Enten fänden sich wieder bei al-Ḫwārizmī und Abū Kāmil (Šuǧāʿ b. Aslam, GAL, SI, p. 390), und die über die Araber auf Indien zurückführende Überlieferung des Mittelalters operiere stets mit denselben oder entsprechenden Tieren, die nur in gewissen Kreisen durch junge Männer und Jungfrauen ersetzt worden seien – daher der Terminus *regula virginum* (Hartner).

Mit Bezugnahme auf Dagobert Frey *(Gotik und Renaissance als Grundlage der modernen Weltanschauung,* Augsburg 1929) wurde die Frage aufgeworfen, ob die Auffassung vom Kreis als schlechthin vorbildlicher Figur, die Copernicus (1473–1543) mit seinen Zeitgenossen teilte, als „klassizistisch“ angesprochen werden könne (Preiser). Es wurde geantwortet, daß an der Vorbildlichkeit der Kreisfigur seit den Pythagoräern festgehalten worden sei, jedoch nicht im Rahmen einer ästhetischen, sondern innerhalb einer rein wissenschaftlichen Tradition, in der auch Copernicus stand (Hartner).

Darauf erhob sich die Frage, weshalb dann schon Kepler (1571–1630) den Bruch mit dieser festen Tradition vollziehen konnte (Preiser). Die Antwort lautete: Copernicus sei für Kepler zunächst echt klassizistisches Vorbild gewesen; er habe versucht, dessen Theorie mit Hilfe der vorbildlichen Marsbeobachtungen des Copernicus-Gegners Tycho Brahe (1546–1601) bis ins letzte rechnerisch durchzubilden. Nach jahrelangem Rechnen (1601–1606) habe er die Unmöglichkeit, die Marsbewegung mit Epizykel und Exzenter darzustellen, erkannt. Auf der Suche nach anderen Figuren mit Symmetrieachse sei er dann zunächst auf Kurven verfallen, die der Rückseite eines Cellos ähneln, angeregt durch eine graphische Darstellung der Merkurbahn nach den Werten des Ptolemäus bei Peuerbach (1423–1461), welche dieser von Alfons (1226–1284) und az-Zarqālī (ca. 1026– ca. 1087) übernommen habe. Was Ptolemäus, der sich nicht für die Kurve als solche, sondern für die Möglichkeit der Positionsberechnung interessierte, nur bis zu einem gewissen Grade bewußt gewesen sein kann: die Annäherung der Kurve an eine Ellipse, wird erst durch die Darstellung dieser Kurve deutlich, die az-Zarqālī zum Zwecke der Instrumentenherstellung vornahm. Die Abbildung dieser Kurve müsse Kepler auf den Gedanken gebracht haben, es mit einer Ellipse zu versuchen (Hartner).

Es wurde gefragt, wieweit beim plötzlichen Abschütteln alter Bindungen hier der Zwang der Empirie entscheidend gewesen sei (Preiser). Während man seit Aristoteles immer die Forderung der Logik gestellt habe, so wurde dazu bemerkt, sei die Frage der Präzision zu verschiedenen Zeiten sehr verschieden beurteilt worden. Aristarch (geboren um 320 v. Chr.) habe z. B. bei seiner Berechnung des Abstandes der Sonne von der Erde, ausgehend von der Überlegung, daß bei Halbmond Sonne, Mond und Erde ein rechtwinkliges Dreieck bilden müssen, den Winkelabstand von Sonne und Mond zu dieser Zeit mit 87° gemessen, während der wahre Wert 89°50' betrage. Seine Überlegungen und seine Methode waren logisch vollkommen korrekt, seine Messungen aber ungenau. So kam er zu dem Ergebnis, die Sonne sei ungefähr 20 mal so weit entfernt wie der Mond, eine präzisere Messung jedoch hätte ihn auf eine 400fache Entfernung führen müssen. Später arbeitete z. B. al-Battānī (vor 858–929) mit recht genau ausgeführten Messinginstrumenten, aber noch Copernicus versah seinen Jakobsstab aus Fichtenholz mit einer Einteilung aus Tintenstrichen, was zu Fehlern zwischen 10' und 20' geführt haben muß. Tycho Brahe dagegen habe bereits ohne Fernrohr eine Genauigkeit von 1 bis 1½ Bogenminuten erreicht. Nachweise der von der copernicanischen Theorie geforderten Fixsternparallaxen seien aber erst 1838 bei einer Meßgenauigkeit von ⅓ Bogensekunde erzielt worden (Hartner).

Auf die Frage, von welcher Zeit an dem Quantitativen vor dem Qualitativen der Vorzug gegeben werde (Behrens), wurde geantwortet, daß in der Astronomie seit Tycho Brahe die Forderung herrsche, durch quantitative Mittel die Richtigkeit einer Theorie zu entscheiden. Das gelte auch für die Physik. Dagegen wurde in der Chemie rein qualitativ gearbeitet, bis zur Einführung der quantitativen Methode durch Lavoisier (1743–1794) und Richter (1762–1807), womit der eigentliche Aufschwung der Chemie begonnen habe (Hartner).

Es wurde davor gewarnt, das Aufgeben eines Vorbildes allzusehr dem Druck der Empirie zuschreiben zu wollen; vielmehr sei zu fragen, weshalb dieser Druck zu bestimmten Zeiten überhaupt empfunden werde. Als Beispiel für die Irrelevanz der Empirie unter bestimmten geistigen Voraussetzungen sei das Streben nach einem Mittel für die unbegrenzte Lebensdauer anzuführen oder die bei den Arabern herrschende Vorstellung, daß der Brüllsack des Kamels beim Schlachten verschwinde, die keineswegs aufgegeben worden sei, als ein städtischer Araber im 9. Jahrhundert die Grundlosigkeit dieser Annahme demonstrierte. Entscheidend dafür, ob man der Empirie nachgebe oder nicht, seien Verschiebungen von Willensrichtung und Aspiration. Der Druck der Empirie als solcher vermöge nicht zu erklären, weshalb z. B. bis ins 15. Jahrhundert primär immer nur die Farbe, nie die Form von Mineralien beschrieben werde (v. Grunebaum).

Es wurde betont, daß Empirie überflüssig erscheine, solange Zutrauen zur Tradition bestehe. Ohne das Mißtrauen in die Tradition habe die ganze ursprüngliche Entdeckerfreude der Griechen sich nicht entfalten können (Rahn). Darauf wurde auf die Rolle der Tradition in der Medizin hingewiesen und daran erinnert, daß bis 1830 Galen (129–199 n. Chr.) immer wieder neu aufgelegt wurde, nicht aus historischem Interesse, sondern als Lehrbuch (Hafter). Zur Bestätigung der Ansicht von Herrn Rahn, daß dies ein Zeugnis für den bleibenden Wert der griechischen Wissenschaft sei, wurde angeführt, Galen könne heute noch für bestimmte unheilbare Hautkrankheiten als Autorität gelten (Hartner).

Hanns Leo Mikoletzky

RELIGIÖSE AKKULTURATION

Der Weg zu Erkenntnissen ist immer ein indirekter. Um zu erfahren, was Klassizismus ist, scheint es daher notwendig, wieder einmal den Versuch einer Definition der Kultur zu wagen, deren Begriffsbestimmung man am ehesten von zwei Seiten erreicht: zunächst vom einzelnen Kulturobjekt und seinen gegenüber allen anderen *sinnfälligen* Erscheinungen aus (den Naturobjekten einerseits und den transeunten geistigen Objektivationen im Sinnfälligen, d. h. Ausdruckserscheinungen, Handlungen, Taten). In diesem Sinn muß die eigenartige Existenzform der Kultur bestimmt werden. Kulturobjekt ist ein Objektiviertes, also sinnfällig gegenständlich Gewordenes, das seine Gestaltung absichtsgeleiteter menchlicher Tätigkeit verdankt, wobei diese Gestaltung auf Dauer gerichtet sein muß. Der Inbegriff aller solchen Objektivationen eines Geistigen bildet dann den Inhalt des Begriffs der Kultur: so gesehen ist Kultur der Inbegriff sämtlicher durch menschliches Tun geschaffenen beständigen Objektivationen von Geistigem. Man vermag aber auch von der einzelnen historischen Kultur oder der einmaligen geschichtlichen Kulturtotalität (etwa der ägyptischen, der Renaissance-Kultur etc.) dazu zu gelangen. Dafür hat Willy Hellpach eine gute Formulierung gefunden: „Kultur ist die Ordnung aller Lebensinhalte und Lebensformen einer Menschengemeinschaft unter einem obersten Wert.“ So betrachtet ist Kultur der Inbegriff des Besitzes einer Gruppe von Menschen zu einer bestimmten Zeit und unter einem bestimmten

Wertsystem (Weltanschauung-Stil). Man könnte sie auch überspitzt die Erfüllung des Beanspruchbaren nennen, wenn man nicht gar wie Nietzsche und Spengler die Zivilisation als gleichsam allerletzte Konsequenz von ihr abtrennen möchte. Schon Hegel und Marx bemerkten ihre Vielspältigkeit, zogen es aber vor, allein die besonders ins Auge fallende Doppelgesichtigkeit herauszuheben, die es mit sich bringt, daß sie zwar einerseits als Schöpfung des Menschen erscheint, ihm aber andererseits als ein bereits organisiertes und legalisiertes oder bloß empfehlend-zwingendes Äußeres oder gar Äußerstes entgegentritt (wie auch die Geschichte).

Jede Konstante und jeder Archetypus sind nur durch Abstraktion zu gewinnen. Es gibt daher nicht eine, später wissentlich weiter getragene, sondern eine Menge individuell ausgestalteter (Primitiv- und Hoch-) Kulturen. Wenn sich aber wesentliche Neigungen des Menschen auch nur in Hochkulturen zu entfalten vermögen, so gibt es doch gewisse Urerrungenschaften, deren Ausbildung allerdings grundverschieden ist. Heinrich Trimborn sagt: „Das Menschliche ist gleich im Urgrund aller Kulturen“, und deshalb ist auch infolge „eines langen unbewußten metaphysischen Bedürfnisses“ (Burckhardt) die Vertrautheit mit Hauptelementen der Religion schon anfänglich vorhanden: die Überzeugung von einer oder der Glaube an eine übermenschliche Macht, die existentielle Erkenntnis der Abhängigkeit von dieser Macht und die Ordnung des Lebens entsprechend dieser Abhängigkeit in individueller und sozialer Hinsicht (Franz König, Der Mensch und die Religion. *Christus* I, S. 38 ff.).

Religion ist also das Erlebnis des Heiligen (Rudolf Otto) und auf jeden Fall eine „numinöse“ Erfahrungstatsache. Ob es die Furcht oder das Erstaunen war, das die Götter schuf, ist wohl zu Gunsten des Letzteren zu beantworten. Freilich führt ihre Entwicklung keineswegs zu selbstverständlichen Ergebnissen. „Das einlinige Schema der Menschheitsentwicklung“ scheint endgültig widerlegt. „Die Sicherheit eindeutigen Fortschritts sieht der Ethnohistoriker auf genau bestimmbare Sondergebiete be-

schränkt" (Fritz Kern, *Der Beginn der Weltgeschichte*, S. 56): die Religion gehört nicht dazu.
Das Nützlichere oder Bessere, in diesem höchsten Fall der Eingottglaube und seine Konsequenzen, ist immer augenfällig. Es „klassisch" im Sinn von richtungweisend nach den *classici*, den römischen Bürgern erster Klasse, den vornehmsten des Staates, zu nennen, scheint gegeben. Nicht die individuelle Meinung des Einzelnen wird damit aus dem Streit der Parteien auf eine höhere Warte gehoben, sondern etwas Allgemeingültiges. Allerdings fehlt dem Vorbildhaften die eigenartige Farbengebung des Persönlichen. Die Leidenschaft einer Minute wird durch die Abgeklärtheit von Jahrhunderten ersetzt.
Originale Schöpfungen von leitbildhafter Gültigkeit sind nur in reifen Kulturen von gesundem Eigenwuchs möglich. Auf kulturelle Blüte folgt aber doch unweigerlich der Verfall, der vom einzelnen Objekt wie von der Kulturtotalität her bestimmt werden kann. Das einzelne Objekt ist nur so weit lebendig, als es durch die Aufnahme eines Individuums in das Bewußtsein wiederverlebendigt, resubjektiviert, d. h. als Sinngehalt eines geistigen Aktes erlebt wird. Es handelt sich hierbei nicht um ein bloßes historisches Verstehen, sondern um ein den Wert (der Erkenntnis, der sittlichen Forderung, des künstlerischen Angesprochenseins) verwirklichendes Sinnerleben. Kulturobjekte, bei denen diese letzte Stufe des Verstehens, nämlich das Sinnerleben, nicht mehr vollzogen wird, sind tot. In diesem Sinn können aus einer historischen Kulturtotalität oder auch aus der eigenen gegenwärtigen Kultur unbestimmt viele Einzelobjektivationen „verfallen". Was jedoch als Kulturverfall bezeichnet wird, bezieht sich gewöhnlich auf die historische Kulturtotalität, indem das ordnende und bindende Wertsystem seine Geltung verliert und sich und damit die Kultur auflöst. Schon oder noch unfruchtbare Kulturen aber neigen aus ihrem Unvermögen heraus, geistigen Bedarf zu decken, zu epigonischer Nachahmung, zu Reflektion, aber auch Variation des als musterhaft Betrachteten. Klassik wird zum Klassizismus, der gleichsam als Klassik aus zweiter Hand

zur Anerkennung eines vom Anerkennenden zwar oft wesentlich verschiedenen, aber schließlich doch als unumgänglich und verbindlich betrachteten Kulturmodells führt. Es scheint hier nicht weiter befremdlich, daß es weniger die primitiven Kulturen sind, die am empfänglichsten wirken: „in je umfassenderem Zusammenhang man die Dinge sieht, also je höher man steht, desto besser sieht man sie" (R. Rother).

Die Unterscheidung eines intrakulturellen und eines interkulturellen Wandels dünkt in diesem Zusammenhang nützlich, um das Harmonische vom mehr oder minder Gewaltsamen scheiden zu können. Der Gestaltwandel einer Kultur als Ergebnis der einfachen Abfolge der Generationen ist etwas anderes als die Übernahme oder Aufzwingung von Errungenschaften fremder Kulturen. Wir kennen keine, insbesondere keine höhere Kultur, die nicht derartige, ursprünglich fremde Elemente in großer Zahl aufwiese. In diesem Rahmen kann leider nicht von dem wunderbaren Prozeß der Rezeption des römischen Reichsgedankens gesprochen werden, obgleich religiöse Elemente nicht fehlen und Rom der Welt das Herz gebrochen hat, wie Hegel meint (*Werke*, hrsg. v. Lasson, VIII, S. 661 ff.), wohl aber zunächst vom „Hellenismus", worunter Droysen so vorzüglich jenes individualistisch und rationalistisch verdünnte Spätstadium der griechischen Kultur begriff, die sich dank ihrer noch immer einzigartigen gestaltenden Kräfte zu einer nach Westen und bis Ostasien ausstrahlenden Zelle weitete, dann von der Übertragung des Christentums vom Vorderen Orient nach Europa und dessen Überschichtungen, einem Vorgang, vergleichbar der Transferierung des Buddhismus von Indien nach Ostasien. Neben zahlreichen anderen bestechenden Formulierungen dankt man Oswald Spengler auch den Begriff der historischen Pseudomorphose, wie er Fälle nennt, „in welchen eine fremde alte Kultur so mächtig über dem Lande liegt, daß eine junge, die hier zu Hause ist, nicht zu Atem kommt" (*Untergang des Abendlandes* II, S. 227). Diese vielfach zu sonderfällig vereinzelnde Definition enthält die Hauptelemente jeder Kulturübernahme, so sehr einer solchen zu-

meist der von Spengler insinuierte Zug der Vergewaltigung fehlt, wie auch die unter der Schale wachsende Seele durch eine die Schale suchende Seele ersetzt und betont werden muß, daß Kulturübernahmen selten in Bausch und Bogen erfolgen, sondern meist eine Selektion des Entscheidenden darstellen.
Es ist dies alles nicht unerklärlich: bestimmte Kulturelemente haben dank ihrer durchdachten Geformtheit und dehnbaren Reife eine universale Durchschlagskraft und vermögen auch von fremden, mehr nüchternen und praktisch gerichteten, daran Mangel leidenden Empfängern um ihrer Brauchbarkeit willen ausgebeutet zu werden. Solcher Akkulturation sind naturgemäß alle Kulturen unterworfen: oft ist das Übernommene kaum mehr erkennbar, oft werden die überlagernden Schichten von den ursprünglichen, die nicht immer primitiv sein müssen, durchsetzt. Johannes Bühler warnt auch mit Recht davor, aus der Entlehnung von „Zivilisationselementen“ auf eine Kulturunterlegenheit des übernehmenden Volkes zu schließen. So waren die Germanen in der Erfindung und Verbesserung von Ackergeräten den Kelten und Römern voraus und selbst im Militärwesen haben die letzteren von den Germanen gelernt (*Die Kultur des Mittelalters*, S. 25, A. 2). Zweifellos scheint jedenfalls, daß trotz mancher Strukturfremdheit nie etwas dem eigenen Wesen Gegensätzliches assimiliert zu werden vermag. Vor allem fußen die religiösen Elemente immer auf einer sympathetischen Schicht und vermögen daher meist verhältnismäßig leicht ihrem Bedürfnis, sich zu organisieren, nachzukommen, insbesondere wenn es sich um Religionen der „offenen“ Form handelt, wie Franz Altheim die neuen oder gestifteten nennt (*Gesicht vom Abend und Morgen*, S. 32 ff.). Stets ist das Geordnete und Greifbare das Anziehende gewesen. Musterhaft, also klassisch ist eine fremde, beziehungsweise sogar vergangene Frömmigkeitsform in ihren Auswirkungen auf das geistige und geistliche Leben einer späteren „klassizistischen“ Generation immer nur dann geworden, wenn sie selbst mit ihrem Mythos, also mit der Form (dem „Wort“), unter der das Volk das „Heilige“ begreift und einfängt, fertig geworden ist.

Wir wissen, was eine vollständige und respektable Religion bieten sollte: wir vermögen förmlich ein Ideal zu rekonstruieren, weil wir alle Typen zu kennen meinen. Schon in den Materialien zur Geschichte der Farbenlehre sagt Goethe einleitend: „Der Kreis, den die Menschheit auszulaufen hat, ist bestimmt genug, und ungeachtet des großen Tiefstandes, den die Barbarei machte, hat sie ihre Laufbahn schon mehr als einmal zurückgelegt. Will man ihr auch eine Spiraltendenz zuschreiben, so kehrt sie doch immer wieder in jene Gegend, wo sie schon einmal durchgegangen. Auf solchem Wege wiederholen sich alle wahren Anliegen und alle Irrtümer." Zu jeder Religion gehört also zunächst ein System religiöser Lehren, das die erkannte Wahrheit in die für die Anhänger verbindliche und erträgliche Form gießt. Man hat gemeint (Joachim Wach, *Religionssoziologie.* 4. Aufl. 1951, S. 28), daß, was im theoretischen Glaubensbekenntnis formuliert ist, dann in religiös inspirierten Akten ausgeführt wird. Man kann die Reihenfolge auch umkehren: die Eule der Athene beginnt nie in der Frühe ihren Flug, deshalb erwachsen wohl erst aus dem praktischen Ausdruck religiösen Erlebens – schon in jeder Mythe und besonders in jeder Vision steckt der Keim einer Lehre – die heiligen Bücher, die jede Weltreligion besitzt. Die von ihnen bedingten kultischen Handlungen „dienen nicht allein dazu, die Erlebnisse der Teilnahme deutlich zu machen, sondern tragen in nicht geringem Maß zur Gestaltung und Bestimmung der Organisation und des Geistes bei." Aber selbst wenn man diese Handlungen einzuteilen versucht wie Evelyn Underhill *(Worship* 1937), scheint „eine große Unmöglichkeit obzuschweben, uns die primitive Entbindung des Geistigen vorzustellen; denn wir sind später abgeleitete Leute" (Burckhardt). Wir ahnen nicht einmal, wie weit Übernahmswille von Sterilität des Empfangenden zeugt. Einzig die Sammlung des Augenfälligen und seine Gegenüberstellung und Verbindung wird hier neben Definition und Kombination weiterhelfen: Tatsachen und Folgerungen sind Geschwister.

Man hat versucht, die Göttervorstellungen der Griechen bei Homer und Hesiod zu verankern, oder besser, diese für das spätere Bild verantwortlich zu machen: schon von Pythagoras behauptet Diogenes Laertius (8, 21) im 3. Jahrhundert, er habe erzählt, daß er im Hades die Seelen der beiden Dichter für das leiden sah, was sie von den Göttern ausgesagt hätten, und Xenophanes von Kolophon soll gemeint haben: „Alles haben Homer und Hesiod den Göttern angedichtet, was nur immer bei den Menschen Schimpf und Schande ist" (Wilhelm Capelle, *Die Vorsokratiker,* S. 121). Das enthebt sie aber keineswegs der Ehre, die Vermittler des Geistes der griechischen Religion und damit zugleich ihre Dogmatiker geworden zu sein. Da man hier nur kultische Regeln, aber keine heiligen Bücher und Glaubensnotwendigkeiten kannte, schuf Homer das Antlitz von Zeus von Olympia und damit zugleich das des kapitolinischen Iuppiter oder das des Zeus von Otricoli an der via Flaminia.

Für die (Stadt-) Römer waren die Götter ursprünglich keine menschlich empfundenen Wesen: sie verehrten neben den italischen Iuppiter, Mars und Quirinus, später neben der etruskischen Dreiheit Iuppiter, Iuno und Minerva, auch die unumgänglichen Personifikationen ihres Werktags (Tellus, Ceres, Neptun, Volcanus, Vesta, Ianus etc.), sowie völlig unanschauliche Begriffe (wie Salus, Bellona, Spes, Honos, Virtus, Fides und Concordia; vgl. aber dazu Aidos, Charis, Dike, Themis, Eirene, Plutos, von denen Walter F. Otto, *Theophania, Der Geist der altgriechischen Religion,* S. 76 f., sagt, es ließe sich manchmal nachweisen oder wahrscheinlich machen, „daß der Göttername das Ursprüngliche, der abstrakte Begriff also von ihm ausgegangen ist"). Die Römer kannten daher anfangs weder Götterbilder noch Tempel außer den etrusktischen Gotteshäusern, wie überhaupt der Einfluß der Etrusker auf religiösem Gebiet schon vor der politischen Herrschaft da war. Eine gewisse Reaktion dagegen scheint die Entmythisierung gewesen zu sein, die sichtbarlich in der Zeit des Übergangs zur Republik statt hatte. Aber erst das Eindringen griechischer Vorstellungen seit dem 6. Jahrhundert hat, besonders nach den Auseinandersetzungen mit griechischen Bereichen (Tarent und Pyrrhos von Epiros 282–272), den Gehalt der Religion wesentlich verändert. Nunmehr übernimmt man völlig die hellenischen Vorstellungen: die römischen Götter werden bildlich gefaßt und konsequent an die griechische Menschengestaltung der Himmlischen angelehnt sowie schließlich mit ihnen identifiziert. Was die Etrusker schon besessen hatten, eine Göttergenealogie, ist dann um diese Zeit fixiert worden, und der von Horaz als zweiter Homer gepriesene gräzisierte Messapier Ennius (239-169) hat sie im „Euhemerus" als erster behandelt, wenn nicht gar erst gestaltet. Denn stets zeigt sich das Bemühen der übernehmenden Religion, das Übernommene nicht nur sich anzupassen, sondern auch in ein noch besseres System zu bringen: der Kompilator ist genauer als die Quellen. Diese neuen Strömungen verbinden sich im 2. und 1. Jahrhundert mit der hellenistischen Aufklärung und den aus dem Osten kommenden Kulturen, was zur völligen Auflösung des alten Glaubens führte, der freilich schon immer mehr Gewohnheit als Bedürfnis gewesen und mit der Zeit in bloßem Brauchtum und Zeremoniell gänzlich veräußerlicht war.

Das Christentum kam zunächst als intransingente städtische Sekte in eine tolerante Stadt, die ihre Religion so weit zerdehnt hatte, bis sie ein Riesenreich bedeckte, aber immer gut wußte, daß sie damit nicht ihr Auslangen finden konnte. Man hatte das Judentum geduldet, dessen Kultivierung eine Zeitlang sogar zum guten Ton gehörte. Auch war ein Grundgedanke des Christentums, der Tod eines Gottes und seine Auferstehung, den Eroberern Ägyptens und Kleinasiens nicht fremd: im übrigen waren schon die griechischen Götter weder unverwundbar noch unsterblich. Seine „Misanthropie" machte es zwar anfangs unbeliebt, doch war sein Anliegen, die Lehre von einem einzigen Gott, etwas, das der Zeit entgegenkam. So sehr der Kaiserkult mit seinem verirdischten Gott dem außerweltlichen scheinbar widersprach, war er doch schon von Hadrian wohl noch nicht in mono-, aber in henotheistische Richtung infolge der Heraushebung des Zeus Olympios gedrängt worden und endete im Sonnenkaisertum Aurelians. Ausfüllend wirkten die seit dem 3. Jahrhundert n. Chr. ungehemmt eingedrungenen fremdländischen Kulte hellenistischer Provenienz mit Mithras und seinem vergröberten Abbild, dem Iuppiter Dolichenus, an der Spitze, bis schließlich ein innerlich gewiß völlig unreligiöser Mensch, Konstantin, sich viel, Ordnung und Befriedung, von ihr erwartend, den Sieg der jungen Religion erzwang, obwohl der Westen noch lange tief im Heidentum steckte (754 müssen auf einer Frankfurter Synode die kirchlichen Vorschriften über die Zerstörung „der Bäume und Haine" eingeschärft werden).

So läßt sich eigentlich eine nicht abreißende Kette von Überlagerungen seit dem Sturz von Mars und Quirinus in der Frühzeit der italischen Geschichte feststellen. Die fremden Frömmigkeitsformen erfüllen die Römer derart exemplarisch, daß sie am Schluß förmlich nur mehr folkloristische Erinnerungen an die eigene Vergangenheit haben. Schon anfangs wenig ursprünglich auch in diesem Bereich, werden sie schließlich durchaus Klassizisten. Wurde das Viele, das im Christentum ebenfalls fremde Herkunft verriet, dort systematisch aufgesogen und nach Kräften seiner Eigenart beraubt, so hatte man sich im undogmatischen Rom solchen Aufgaben nie unterzogen: man wußte daher immer, daß es Vorbilder gab.

Wenn wir von dieser absichtlich ausführlicher gehaltenen Schilderung eines hochklassizistischen Reiches aufblicken, dürfen wir zunächst sagen, daß jede Rezeption einer Religion prinzipiell nicht aus der Bereitschaft träger oder steriler Seelen heraus erfolgte, sondern nur aus der Not dieser Seelen stammt: wenn die Götter der eigenen Religion nicht helfen, dann sind Volk und Regierung (wohl in dieser Reihenfolge) willens, andere anzunehmen. Nicht mit Unrecht nennt Hegel die Religion der Römer eine Religion der Zweckmäßigkeit (*Werke,* XIII, S. 209 ff.). Als die lateinisch-sabinische Dreiheit weichen muß, hat das seinen Grund in der etruskischen Überlagerung möglicherweise zu Beginn des 5. Jahrhunderts. In den Tagen der hannibalischen Bedrängnis tritt die Venus Eryx in Westsizilien, die Schrittmacherin der 204 zugelassenen Magna Mater, in den Vordergrund. Rom öffnet sich „in seiner Not nicht nur vielen griechischen, sondern bereits auch den orientalischen Göttern" (Ernst Kornemann, *Römische Geschichte.* I, S. 281). Daß derartige Empfängnisse nur in Opposition zur jeweiligen Lokalreligion getätigt werden konnten, muß nicht unterstrichen werden. – Neben dieser intuitiven Rezeption gibt es als eine weitere Stufe jene, die man eine intellektuelle nennen möchte und die sich in der Renaissance der Antike im 15. und 16. Jahrhundert freilich nicht so intensiv mit der Religion befaßte wie die Renaissance des Germanentums im 19. Jahrhundert, wo man eine Wiederbelebung der altdeutschen Götter mit den reichen Mitteln der Romantik in nationalem Überschwang versuchte. Die Rolle der neuzeitlichen Archäologie und ihre Vorbilder schaffenden Ergebnisse sind noch zu wenig untersucht: jedenfalls hat sie nicht nur zu einem Kunst-, sondern auch zu einem Religions- und Staatsbewußtsein verschiedenster Völker nicht übersehbare Unterlagen geliefert. – Daß die fremden Frömmigkeitsformen, die man rezipiert, dem jeweiligen eigenen „Kulturideal" entsprechen, wird man nur dann annehmen dürfen, wenn das Ideale zugleich das Brauchbare ist, was nicht immer der Fall scheint, wie auch das Übernommene keineswegs das Ideal oder Höchste der „Anderen" gewesen sein muß. In der Religion wird das Notwendige und Nützliche öfter als das Ungemeine geholt und angeglichen. Man fragte nicht, ob etwas groß oder klein war, und dachte gar nicht daran, die eigene Zeit in den Dienst einer vergangenen zu stellen. „Das Gefühl des historischen Abstandes", daß da etwas ganz hervorragend Nachahmenswertes war, das bei der Schöpfung des *Corpus iuris civilis* Justinians offensichtlich obwaltete, dieses Bedürfnis nach Konservierung des Einmaligen überwiegt nicht, wo umgekehrt das Neue dem Vorhandenen angepaßt werden soll und das Fremde hörig gemacht wird.

Denn die nicht eigenwüchsigen Vorstellungsmassen werden von den vorgefundenen in jedem Fall bedrängt. Freilich liegt aller Ursprung im Dunkel: die Wurzelforschung ist weit undankbarer als die Umwelt- und Anstoßforschung und logische Kurzschlüsse liegen nahe. Die Religion ist auch ein historischer Prozeß, und die

Gefahr, die in der Aufstellung von Gesetzen in diesem Bereich herrscht, zeigt unbewußt auch Toynbee wieder drastisch mit seiner Behauptung, daß jede untergehende Kultur eine neue Religion als Larve hinterlasse, die in der nächsten Kultur ausreife, ausgenommen in unserem Fall, wo eben das Christentum die endgültig letzte Religion sei.

Deshalb vermögen wir auch das Problem, wie weit von der römischen Religion übernommene Bestandteile (um nicht zu sagen: der rezipierte Gesamtbestand) auf etwaige eigene, *in nuce* vorhanden gewesene Formen besonders gewirkt haben, nicht zu beantworten, weil man nicht zu berechnen imstande ist, ob die Entwicklung des wenig reizsamen Komplexes mit eigenen Mitteln ebenso kühl verlaufen wäre wie auf Grund fremder Erkenntnisse. Man kann eher an der ablösenden einheitlichen „Larve" zeigen, was sie, die trotz ihrem seit Beginn unangreifbar scheinenden, dennoch aber schon früh deutungfähigen Kern insbesondere zur Zeit ihrer Verkirchlichung bereit, wenn auch wenig dankbar, fremde nützliche Kultursplitter aufgenommen hat, daraus zu machen imstande war.

Hier mag nur das Augenfälligste Platz finden, so vor allem das mit der Verehrung des „Ganz Anderen" (Rudolf Otto) in Zusammenhang Stehende. Die Verehrung erforderte Dienste, deren Verwendbarkeit durch das Zeugnis des Vorhergegangenen so evident war, daß man sich nicht scheute, sie sich einfach anzueignen. Es war der immer und überall innerhalb gesellschaftlicher Organisationen auftretende Wunsch nach äußerer und innerer Verstrengung der Disziplin, der eigenen, aber auch der Gemeinschaft, der im Christentum Modelle für ein strikteres Leben suchen ließ (vgl. Wach a. a. O., S. 205 f.). Bestimmte Askese-, Reinlichkeits- und Speisevorschriften schon in den pythagoräischen und neupythagoräischen Zirkeln sowie der Sarapiskatoche, vor allem aber im Judentum, bilden da – wohl als Reaktion auf die zu schnelle Anpassung der Kirche an die Staats- und Gesellschaftsordnung der Zeit (Kornemann II, S. 441) – die Vorstufen zu den koptischen Asketen in Ägypten, von denen sich seit dem 4. Jahrhundert Anachoreten (Antonius) absonderten. Ihr allmählicher Übergang von der individuellen Zurückgezogenheit zur – zunächst noch unorganisierten – Institution gemeinschaftlichen Lebens führte dann von Pachomius (292–346), Athanasius (298-373) und Hieronymus (ca. 340–420) über Augustinus (354–430), Martin von Tours (316–400), Honoratus von Arles (350–425) etc. zu Benedikt von Nursia (ca. 480– ca. 544), der durch seine Regel als erster die Voraussetzungen dafür schuf, daß das Mönchtum zu einer der formenden Geistesmächte des Abendlandes wurde. Freilich waren am Ende Grundlage und Sinn völlig verändert.

Es ist nicht der Ort, eine Philosophie der Tradition zu finden und etwa nachzuforschen, wie weit jedes Übernommene diesen Namen überhaupt verdient und nicht in gewissem Sinn überflüssig ist, weil der Übernehmende ohnedies selbständig darauf gekommen wäre, weshalb sie nur prozeß-, aber nicht eigenartverkürzend wirkt. Oft schafft eben eine Kultur ein fremdes Bruchstück so täuschend zu einem nicht mehr wegzudenkenden Baustein um, daß die Anleihe zum Anstoß herabsinken muß und der Analysierende nur mit einiger Gewalt zu entscheiden vermag, wer was eigentlich befruchtet hat.

Daß das okzidentale Christentum die Mönchsidee des Ostens annektierte, ist demnach weniger verwunderlich, als was daraus wurde. Am Ende war man sogar so weit, daß man sich im abendländischen Kloster als „in Kanaan“ empfand, das der Welt als dem „Ägypterland“ entgegengestellt wurde (vgl. die Schrift des Abtes Hermann von Tournai über die Wunder der hl. Maria von Laon. *MGH.* 12. 695. Hermann starb nach 1147). Der Weg war nicht leicht, und man machte sich ihn nicht leicht. Als man aber sämtliche Kinderkrankheiten überwunden hatte, da wußte man nicht mehr, daß man überhaupt krank gewesen war, und hatte das anfangs vielfach Gestückelte zu einer Einheit verschmolzen, der ein altrömischer Geist weit mehr Ordnung und Systematik verlieh, als der spätantike Klassizismus gekannt hatte: im Katholizismus finden wir die deutlichsten Abgrenzungen von Organisationen und Zwecken der mönchischen Gemeinschaft.

Wie wenig die wirklich orientalischen Elemente des Mönchtums im Westen Fuß fassen konnten, zeigt der Widerspruch, den schon seine Anfänge hier erregten. Das Mönchtum beruhte damals in der Hauptsache noch auf der von Basilius griechischen Verhältnissen angepaßten Regel des hl. Pachomius (Carl Schneider), und man hat die beiden Mönchsberge, den Athos, „von dem die östlichen Christen noch nie einen die Kultur, das tätige, schaffensfreudige Leben weckenden Hauch empfangen haben", und den Monte Cassino, „von dem die Lichtbringer der abendländischen Christenheit ausgegangen sind", mit Recht in eine so scharfe Antithese gestellt (Hildegard Schaeder, *Moskau. Das dritte Rom. Studien zur Geschichte der politischen Theorie in der slawischen Welt.* 1929). Denn der Osten vertrat in vieler Hinsicht eine andere Richtung. Das Koinobitentum, die Einsiedlerkolonien und das Anachoretentum sind dadurch von Benedikts endgültiger Stiftung verschieden: er hat das, was sich selbstisch-isolierend (auch noch in Hieronymus) und vergewaltigend vom Leben abwandte, mit allen seinen Fähigkeiten wieder mit dem Leben verbunden. Er verstand es, „wie es eben nur kindliche Art vermag, an der Grenze zwischen Transzendenz, absoluter Geistigkeit und dem Wirklichen, mit Ehrfurcht und Unbefangenheit ein freies glückliches Wechselspiel zwischen beiden Reichen erstehen zu lassen" (Paul Theodor Hoffmann, *Der mittelalterliche Mensch.* 2. Aufl. 1937, S. 41): seine Arbeits-, Speisen- und Fastengebote waren mild und dehnbar, wie Gebote sein müßten. Was den Basilianern fehlte, das pädagogische Moment des „Umgangs" mit einander (*Regula* cap. 63), wurde von Benedikt ausdrücklich gepflegt. Wer nicht streng mit sich war, wurde nie mit Strenge belehrt. Der Sinngehalt der Weltflucht mußte also im Westen eine entsprechende Verformung erfahren, ehe er noch von Luther als eine „feine äußerliche Zucht" hervorgehoben werden konnte.

Aus dem Gesagten mag eine gewisse Zurückhaltung hervorgehen, den Unterschieden im Kulturstoff einen zu antithetischen Charakter zu verleihen, und in der Tat sollte angesichts der so schwierigen Trennung von Absicht und Zufall, der nicht wegzuleugnenden Gleichzeitigkeit von Annahmen und Erkenntnissen (in der Geschichtsforschung ebenso nachweisbar wie in der Mathematik etc.) sowie der angedeuteten Umgestaltungskraft jedes einordnenden Prinzips vor Überspitzungen in diesem Bereich gewarnt werden. Jede Zeugenaussage wirkt schon tatsachenverändernd, und so schafft auch jede Besitzergreifung schließlich Eigentum. Dem Wesensverständnis der Religion wird wohl am besten gedient, wenn aus der Modellforschung ein Weg zum Mythos geschaffen wird, der das Urmodell an sich darstellt (Mircea Eliade).

Diskussion

Bei der Erörterung der römischen Religion wird festgestellt, daß dank der mangelnden religiösen Begabung der Römer und ihrer vorherrschenden Neigung, Übernommenes nur zu organisieren, von fremder Beeinflussung des nüchternen Charakters römischer Religiosität nicht die Rede sein kann (Preiser, Mikoletzky). Es muß aber in jedem Falle bedacht werden, daß man in Rom genau zwischen der eigentlich politischen Religion und der der Dichter und Philosophen zu scheiden wußte. Als entscheidend wichtig galt einzig die Religion des *civis*, die unlösbar mit Rom verknüpft und unübertragbar war, und die bis in die Spätzeit unberührt von allen Rezeptionen bestehen blieb. Als Zeugnis können die Akten der Arvalbrüderschaften dienen. Es handelt sich in Rom bei dem Weiterschleppen altertümlicher Formen indessen nicht um ein Archaisieren; wenn man nach Zeiten der Lockerung auf altes Ritual zurückgriff, so nicht, weil man es neu zu beleben gedachte, sondern weil man größten Wert auf die „richtige" Ausübung der Zeremonien legte (Rahn). Daß demnach das Ritual als das eigentlich Wichtige der „Bürger"-Religion angesehen

wurde, ist insofern bemerkenswert, als diese auf unverständlichen Texten beruhenden Riten weitgehend nicht mehr verstanden wurden, ein im übrigen weit verbreitetes Phänomen (Hartner); umso peinlicher hielt man sich an die buchstabentreue Erfüllung der sakralen Verpflichtungen: eine in dieser Beziehung pflichtvergessene Magistratsperson geriet augenblicks in den Ruf, Unheil über den ganzen Staat heraufzubeschwören (Rahn). Ein solches Ritual ließe sich in Bausch und Bogen übernehmen (Hartner), jedoch nur dann, wenn die gesamten politischen Institutionen mit übernommen würden (Rahn).
Die Fragen, ob im religiösen Bereich grundsätzlich besonders wenig übernommen werde (Preiser), ob die Nicht-Vertauschbarkeit des religiösen Gehaltes Übertragungen hinderlich sei (Mikoletzky) und ob die Religiosität, d. h. religiöse Stimmungen und deren Ausdrucksform, adaptiert werden können, wie z. B. die Tränenseligkeit der frühchristlichen Epoche (von Grunebaum), bleiben unentschieden oder werden nicht weiter verfolgt. Repräsentative Symbole einer Religion hingegen scheinen sich durch leichtere Übertragbarkeit auszuzeichnen: so übernahm das Christentum vom Buddhismus Glocke und Rosenkranz, der Islam entlehnte dem Christentum die Kanzel (Huber).
Bemerkenswerte Übereinstimmungen im religiösen Verhalten lassen sich in Kulturen feststellen, die einen zeremonienreichen Staatskult entwickelt haben: die exakte Befolgung seiner sakralen Vorschriften affiziert nicht die Zugehörigkeit zu einem anders gearteten religiösen Verband. Chinesen können korrekte Konfuzianer sein, sich aber in ihrem Privatleben dem Buddhismus mit einer Leidenschaft hingeben, die man im allgemeinen Chinesen nicht zutraut (Eberhard). Ebenso gut konnte man in Rom ein glühender Anhänger einer der orientalischen Mysterienkulte sein, wenn man nur den Verpflichtungen der Staatsreligion nachkam (Preiser); beispielsweise hat Apuleius (ca. 125– ca. 180 n. Chr.) im zweiten Buch seiner Metamorphosen den Esel, der mit der römischen Staatsreligion auf bestem Fuße lebte, zu einem begeisterten Anhänger des Isiskultes werden lassen. Tatsächlich

war es möglich, daß Cicero, obgleich er Mitglied des Augurenkollegiums war, die Frage nach der Divination auf der philosophischen Ebene aufwarf. Die *utilitas* der religiösen Übung schien den höheren römischen Gesellschaftsschichten allein maßgebend für die Einhaltung des Rituals (Rahn); und zwar utilitas weniger in Hinsicht auf das Wohlwollen der Götter, als hinsichtlich der leichteren Beherrschbarkeit des Volkes (Hartner) – nach dem Motto: mundus vult decipi (Rahn) –, das man des Rituals für bedürftig gehalten habe, was in China häufig genug festgestellt worden ist (Eberhard).

Aber selbst im Rahmen einer Offenbarungsreligion konnte es vorkommen, daß eine Gruppe offen einer fremden Religion anhing, wie das Beispiel der Harranier zeigt (Hartner); daß es den Harraniern möglich gewesen ist, verhältnismäßig unangefochten zu bleiben, danken sie Muhammed, der seine Anhänger zwar grundsätzlich zur Bekämpfung des Unglaubens verpflichtete, aber einen Unterschied zwischen Schriftbesitzern wie Juden und Christen und anderen Ungläubigen gemacht hat. Die Harranier nun vermochten es, ihre Identität mit den im Koran (5, 73; 2, 59; 22, 17) als Schriftbesitzer aufgeführten Ṣābi'ūna glaubhaft zu machen, von denen man allerdings nicht genau weiß, wer sie waren. Vertreter dieser von nun an mit dem Beinamen aṣ-Ṣābi' statt mit al-Ḥarrāni bezeichneten kleinen Gruppe finden sich noch im 10. und 11. Jahrhundert als hochangesehene Ratgeber an verschiedenen Fürstenhöfen; da sie christliches Gut aufgenommen und später dem Islam weitergegeben haben[1] – sich z. T. auch offiziell zur christlichen Religion bekannten (Hartner) –, zählen sie zu den Trägern der Traditionsübermittlung aus der Antike, wie die Nestorianer und andere (v. Grunebaum).

Am bemerkenswertesten ist jedoch, daß die Harranier eine ungebrochene Tradition mit Babylonien verbindet[2]; dieser Tatsache

[1] Vgl. Max Meyerhof: Von Alexandria nach Baghdad. Sitzungsber. Preuß. Akad. phil.-hist. Kl. XXIII (1930) p. 383–429.

[2] Alles wichtige Material findet sich bei D. Chwolsohn: Die Ssabier und der Ssabismus. St. Petersburg 1856.

dürfte es zuzuschreiben sein, daß die frühen Astronomen des Islam – unter ihnen auch der nicht nur als Astronom, sondern auch als Mathematiker bedeutende Ṯābit ibn Qurra (836 oder 826–901) – immer Harranier gewesen sind (Hartner).
Von solchen Ausnahmefällen abgesehen, wird der Rahmen toleranter Einträchtigkeit von Staatsreligion und Sonderkulten in Rom sowie in China und Japan durch Bekenner von Offenbarungsreligionen gesprengt. Die Ausschließlichkeit der Christen erschien etwa den durchaus nicht böswilligen afrikanischen Prokonsuln als eine Geistesgestörtheit, von der die Betroffenen zu befreien sie sich alle Mühe gaben (Rahn). In China hat die Exclusivität der Christen und Muslime ähnlich unverständlich gewirkt; die Jesuiten versuchten auszugleichen, scheiterten aber an der Starrheit der Franziskaner, und die unbeugsame Haltung der Muslime hat in fast jedem Jahrhundert zu einer Verfolgung geführt (Eberhard).

Hellmut Ritter

HAT DIE RELIGIÖSE ORTHODOXIE EINEN EINFLUSS AUF DIE DEKADENZ DES ISLAMS AUSGEÜBT?

Im Iran ist vor einiger Zeit eine Sammlung von Briefen Muḥammed Ġazālī's (starb 1111) herausgegeben worden[1]. Sie stammen aus der letzten Lebensperiode des berühmten Theologen. Unter ihnen befinden sich pädagogische Briefe an Studenten, die ihn um Rat fragen, was sie tun sollen. Ein Student fragt ihn (p. 91), welche Wissenschaft am nützlichsten sei, damit er sich danach richten und die andern, unnützen Wissenschaften lassen könne. Ġazālī antwortet: *Kalām* (dogmatische Theologie), *Maḏhab* (die verschiedenen Lehren der Rechtsschulen), Medizin, Sternkunde, Poesie, Prosodie, die Diwane des Buḥturī (ca. 819–897) und des Mutanabbī (915–965), die *Ḥamāsa* (des Abū Tammām, starb 846), solle er auf keinen Fall studieren; das sei Zeitverschwendung (p. 95). Von der Wissenschaft vom heiligen Gesetz solle er nur soviel lernen, um Gottes Befehle richtig ausführen zu können (p. 99). In einem Briefe an einen anderen Studenten ermahnt er diesen, er solle sich solchen Wissenschaften widmen, die er treiben würde, wenn er nur noch eine Woche zu leben hätte (p. 85), also nicht Poesie, nicht Epistolographie, nicht Unterschiede der Rechtsschulen, nicht Dogmatik. Von den Gütern der Welt solle er soviel erwerben, wie er erwerben würde, wenn er nur noch ein Jahr zu leben hätte.

[1] *Makātīb-i fārsī-yi Ġazālī ba-nām-i Faḍā'il al-anām min rasā'il Ḥuǧǧat-al-islām* Ed. ʿAbbās Iqbāl, Teheran, 1933 (Vgl. H. Ritter in *Oriens,* 8, 1955, p. 353–356).

Mit anderen Worten: nützlich sind nur solche Kenntnisse, die auf das Leben nach dem Tode vorbereiten. Die Wissenschaften sollen nicht um ihrer selbst willen, um der Erkenntnis willen, gepflegt werden; der Student soll sich auch nicht bemühen, es in diesen Wissenschaften möglichst weit zu bringen; er soll sich nicht vielseitig ausbilden, sondern er soll sich beschränken auf das, was unbedingt für das religiöse Leben, welches ja durch die Erwartung des Jenseits bestimmt wird, nötig ist.

Dies ist das letzte Wort eines Mannes, der selber, wenn auch nicht so weltliche Wissenschaften wie Poetik und Epistolographie, Sternkunde und Mathematik, so doch Philosophie und Rechtswissenschaften mit großem Eifer getrieben und sich bemüht hat, die Philosophen mit ihren eigenen Waffen zu schlagen. Das Studienprogramm, das er den Studenten empfiehlt, stellt eine durch die Weltflucht und die totale Hinwendung zum Jenseits bedingte Verarmung der geistigen Regsamkeit dar. So endet nicht nur das persönliche Leben Ġazālī's, so endet die islamische Geistesgeschichte des Mittelalters überhaupt. Ġazālī's *Tahāfut* stellt einen Schlußpunkt dar, den Schlußpunkt unter die philosophische Erörterung im Islam.

Welche Bildungsideale sind denn heute bei uns lebendig? Es sind im Groben gesehen hauptsächlich zwei Typen von Bildungsidealen. Der eine Typ wird von denjenigen Eltern und Erziehern gepriesen, welche für humanistische Bildung kein Verständnis haben. Diese Eltern und Erzieher beklagen sich beständig, daß die jungen Leute so viele Dinge lernen müßten, die sie später, d. h. im Berufsleben, nicht verwenden könnten, und betrachten das Erlernen von Dingen, die man nicht unmittelbar im praktischen Leben, im Beruf, im Erwerbsleben, brauchen könne, für verschwendete Zeit, so wie Ġazālī das Erlernen von bestimmten Wissenschaften als verlorene Zeit betrachtet. Aber das Ziel, an dem der Wert der Wissenschaften gemessen wird, ist ein anderes: Dort das jenseitige Leben (das Erwerbsleben soll gerade auf das Mindestmaß reduziert werden, das man braucht, um das Leben aufrecht erhalten zu können, auf das Maß, das man erwerben

würde, wenn man ein Jahr zu leben hätte). Hier aber wird eine Beschränkung auf das verlangt, was eine möglichst gute Erfüllung des praktischen Berufslebens in dieser Welt gewährleistet.
Es mag sein, daß der Hintergrund solcher Anschauungen ein einfaches Banausentum ist, die Überzeugung, daß es im Beruf darauf ankomme, soviel zu wissen, daß man sein Brot verdienen und Frau und Kinder ernähren kann; es kann aber auch sein, daß ursprünglich hinter einer solcher Auffassung die protestantische Idee vom *Beruf* als einem Kreis von durch Gott zugeteilten Pflichten steht. Wie Max Weber[2] nachgewiesen hat, findet sich diese Idee in besonders wirksamer Weise bei den Calvinisten und Puritanern. Der Mensch hat sich in seinem Beruf zu bewähren, asketisch seine Berufspflicht zu erfüllen, und der Erfolg im Beruf, auch der wirtschaftliche Erfolg, kann ein Zeichen sein dafür, daß man nicht zu den von Gott prädestinierten *reprobati* gehört. Diese Haltung hat nach Weber dazu geführt, daß sich in den Kreisen der Puritaner eine Rationalisierung des wirtschaftlichen Handelns und damit eine besondere Form des Kapitalismus entwickelt hat, eines Kapitalismus nämlich, der sich nicht das Anhäufen von Kapital zum Ziele setzt, sondern dem der Reichtum dank der großen Redlichkeit und Zuverlässigkeit des Berufsmenschen von selbst zufließt. Max Weber nennt diese Haltung die „innerweltliche Askese", weil sie die Welt nicht ablehnt, sondern die Bewährung im weltlichen Berufe sucht.
Das zweite der modernen Bildungsideale besteht darin, daß der junge Mensch alle positiven Fähigkeiten, die er als menschliches Wesen besitzt, möglichst allseitig ausbilden soll, daß er sich von den Kulturgütern der Vergangenheit und Gegenwart möglichst viel assimilieren soll, daß er in Kunst, Wissenschaft, Literatur und Geschichte eindringen soll. Man erhofft, daß der so gebildete Mensch, abgesehen von der Bereicherung des Lebens durch kulturelle Elemente, auch bei den Aufgaben und Problemen, die das

[2] *Die protestantische Ethik und der Geist des Kapitalismus,* erstmals erschienen 1904/5.

private und öffentliche Leben stellt, durch Gebrauch seiner ausgebildeten Vernunft die Fähigkeit zu richtigen Entscheiden nicht nur in seinem persönlichen Leben, sondern auch im Leben der Gemeinschaft besitzen werde. Dies Ideal braucht zwar nicht areligiös zu sein, ist aber nicht so stark an die positive Religion gebunden; es nähert sich dagegen stark dem Ideal des antiken Weisen. Das Vertrauen auf die Fähigkeiten der Vernunft, auf die eigene geistige Kraft, steht im starken Gegensatz zu dem Kreaturgefühl des Mittelalters, der Überzeugung von der Ohnmacht des Menschen, dem die Allmacht Gottes unendlich überlegen ist. Im Islam drückt sich dies Gefühl aus in dem bekannten Wort: *lā ḥaula walā quwwata ʾillā lillāh.*

In Europa erstarkt dieses Lebensgefühl, dies Vertrauen auf die Fähigkeiten des Menschen, zur Zeit der Renaissance, das heißt: es ist geknüpft an die neue und innige Berührung mit der heidnischen Antike, die zwar im Mittelalter nie ganz aufgehört hatte, die aber erst in der Renaissance ihre stärkste Wirkung entfaltet. Sie geht Hand in Hand mit einer mindestens teilweisen Säkularisierung des Lebens. Wenn wir von abendländischer Kultur reden, so meinen wir die Kultur, die diesem Typus entspricht; wenn wir von wirtschaftlichem Aufschwung reden, so schwebt uns wohl der zweite Typ, der des rational arbeitenden, asketischen Berufsmenschen vor.

Die drei Typen des Bildungsideals, die wir angedeutet haben, spiegeln eine verschiedene existentielle Grundhaltung zum Leben und zur Welt wider. Solche Änderungen in der existentiellen Grundhaltung hat es in der Geschichte mehrfach gegeben. Wie Hans Jonas in seinem schönen Buch über die Gnosis[3] dargelegt hat, bahnt sich z. B. mit dem Auftreten der Gnosis eine ganz neue existentielle Haltung an. Für den antiken Menschen ist der Kosmos wohlgeordnet, ja göttlich, durchaus positiv zu bewerten, für die Gnostiker ist die Welt dämonischen, teuflischen Ursprungs. Die menschliche Seele ist in diese teuflische, schlechte Welt hineingeworfen und muß aus ihr erlöst werden.

[3] *Gnosis und spätantiker Geist,* Göttingen 1934, 1954.

Im islamischen Monotheismus ist die Welt nicht substantiell böse, nicht von Dämonen, sondern von Gott geschaffen. Aber sie ist dennoch minderwertig. Nach einem Ausspruch des Ḥasan al-Baṣrī (starb 728) wird sie von Gott gehaßt, und Gott hat, seit er sie geschaffen hat, keinen Blick mehr auf sie geworfen[4]. Sie hat nur einen relativen Wert als Saatfeld für das Jenseits, und eben dies jenseitige Leben ist das eigentliche Leben. Das irdische Leben ist nur eine Warte- und Vorbereitungszeit. Zielsetzungen in dieser Welt sind sinnlos und verwerflich außer denen, die auf das Jenseits vorbereiten.

Dies ist der Standpunkt des *zuhd* („Askese"), wie ihn Ḥasan al-Baṣrī und auch Ġazālī in den oben zitierten Briefen vertreten. Bei den nicht unter dem Einfluß des *zuhd* stehenden Orthodoxen ist die Welt vielleicht nicht so stark entwertet. Sie ist der Ort, wo Gottes Befehle ausgeführt werden müssen, wo der vorgeschriebene Gottesdienst abgeleistet werden muß. Der Staat hat in erster Linie die Aufgabe, die Möglichkeit eines ungestörten Gottesdienstes, die Möglichkeit der Erfüllung religiöser Pflichten, zu sichern und zu gewährleisten. Dazu gehört auch die Bekämpfung der Ketzer. Zur Zeit der frühen ʿAbbāsiden waren das unter anderen die Manichäer, die gnostischen Dualisten, später hauptsächlich die Ismāʿīlīya. Den geistigen Kampf gegen die Dualisten nahmen die Muʿtaziliten auf und entwickelten im Kampf gegen ihn ihre übertriebene Lehre vom *tauḥīd* (der „Einheit" Gottes). Ġazālī kämpft gegen die Ismāʿīlīya, insbesondere die Nizāriten, die *taʿlīmīya* und gegen die Philosophen. In diesem Kampfe sind bedeutende Werke hervorgebracht worden; man hat in ihm mit rationalen philosophischen Argumenten gekämpft, aber das Ziel stand doch von vorneherein fest. Es war ein theologisch gebundener Kampf, nicht eine autonome Betätigung der Vernunft im Sinne des Aufbaues eines Weltbildes allein mit rationalen Mitteln. Antriebe zur freien Betätigung der Vernunft sind von diesem Kampfe trotz aller Verwendung rationaler Denkmittel nicht

[4] H. Ritter, *Ḥasan al-Baṣrī* in *Der Islam* XXI (1933) p. 22.

ausgegangen. – Aber es gibt noch einen sehr viel primitiveren und dennoch wirksameren Kampf der Orthodoxie gegen die Philosophie, von dem wir gleich zu reden haben werden.
Betrachten wir zunächst die Weltanschauung, für die die Welt Betätigungsfeld für die innerweltliche Askese des Berufsmenschen ist, etwas näher. Max Weber weist einen Zusammenhang dieser Haltung mit der calvinistischen Prädestinationslehre nach. Die Bewährung im Beruf, der in dieser Welt ausgeübt wird, ist für den Privaten ein Anzeichen dafür, daß er nicht zu den *reprobati* gehört. Eine derartige Anschauung ist in der islamischen Orthodoxie undenkbar. Ich zitiere eine Stelle aus dem *Rašf an-naṣā'iḥ al-īmānīya* des ʿOmar Suhrawardī (1145–1234), einer Kampfschrift gegen die Philosophen[5]: In einem *Ḥadīṯ* heißt es: „Die Erschaffung eines von euch *(aḥadikum)* wird im Mutterleibe in vierzig Tagen vollendet; dann ist der Foetus vierzig Tage lang ein Blutklumpen, dann ist er vierzig Tage lang ein Fleischklumpen. Dann schickt Gott einen Engel zu ihm, und der schreibt nieder, wie der Neugeborene handeln wird, wann er sterben wird, welches seine Lebensration *(rizq)* sein wird. Dann bläst er ihm den Lebensodem ein *(rūḥ)*. Dann handelt der Mensch vielleicht so wie die zur Hölle bestimmten handeln, bis zwischen ihm und der Hölle nur noch eine Elle Abstand ist, dann aber kommt ihm das Aufgeschriebene *(yasbuqu ʿalaihi al-kitāb)* zuvor, und er handelt wie die Leute, die für das Paradies bestimmt sind, und kommt ins Paradies. Ein anderer Mann handelt wie die Paradiesleute, bis zwischen ihm und dem Paradies nur noch eine Elle Abstand ist, dann kommt ihm das Buch zuvor, und er handelt wie die Leute der Hölle und er kommt in die Hölle."
Wie der Mensch während des größten Teils seines Lebens handelt, beweist also nichts für sein jenseitiges Schickal. Noch deutlicher wird diese Auffassung in der Lehre vom *istidrāǧ:* Ein Mensch kann sein ganzes Leben lang gute Werke tun, auch kann er mit allen Glücksgütern gesegnet sein, er kann Erfolg in allen Unter-

[5] Manuskript der Heidelberger Universitätsbibliothek *Hist. Or. s. 40, 27b–28a.*

nehmungen haben, und er ist dennoch verworfen und landet in der Hölle[6]. Sufyān aṯ-Ṯaurī (starb 778) erzählt, daß er seinen Buckel bekommen habe, als ihm sein Lehrer auf dem Totenbett sagte, Gott habe ihn wissen lassen, daß all seine guten Werke vergeblich seien und daß er zu den Verworfenen gehöre: „Du bist von uns verworfen, geh fort von dieser Tür, du taugst nichts für uns!“[7]. Die strengen Frommen lebten also trotz ihrer guten Werke in beständiger Angst, verworfen zu sein. Es gibt, im Gegensatz zu der Auffassung der Puritaner, kein Mittel, aus der Lebensführung, aus der Bewährung, zu erkennen, ob man zu den Angenommenen oder zu den Verworfenen gehöre. – Aber diese Angst vor dem jenseitigen Schicksal wird im Islam gemildert durch die Auffassung, daß der Gläubige schließlich doch gerechtfertigt sei, durch den Glauben allein, und daß die Hölle eigentlich nur für Ungläubige und Ketzer bestehe. Die großen Sünden, die man begangen hat, werden zudem durch die Fürsprache des Propheten beseitigt, bzw. unschädlich gemacht. Die Zugehörigkeit zur islamischen Gemeinde ist allein schon eine Garantie für die Seligkeit[8].

Aus dieser Art von Prädestinationslehre konnte sich also kein Anspruch zu innerweltlichem Handeln entwickeln. Eine religiöse Heiligung des Berufs konnte sich im Islam vielleicht auch deshalb nicht entwickeln, weil der religiöse Antrieb zum Handeln im Islam bereits durch eine große Zahl von rituellen Pflichten, die tägliche Erfüllung der Ritualgesetze, aufgebraucht wird. Der Platz für das religiöse Handeln ist durch ganz bestimmte, konkrete rituelle Verpflichtungen, das fünfmalige Gebet, das Fasten, das Almosen, die Wallfahrt bereits besetzt. Wenn ein Muslim fromm sein will, so betet er vor allem die fünf Gebete und fastet im Fastenmonat. Darin erschöpft sich aber oft das religiös bedingte Handeln. Man hat ihm damit genüge getan, und es bleibt kein Antrieb mehr übrig, der das übrige weltliche Leben bestimmen

[6] H. Ritter, *Das Meer der Seele,* Leiden, 1956. p. 71.
[7] *Ibid.* p. 138.
[8] *Ibid.* p. 271–273.

würde. Zwar wird sehr oft das Handeln, das *ʿamal,* als unentbehrlich neben der Wissenschaft, dem *ʿilm,* gefordert und dazu ermahnt, aber das *ʿamal* besteht eben aus religiösen, vornehmlich rituellen Leistungen, keiner weltlichen Leistung im Beruf.

Das Ableisten von rituellen Pflichten kann sich sogar vom ethischen Handeln isolieren und sich mit Grausamkeit vereinigen. So wird von dem Muẓaffariden Mubārizaddīn (1299–1364), demselben, den Ḥāfiẓ (starb 1389 oder 1391) wegen seiner bigotten Unduldsamkeit in Bezug auf das Weintrinken den *muḥtasib,* den Polizeimeister nennt, berichtet, daß er sich während des Koranlesens zum Tode Verurteilte vorführen ließ, sie mit eigener Hand enthauptete und dann wieder mit der Koranlektüre fortfuhr. Von einem ʿAlīden wird in den *Maqātil aṭ-ṭālibīyīn* erzählt, daß er während des Gebetes Leute foltern ließ.

Das Geschäftsleben ist im Islam ganz und gar aus der religiösen Sphäre herausgenommen. Die Genossen des Propheten haben wohl Handel getrieben, sind auch reich geworden, aber das hat nichts mit ihrem religiösen Leben zu tun. Manchmal sind sie sogar aus der Moschee weggelaufen, wenn die Karawane ankam. Diese Unheiligkeit des Geschäftslebens geht so weit, daß in manchen Überlieferungen geradezu gelehrt wird, daß der Markt vom Teufel beherrscht werde. „Auf den Märkten pflanzen die Satane ihre Fahnen auf“[9]. – Satan ist der Herr der Märkte: Der König Salomo ernährt sich davon, daß er Körbe flicht und sie auf dem Markt verkaufen läßt. Eines Tages bittet er Gott, ihm doch auch den Satan, wie die übrigen Dämonen, zu unterstellen. Darauf muß sich Satan am Hofe Salomo's zum Dienste einfinden. Da finden Salomo's Körbe auf dem Markt keine Käufer mehr, er muß hungern. Schließlich läßt Gott ihm sagen: „Wenn du den Herrn der Märkte bei dir festhältst, darfst du dich nicht darüber wundern, daß du für deine Körbe keine Käufer findest“[10]. Frei-

[9] H. Ritter, *Ein arabisches Handbuch der Handelswissenschaft,* in *Der Islam,* VII (1916), p. 30 f.

[10] H. Ritter, *Das Meer der Seele,* p. 52 f.

lich sieht man in den Läden des Orients oft Tafeln ausgehängt, auf denen das *Ḥadīṯ* steht: „Der Erwerbstätige ist der Freund Gottes" *(al kāsibu ḥabību l-lāh)*. Aber das ist noch sehr weit von der abendländischen Arbeitsaskese entfernt.

Man könnte sich auch denken, daß die orthodoxe Lehre vom *Ḫalq al-afʿāl*, der Erschaffung der menschlichen Handlungen durch Gott, die Aktivität des islamischen Menschen gelähmt habe. Eine äußerste Passivität lehrt bekanntlich der Orden der *Šāḏilīya*, über den wir eine schöne Studie des verstorbenen Asín Palacios besitzen[11]. Aber diese Lehre hat ihr Gegengewicht in der Lehre vom *kasb*, dem menschlichen Handeln[12], und es läßt sich schwer exakt beweisen, daß die Lehre vom *Ḫalq al-afʿāl* auf die Tätigkeit der muslimischen Menschen einen Einfluß ausgeübt hätte; jedenfalls aber hat sie die Idee vom schöpferischen Menschen, etwa dem Künstler, nicht aufkommen lassen. – Bei den Mystikern hat die Lehre vom unbedingten Vertrauen auf Gott, dem *tawakkul*, sicherlich lähmend auf die Erwerbstätigkeit gewirkt, aber das gehört nicht zu dem mir hier vorgeschriebenen Thema.

Gott ist auch der unmittelbare Bewirker des geschichtlichen Geschehens. Man findet sich daher leicht mit den Machtkämpfen der Potentaten ab, deren Sieg oder Niederlage ja von Gott unmittelbar bestimmt und bewirkt ist. Im Siege des Rebellen oder des Eroberers offenbart sich ein Gottesurteil, mit dem der Gläubige sich abzufinden hat. Er hat hinter jedem frommen und hinter jedem lasterhaften *Imām* zu beten. Das ergibt keinen Antrieb zur Einflußnahme auf das politische Leben. Die moderne arabische Demokratie kann sich auf geschichtliche arabische Gewohnheiten, aber nicht auf die Orthodoxie berufen. – Es mag sein, daß die Trockenheit der arabischen Annalistik, die sich damit begnügt, die Ereignisse zu registrieren ohne jeden Versuch einer pragmatischen Darstellung, mit dieser religiösen Haltung zum Geschichtsgeschehen zusammenhängt.

[11] *Šāḏilīes y alumbrados*, in *Al-Andalus* IX–XVI (1944–1951).
[12] H. Ritter, *Das Meer der Seele*, p. 67.

Nur auf einem Gebiet hat eine religiöse Lehre eine starke, in die Augen fallende Auswirkung auf das politische Leben gehabt: auf dem Gebiet des Glaubenskrieges, des *Ǧihād*. Sie ist daran schuld, daß eine echte Pazifizierung der Beziehungen zu den nichtmohammedanischen Staaten so lange Zeit unmöglich gewesen ist. Auch der Sklavenhandel beruht ja zum Teil auf *Ǧihād*recht.

So kommen wir zu dem letzten der von uns skizzierten Bildungsideale, dem humanistischen. Wie wir schon sagten, hat dies Bildungsideal etwas zu tun mit der Kultur der heidnischen Antike. In der Renaissance hat die Berührung mit der Antike dazu beigetragen, das Kreaturgefühl des Mittelalters durch etwas Neues abzulösen, nämlich ein größeres Vertrauen zur eigenen geistigen Kraft. Der antike Rationalismus liegt ja schließlich auch unsern modernen Naturwissenschaften zugrunde, welche darauf vertrauen, daß die menschliche Vernunft das echte Mittel zur Erkenntnis des Wahren sei. Der Götterglaube der Antike war freilich überwunden, und daher wirkte die Antike vornehmlich mit den säkularen, das heißt rationalen, literarischen und künstlerischen Elementen ihrer Kultur. Die Götterwelt Homers wird ästhetisch oder religionsgeschichtlich betrachtet, aber nicht ernst genommen. So bewirkte der „impact“ der Antike eine gewisse Säkularisierung, die aufs äußerste befruchtend auf die Kultur des Abendlandes gewirkt hat. – Aber der Einfluß der Antike liegt noch viel früher als die Renaissance. Bei der Entstehung des Christentums hat schon der Hellenismus mitgewirkt. Das Christentum ist dem Ursprunge nach eine orientalische, semitische Religion, ist aber erst zu dem geworden, was es ist, durch den Einfluß der hellenistischen Kultur. Freilich hat damals diese Kultur, anders als in der Renaissance, keine Säkularisierung bewirkt, sondern zunächst nur die Befreiung vom jüdischen Gesetz durch Paulus, und später hat sie am Aufbau des Dogmas mitgeholfen. Man hat darauf hingewiesen, daß das im Islam anders war. Die Grundlagen der islamischen Kultur waren schon vor dem Beginn des hellenischen Einflusses gelegt; eine islamische Dogmatik war auch ohne eine völlige Durchtränkung mit hellenistischem Geiste denkbar, anders als im Christentum[13]. Daher sei das hellenistische Gedankengut allmählich, wenn auch nicht völlig, aus dem Islam ausgeschieden worden.

Aber fragen wir uns einmal, ob etwas der Renaissance Entsprechendes in der islamischen Welt möglich gewesen wäre. Die Renaissance in Italien war ein Zurückgreifen auf die eigene heidnische, aber kulturell hoch entwickelte Vergangenheit. Auch die Araber hatten eine heidnische Vergangenheit, auf die sie zurückgreifen konnten: die *Ǧāhilīya.* Was enthielt diese Vergangenheit an kulturellen Elementen? Die Poesie. Sie ist das einzige Kulturelement Altarabiens, das weiter gewirkt hat. Man sieht auch im Zeitalter der großen Grammatiker, wie sich eine Art humanistisches Interesse an der altarabischen Poesie entwickelt, und die Beschäftigung mit ihr hat sicherlich dazu beigetragen, das sprachliche Gewissen zu schärfen und den Verfall der Schriftsprache zu verhindern. Ähnlich hat ja im Zeitalter des Humanismus die Beschäftigung mit den Klassikern den Verfall des Lateins aufgehalten.

Das Interesse an dieser Poesie war wohl nur sehr zum Teil durch das Bedürfnis der Koranexegese bestimmt. Der Erste, der altarabische Verse zur Erklärung des Korans herbeizog, ist Abū ʿUbaida (728–825) gewesen, und sein Korankommentar wurde von den Zeitgenossen abgelehnt[14]. Die durch Berührung mit der heidnischen Poesie entstandene Philologie ist rein weltlich, wie die Dichtung selbst rein weltlich, areligiös war. Was manche fromme Kreise über diese Studien dachten, lehrt ja bereits die schon zitierte Warnung Ġazālī's vor der Beschäftigung mit der Poesie, und als man den Grammatiker Ḫalīl (starb 791) nach seinem Tode im Traume sah und ihn fragte, wie es ihm ergangen sei, soll er geantwortet haben, es habe sich all sein Tun als eitel

[13] B. Spuler, *Hellenistisches Denken im Islam,* in *Saeculum* V, (1954) p. 188.
[14] Al-Marzubānī, *Muqtabas,* Ms. Nuru Osmaniye 339 1 bis, Biographie Abū ʿUbaida's.

herausgestellt außer dem *subḥāna llāh, al-ḥamdu li-llāh, lā ilāha illā llāh* und dem *Allāhu akbar*[15].

Die Berührung mit der *Ǧāhilīya*poesie war also eine Berührung mit einer heidnischen Welt, deren Götter tot waren. Sie läßt sich deshalb in gewisser Hinsicht mit der Renaissance und dem Humanismus vergleichen. Die Poesie ist, wenn man von der Poesie der alten Sekten, der Ḫāriǧiten, der extremen Šīʿa usw. absieht, auch später areligiös geblieben. Daß ihr ein für uns sehr wesentliches Moment der Poesie, die mythologische Apperzeption der Natur fehlt, hängt mit dem eifersüchtigen Begriff Gottes zusammen, der keine Nebengötter neben sich duldet. Der Fromme soll nicht einmal einen schönen Baum bewundern, weil die Bewunderung allein dem Schöpfer gebührt. – Wenn man die neugedruckte *Ḫarīdat al-qaṣr wa ǧarīdat ahli l-ʿaṣr* des ʿImādaddīn al-Iṣfahānī (1125–1201) liest, ist man überrascht, wie innerhalb einer ganz orthodoxen Welt sich in ihr eine reine Weltlichkeit entfaltet. Wenn diese Poesie den verbotenen Wein verherrlicht und der Knabenliebe, der Liebelei mit dem Schenken offenen Raum gewährt, so begibt sie sich geradezu in den Bereich des religiös Verbotenen, des *ḥarām*. Es ist, als ob in der Poesie ein Reservat abgegrenzt sei, ein Naturschutzpark für die reine Weltlichkeit, in welchem manchmal auch so bedenkliche Pflanzen wie die obszöne Dichtung ungestört aufwachsen konnten. – Religiöse Poesie ist unter dem Einfluß der Mystik entstanden, sie hat sehr selten oder gar nicht eigene Formen hervorgebracht, sondern macht beständig Anleihen bei der weltlichen Dichtung. – Übrigens bleibt die weltliche Dichtung oft ganz naiv; man ist sich ihres areligiösen Charakters kaum bewußt.

Der Dichtung entsprach sicherlich auch das Leben. Im Ganzen ist das Leben der Muslime im Mittelalter gewiß viel sinnenfreudiger gewesen, weltlich fröhlicher als das unter dem Einfluß asketischer Ideale stehende christliche Leben der gleichen Zeit. Vor allem war das wohl an den vielen Fürstenhöfen der Fall; dort fand die

[15] *Ibid.* Biographie *Ḫalīls* (Mitgeteilt von Dr. R. Sellheim).

säkulare Seite des Lebens, d. h. weltliche, fröhliche Lebenshaltung, Poesie, Musik und auch die weltlichen Wissenschaften, ihre Stätte.
Wo man sich des areligiösen oder antireligiösen Charakters der in der Poesie geschilderten Lebenssphäre bewußt wird, geschieht die Auseinandersetzung auf verschiedene Weise. Entweder man verläßt die weltliche Sphäre gegen Ende des Lebens und fügt sich mit der *zuhdīyāt*-Dichtung in die allgemeine Frömmigkeit ein – so z. B. Abū Nuwās (starb zw. 806 u. 810) und Abū l-ʿAtāhiya (starb zw. 825 u. 828) –, oder man polemisiert gegen die religiöse Sphäre und sucht die weltliche, anakreontische Haltung trotzig zu behaupten. Das tut z. B. ʿOmar Ḫayyām (starb 1132), und noch deutlicher ist das der Fall in der persischen, sogenannten *Qalandar*- oder *Rind*poesie[16] und im spanischen *Zaǧal*. Man verteidigt das anakreontische Leben gegen den Asketen *(zāhid)* oder, im Zaǧal, gegen den *Faqīh*, man rühmt sich, statt in die Moschee in die Schenke zu gehen usw. Gegen die Poesie hat die Orthodoxie nicht geradezu gekämpft, aber sie wird von Männern wie Ġazālī als unnütz abgelehnt. – Eine andere Form der Überwindung des Gegensatzes zwischen der weltlichen Dichtung und der religiösen Sphäre besteht darin, daß man die anakreontische Poesie allegorisch umdeutet. So wurden die Klassiker, wie Ḥāfiẓ, auch für die Frommen genießbar gemacht, und sie wurden auf diese Weise brauchbar für den pädagogischen Unterricht.
Aber hat die Beschäftigung mit der Poesie der Heidenzeit etwas wie ein humanistisches Bildungsideal hervorgebracht? Hat sie zur Säkularisierung der Lebensauffassung, zum Vertrauen auf die eigene Kraft, zur Überwindung des Kreaturgefühls geführt? Sicherlich nicht. Die Einwirkung blieb rein aufs Literarische beschränkt. Es gibt ein enzyklopädisches Bildungsideal bei den Arabern, das Bildungsideal des Sekretärs *(Kātib)*, um dessentwillen ganze Enzyklopädien geschrieben worden sind. Aber das Ziel dieses Bildungsideals war ein rein literarisches. Man suchte den

[16] *Das Meer der Seele*, p. 487 ff.

gesamten Wissensstoff, der zur Verfügung stand, zu beherrschen, nicht um ihn weiterzuführen, zu vertiefen und inhaltlich ernst zu nehmen, sondern im Grunde nur, um einen schönen Brief schreiben zu können oder um den Fürsten an den langen Abenden zu unterhalten.

Noch heute gilt als der eigentlich gebildete Mann der, welcher recht viele Dichter gelesen hat und auswendig weiß, und der, der einen eleganten Brief zu schreiben versteht. Aber innerhalb der literarischen Sphäre wurde eine weltliche Bildung und eine Kenntnis der Poesie erreicht, die weit über der literarischen Bildung auch des gebildeten Europäers steht. Ich habe die gebildeten Orientalen wegen ihres ungeheuren Wissens immer bewundert. Sie können eine unendliche Menge von Versen auswendig, die sie zitieren und in denen sie in allen Lebenslagen Trost finden können. Dichtung ist für den Orientalen etwas unendlich viel Wichtigeres als für den Europäer.

Wie steht es nun mit dem rationalen Denken, mit der Philosophie? Die Muʿtazila hat mit rationalen Elementen, sicherlich in Einzelheiten in Abhängigkeit von griechischer Philosophie, die Manichäer und Christen bekämpft. Unter al-Maʾmūn (813–833, geb. 786) ereignete sich der breite Einfluß griechischer Philosophie durch die Übersetzungen, und bis zum Ende der muʿtazilitischen Periode des ʿAbbāsidenchalifats, noch unter al-Wāṯiq (842–847), fanden Religionsgespräche und gelehrte Disputationen am Hofe statt. Unter Mutawakkil (847–861, geb. 822) hörte das dann auf[17]. Damals erlangte die Orthodoxie der *ahl al-ḥadīṯ* das Übergewicht. Diese Orthodoxie war die Religion des einfachen Volkes. In den muʿtazilitischen und den šīʿitischen Lehrbüchern wurden die Sunniten geradezu „das gemeine Volk“, die *ʿāmma*, genannt. Mutawakkil war auch ein literarisch wenig gebildeter Mann, der die Lobqaṣīden, die Buḥturī für ihn dichtete, nicht imstande war zu verstehen. Der Sieg der Orthodoxie ist zum Teil ein Sieg der dem einfachen Manne verständlichen An-

[17] Masʿūdi, *Murūǧ*, Kairo 1303–4, Bd. 2 p. 258 ff.

schauungen gegen die Spitzfindigkeiten der hochgebildeten Theologen.

Ein Dogma, das sich auf die Autorität des göttlichen Wortes und die Überlieferung vom Propheten stützte, mußte bei der Masse größeren Anklang finden als die diffizilen Gedankengänge der Muʿtaziliten, geschweige denn der Philosophen. Die Orthodoxie der Seldschukenherrscher mag auch mit der Abneigung der Türken gegen spekulative Gedankengänge zusammenhängen, ist aber wohl auch bedingt durch den Abwehrkampf gegen die politisch gefährliche Ismāʿīlīya, die ja zum Teil eine eigentümliche Verbindung mit der hellenistischen Philosophie eingegangen war. Avicenna (starb 1037) und ʿOmar Ḫayyām waren (nach E. Berthels) vielleicht Ismāʿīliten.

Das letzte geistig bedeutende orthodoxe Werk, das gegen die Philosophen geschrieben wurde, ist der *Tahāfut* des Ġazālī. Auf dieses Werk kann ich, schon wegen mangelnder Kompetenz, nicht eingehen; aber wie gegen Ende der Seldschukenzeit der Philosoph, speziell der Naturphilosoph, geradezu als gottloser Bösewicht erschien, zeigt eine sehr bezeichnende Geschichte in Niẓāmī's (starb zw. 1203 und 1209) *Haft Peiker.* Ein frommer Jüngling namens Bišr begibt sich mit einem Naturphilosophen namens Malīḫā (der spätneuplatonische Philosoph Jamblichos, starb ca. 330 nach Chr.) auf die Wanderung. Da ziehen schwarze Wolken am Himmel auf. Malīḫā fragt den frommen Bišr: Weißt du, warum die eine Wolke schwarz ist und die andere weiß? Bišr antwortet: Das hat Gott so eingerichtet. Malīḫā sagt: Laß doch solch unnütze Reden! Die schwarze Wolke besteht aus verbranntem Rauch, die weiße aus Feuchtigkeit. – Dann bläst plötzlich ein heftiger Wind. Bišr erklärt wieder, das habe Gott gewirkt; Malīḫā gibt wieder eine naturwissenschaftliche Erklärung dafür. So geht es weiter, bis der böse Malīḫā als Strafe für seinen Vorwitz in einer Zisterne ertrinkt und Bišr seine schöne Witwe, in die er sich früher verliebt hatte, zur Frau bekommt[18].

[18] Niẓāmī, *Haft Peiker,* ed. H. Ritter und Jan Rypka, Prag 1934, p. 164 ff.

Hinter dieser Geschichte steht die orthodoxe Leugnung der *causae secundae*. Gott bewirkt alles Geschehen unmittelbar, oder doch durch Befehl an seine Engel, die das Naturgeschehen regeln. Nach anderen Gründen zu fragen ist eine gottlose Vermessenheit. Eine solche Lehre, die alle Vorgänge der Natur unmittelbar aus der im Islam ungeheuer gesteigerten Aktivität Gottes hervorgehen ließ, konnte der Entwicklung einer Naturwissenschaft nicht günstig sein. Das Volk aber nahm gern mit der sehr einfachen Lösung aller Schwierigkeiten vorlieb, und die große Einfachheit des orthodoxen Dogmas ist ja bekanntlich einer der Gründe, warum sich der Islam, gerade bei den primitiven Völkern, so schnell ausgebreitet hat und ausbreitet.

Ein anderes Motiv gegen die Rationalität tritt sehr klar bei dem Dichter ʿAṭṭār (starb 1230?) auf, der etwas später als Niẓāmī gelebt hat. Das Grübeln über den Sinn des Weltgeschehens führt in Verwirrung. Der Verstand ist unfähig, den Sinn des Weltgeschehens zu erklären. Die Erlösung aus aller intellektueller Verwirrung, aus der inneren Ratlosigkeit, aber auch aus aller Verwirrung des Willens und Strebens besteht darin, daß man sich den Geboten des heiligen Gesetzes, der Autorität der Offenbarung anvertraut und sich so der Anstrengung des eigenen Denkens, des eigenen Entscheidens entzieht. Es ist die erlösende Flucht in die Autorität.

Es liegt hier ein ernstes existentielles Problem vor. Denn das Freiwerden von der Gebundenheit an die Autorität, das Auf-sich-selbst-gestellt-sein, ist keineswegs lediglich eine Erlösung von einem fremden Zwange. Es bedeutet zugleich eine Belastung mit geistigen Aufgaben, eine Verpflichtung, sich eine Weltanschauung selbst aufzubauen, eine Isolierung vom Kollektiv, vom *sawād al-aʿẓam*, der Religionsgemeinschaft, die zu ertragen eine heroisch-asketische Haltung erfordert. Das rationale Denken führt zu keiner letzten Geborgenheit und Sicherheit, sondern in die letzte Unsicherheit. Statt der Wahrheit wird das Streben nach der Wahrheit angeboten. Wer aber das Suchen nach der Wahrheit der Wahrheit selber vorzieht, begibt sich in eine heroische Hal-

tung, die schwer auszuhalten ist. Wie sagt doch Faust bei Goethe: Ich weiß, daß wir nichts wissen können, das will mir schier das Herz verbrennen.
Die orthodoxen Kritiker der Philosophie haben diese Situation des philosophischen Menschen wohl gespürt. Ein Mann, der die Gabe hat, die Toten im Grabe reden zu hören, wird an das Grab des ʿOmar Ḫayyām geführt, in dessen Vierzeilern sich ja wirklich eine Faust-ähnliche Verzweiflung des intellektuellen Menschen Luft macht. Der Mann horcht in das Grab des ʿOmar Ḫayyām hinein, dann sagt er: „Dies ist ein Mensch, der die Vollendung nicht erreicht hat. Er hatte den Anspruch auf Wissen erhoben. Jetzt, wo ihm seine Unwissenheit klar geworden ist, vergießt er Schweiß in der Verwirrung seiner Seele."[19] – Ist der, welcher sich der Offenbarung anvertraut, der sich eins weiß mit dem, was eine Kette von getreuen Überlieferern von Gott und seinem Propheten selbst tradieren, und der der Unruhe der Isolierung enthoben ist, nicht glücklicher als der, welcher die letzte Autorität nur dem eigenen mangelhaften Verstand zuerkennt? Er ist auch noch von etwas anderem erlöst, von der ewigen Unruhe des rationalen Menschen. Was ist die Aufgabe des islamischen Gelehrten? Das, was ihn seine Lehrer gelehrt haben, möglichst getreu an die jüngere Generation weiterzugeben. – Wie ist es bei uns? Als an einer deutschen Fakultät der philosophische Lehrstuhl neu zu besetzen war, gab es unter den Kandidaten einen getreuen Schüler eines berühmten deutschen Philosophen. Dieser wurde von der Fakultät abgelehnt, weil er gegenüber seinem Lehrer nichts Neues brachte. Man wollte unbedingt einen Mann haben, der etwas Neues, Originelles zu sagen haben würde, womöglich eine neue Philosophie aufbringen würde. Dieser Haltung der Fakultät liegt schon das Eingeständnis zugrunde, daß es eine sichere, abschließende Wahrheit gar nicht gibt. Der Gedanke, daß jener Philosoph vielleicht die endgültige Wahrheit gefunden habe, ist der Fakultät überhaupt nicht gekommen. Der Wahrheitsbegriff der

[19] *Das Meer der Seele*, p. 82.

modernen Zeit ist prinzipiell progressiv, er strebt beständig über das Erkannte hinaus; der der Orthodoxie ist statisch, endgültig. Im Abendland die ewige intellektuelle Unruhe; im Morgenland die patriarchalische Ruhe des Orients, nach der sich gelegentlich schon Goethe gesehnt hat. Uns erscheint die Unveränderlichkeit der orientalischen Geisteshaltung als Erstarrung; der Orthodoxie erscheint die Neuerung, die *bidʿa,* verdächtig. Sie empfindet eine Epoche als dekadent, weil sie sich gegenüber dem idealen Alten verändert hat, wir empfinden sie als dekadent, weil sie sich nicht verändert hat.

Bei welcher Geisteshaltung sind die Menschen glücklicher? Es gibt einen orthodoxen Schriftsteller, bei dem sich die Glaubenssicherheit des orthodoxen Menschen gegenüber der Unsicherheit und Beschränktheit des auf seinen Verstand angewiesenen Philosophen geradezu triumphierend äußert. Das ist der jüngere Zeitgenosse ʿAṭṭārs, ʿOmar Suhrawardī (1145–1234). Er hat ein ganz anderes Temperament als ʿAṭṭār. ʿAṭṭār ist wirklich ratlos und verwirrt, und seine Gestalten sind ratlose Gottes- und Wahrheitssucher. Suhrawardī dagegen redet wie einer, der seiner Sache ganz sicher ist. Er fühlt sich im Besitz der Offenbarung samt all den Mythologemen über die Erschaffung des Menschen aus verschiedenerlei Ton, den Mythologemen über die Engelscharen, die den Himmel bevölkern, dem Philosophen, der nie von der Welt der verborgenen Geheimnisse, der *ʿawālim al-ġaib,* gehört hat, und infolgedessen nur einen winzigen Bruchteil dessen kennt, was es in der sichtbaren und unsichtbaren Welt gibt, unendlich überlegen. Suhrawardī hat zwei „traités" gegen die Philosophen geschrieben, die *Idālat al-ʿiyān ʿala l-burhān* und *Rašf an-Naṣāʾiḥ al-īmānīya wa-kašf al-faḍāʾiḥ al-yūnānīya*[20]. Für ihn ist das eigentlich Verwerfliche das Sich-Verlassen auf sein eigenes Urteil, das *ibtidād bi-raʾyihi.* Diese Haltung ist nach Suhrawardī teuflischen Ursprungs, denn der Teufel hat, als er gegen Gottes Befehl, sich vor Adam niederzuwerfen, protestierte, das *ibtidād bi-*

[20] GAL, I, p. 440 f; Suppl. I, p. 790.

ra'yihi geübt. Als Gabriel auf Gottes Befehl zur Erschaffung Adams aus allen Teilen der Erde Ton zusammenholte, befanden sich darunter auch solche Teile, auf die der Fuß des Teufels, des Iblīs, getreten war. Von diesen Teilen stammen die Neuerer und Verführer, die also von Natur aus verdorben sind[21].

Der Prophet hat geweissagt, daß im Jahr 133 oder 135 die von Salomo auf den Inseln des Meeres eingesperrten Teufel losgelassen werden und dann mit den Menschen über den Koran disputieren werden[22]. Die Philosophie wird auch als ein Komplott der Ungläubigen zur Zerstörung des Islams hingestellt[23]. Der Lehre von der *causa prima,* der *ʿillat al-ʿilal,* wird das bekannte *ḥadīṯ* von der Erschaffung des Intellektes entgegengestellt: Das erste Geschöpf, das Gott schuf, war der *ʿaql.* Er sprach zu ihm: „Zeige dich von vorn *(aqbil)!*" Da zeigte er sich von vorn. Er sprach: „Zeige dich von hinten *(adbir)!*" Da zeigte er sich von hinten, usw.[24]. Der Philosoph redet mit seinem beschränkten Verstand von dem, was möglich und unmöglich, denkbar und undenkbar ist, aber er weiß nichts von den Dingen, die in der Welt des Unsichtbaren *(ġaib)* enthalten sind. Diese Welten, mit ihren Engeln, mit dem Paradies etc. sind unendlich viel reicher und größer als das Dürftige, was die Philosophen herausgebracht zu haben glauben. Suhrawardī begeistert sich geradezu für die populären Mythologeme. Er erzählt von den ungeheuren Scharen von Engeln, von denen einige so groß sind, daß der Weg vom Fuß bis zum Knöchel 500 Jahre beträgt, und ruft dann aus: „O du nichtsahnender Philosoph mit geringem Besitz, laß deinen Verstand aus dem Spiel, wenn du von dieser Wirkung der Majestät Gottes hörst! Es gibt Welten in der unsichtbaren Welt, zu denen der Maßstab deiner Geometrie nie hingelangt ist."[25] ʿOmar

[21] *Rašf an-naṣāʾiḥ,* Kapitel II.
[22] *Ibid.* Ms. Heidelberg fol. 10*a.*
[23] *Ibid.* Kapitel III, fol. 11*a.*
[24] *Ibid.* fol. 19*b,* 35*b.* Das vollständige Ḥadīṯ bei G. E. von Grunebaum, *Islam: Essays in the Nature and Growth of a Cultural Tradition,* Menasha, Wis., und London 1955, p. 166 note 13.
[25] *Ibid.* Kapitel X.

steht auf dem Minbar, sieht in der Ferne die Schlacht von Nihāvend und ruft dem Fahnenträger Sāriya zu: „*Yā Sāriya, al-Ǧabal!* (O Sāriya, der Berg!)" Ist seine Einsicht *(ra'y)* etwa geringer gewesen als die des Sokrates in der Tonne?[26] – Die Gemeinde Muhammeds besitzt die Glaubensgewissheit, das *yaqīn*. Hat nicht Jesus, als er auf dem Meere wandelte und dem versinkenden Petrus die Hand gab, gesagt: „Wenn der Mensch Glaubensgewißheit soviel wie ein Gerstenkorn hätte, so würde er auf dem Meere wandeln?" – Wie überlegen sind die Wunder der Heiligen – er erzählt dabei solche, die er selbst erlebt hat – dem, was die Philosophen mit ihren Talismanen und *nīranǧāt* zustande bringen[27]. Die Glaubenssicherheit des Suhrawardī, seine Überzeugung von der Realität der Mythologeme, ist durch keinen Zweifel und keine Kritik erschüttert. Hier redet Gott und sein Prophet, dort der schwächliche und beschränkte Verstand.

Für Suhrawardī kann es keinen Zweifel geben, auf welcher Seite das Recht ist. Es handelt sich hier im Grunde um dieselbe geistige Situation wie die, welche über tausend Jahre früher in der ausgehenden Antike vorgelegen hatte und die Richard Walzer so glänzend in seinem Buche über Galen[28] dargestellt hat. Er zitiert ein Wort des Julianus Apostata gegen die Christen (p. 54): Ours are the reasoned arguments (*οἱ λόγοι*) and the pagan tradition (*τὸ ἑλληνίζειν*) which comprehend at the same time due worship of the Gods; yours are want of reason and rusticity, and all your wisdom can be summed up in the imperative: Believe! – Galen meint nach Walzer (p. 49): Jews and Christians learn by authority alone and are satisfied to have their belief prescribed to them by their masters; they do not venture upon a critical examination of their tenets. Walzer fährt fort: But Galen, as is most probable, did not realize fully what ΠΊCTIC, or rather the Hebrew word thus translated, meant to the Hebraic mind. – Der Glaube bedeu-

[26] *Ibid.* fol. 47*a*. Sokrates nimmt hier, wie oft in der muslimischen Literatur, die Stelle des Diogenes ein.
[27] *Ibid.*, Kapitel XV.
[28] *Galen on Jews and Christians*, London 1949.

tet in der Tat auch für den Muslim weit mehr als das Fürwahrhalten gewisser offenbarter oder überlieferter Lehren, er ist, wie Baiḍāwī (starb 1316 oder früher) sagt: *taṣdīq maʿa ṯiqa waṭumaʾnīnat qalb* „Belief ist acceptance (of something) as true with confidence and rest of mind“[29]. Es ist das Sich-Geborgen-Fühlen im Schutze einer Autorität, bei der man sich beruhigen kann, die, um mit ʿAṭṭār zu reden, Rettung bringt aus der Verwirrung, aus dem Gefühl der Ratlosigkeit und Unsicherheit. Die Differenz zwischen Philosophen und Rechtgläubigen liegt in der Verschiedenheit der seelischen Grundhaltung, in der geistigen Situation des Menschen, im Existenziellen begründet.

Suhrawardī hat es beim Reden nicht bewenden lassen. Er rühmt sich, mit Erlaubnis und auf Befehl des Chalifen Nāṣir (1180–1225), das Kitāb aš-Šifāʾ des Avicenna, 10 Bände, abgewaschen zu haben[30], und berichtet mit Genugtuung von einem Autodafé philosophischer Schriften, das unter dem gleichen Chalifen von einem Manne namens Ibn al-Māristānīya angestellt wurde[31].

Nun hat es aber doch im Islam eine Menge von Naturwissenschaftlern, Mathematikern und Astronomen gegeben, die mehr getan haben, als bloß das antike Erbe weiterzuleiten. Um das zu erklären, darf man nicht vergessen, daß schließlich nicht alle Menschen im islamischen Orient orthodoxe Muslime waren und daß zweitens ein erheblicher Teil dieser Gelehrten der Herkunft nach Heiden, Ḫarrānier oder Christen waren. Diese Wissenschaften blühten also wieder unter der Einwirkung einer säkularisierten, vom Standpunkt des Islams aus heidnischen Kulturwelt. Die Orthodoxie hat sie bestimmt nicht fördern können.

Aber es wäre ungerecht, aus alle dem zu schließen, daß die Orthodoxie überhaupt die geistige Betätigung gehindert habe. Da, wo die islamischen Gelehrten gearbeitet haben, haben sie einen Fleiß

[29] Helmer Ringgren, *Islam, aslama and muslim,* in *Horae Soederblomianae,* Bd. 2, 1949, p. 31.

[30] *Rašf,* Kapitel I.

[31] *Idālat al-ʿiyān ʿala l-burhān,* Ms. Köprülü, 1589, fol. 76*a*. cf. GAL *loc. cit.* und zweite Aufl. I, 570 (No. 31).

entfaltet und eine Leistung produziert, die uns europäischen Gelehrten geradezu unbegreiflich erscheint. Das Ausmaß der literarischen Produktion ist geradezu ungeheuer. Es sind gewiß zum größten Teil Kompilationen, aber welche ungeheuren Opfer an Lebenszeit und Lebensgenuß haben nicht die 80 Bände des *Ta'rīḫ Dimašq* des Ibn ʿAsākir (starb 1176), das Lebenswerk Ṭabarī's (starb 923), oder das *Lisān al-ʿArab* erfordert! Man kann im Islam, wie wir gesehen haben, nicht von einer innerweltlichen Askese in bezug auf das Erwerbsleben reden, wohl aber von einer Arbeitsaskese der Gelehrten, die uns die allerhöchste Bewunderung abnötigt. Gewiß war die Menge der Produktion mit bedingt durch die wunderbare arabische Schrift, die sich mindestens fünfmal so schnell schreiben läßt wie die lateinische, aber auch wenn man das in Rechnung stellt, bleibt die Leistung noch enorm.

Haben wir das Recht, diese Epoche des Traditionalismus, der Manuale wegen ihrer Form der geistigen Betätigung als dekadent zu bezeichnen? Nach einem schönen Wort von Ranke ist jede Geschichtsepoche unmittelbar zu Gott, trägt ihren Wert in sich. Und außerdem, was sollten wir ohne die Handbücher anfangen? Sollten wir Sībawaihi (starb 793 oder später) studieren statt der *Alfīya* oder dem *Mufaṣṣal*? Dazu kommt noch, daß alles bezahlt werden muß, auch in der Geschichte; haben wir nicht selbst das Gefühl, daß wir den Fortschritt des Wissens mit einer Verringerung des Wissens zu bezahlen haben? Die jungen Orientalen, die ohne die traditionelle Schulung nach Europa wandern und dort ihre Thesen schreiben, tragen damit zum Fortschritt der Wissenschaft bei, aber sie wissen nicht mehr so viel wie ihre Lehrer, und wenn wir Orientalisten nach Belehrung suchen, so halten wir uns besser an die alte Generation. Ist das nun Dekadenz oder Fortschritt?

Wie steht es nun heute? Der Islam erlebt wieder eine Periode, wo er unter der Wirkung des Impakts einer, von seinem Standpunkt aus, heidnischen Kulturwelt steht, nämlich der modernen europäischen. Wieder werden die religiösen Elemente dieser Kulturwelt negiert, abgelehnt, aber ihr rationaler Gehalt, vor allem Wissen-

schaft und Technik und ihre ästhetischen und Geschmacks-Werte übernommen. Ich kannte gebildete Orientalen, die einen fast enthusiastischen Glauben an die rettende und heilende Kraft der rationalen Wissenschaft hatten und hofften, daß ihr zurückgebliebenes Volk durch sie gerettet werden könnte. Mit dem Glauben an die Methoden der Wissenschaft verbindet sich bei diesen Leuten ein ausgesprochenes Mißtrauen gegen alles Irrationale, vor allem gegen die Mystik. Man kann zwar eine Religion ertragen, die im wesentlichen aus einfachen dogmatischen Gedanken und aus einer Reihe von kultischen Verpflichtungen besteht, aber nicht die kontemplative und ekstatische Mystik, die sich bemüht, ins Irrationale vorzudringen. Ja, *ratio* und *religio* sind soweit versöhnt, daß die Muslime sich geradezu ihrer Religion als der rationalsten aller Religionen rühmen! Dennoch bleibt die Religion von der modernen *ratio* abgesondert. Noch ist das religiöse Gebiet nicht von der rationalen Kritik ergriffen. Eine Kritik des Korans gibt es noch nicht. Man möchte beinahe sagen, daß nunmehr das Religiöse, als in einer Art Naturschutzpark, in einem Reservat gepflegt wird und daß das Weltliche das das Leben beherrschende Element geworden ist. Aber die Enge oder Weite der religiösen Sphäre ist heute in den verschiedenen Ländern sehr verschieden und ist zum großen Teil durch die verschiedene innenpolitische Situation bedingt.
Dagegen ist ein neues irrationales Element aufgetreten, das die religiösen Werte vielfach ersetzen muß, der Nationalismus. Man glaubt an die eigene Nation und ihre kollektive Kraft und will es den europäischen Völkern gleichtun, ja, man hofft, sie zu übertrumpfen. Dieses agonische Element hängt damit zusammen, daß es sich bei diesem neuen Zusammenstoß nicht mehr um einen Zusammenstoß mit vergangenen Kulturen handelt, sondern mit lebenden, überaus virulenten.
Aber fragen wir uns noch einmal zum Schluß, wo denn nun eigentlich die Reise hingeht. Wir bejahen den Fortschritt, das progressive Wissen, die Entfesselung der *ratio*. Aber wozu führt das? Zur Beherrschung der Natur, die ihre Krönung in den Seg-

nungen der Atombombe findet, zu einer solchen Inflation des Wissens, daß kein Mensch mehr als einen winzigen Bruchteil des Kulturgutes seiner Zeit auch nur zur Kenntnis nehmen kann. Zu einer maßlosen Ausbreitung der europäisch-amerikanischen Kultur durch Radio und Presse, aus denen sich Stunde für Stunde ein zentral fabrizierter, gleichförmiger Kulturbrei (der Ausdruck stammt von Alexander Rüstow) in die entlegensten Ecken des Orients ergießt, zu einer Standardisierung von Wertbegriffen in der ganzen Welt, die aufs naivste als absolut betrachtet werden, zu einer Entwicklung der modernen Medizin, die zu beängstigender Übervölkerung führt, die natürliche Auslese unterbindet, das biologisch Minderwertige sorgfältig am Leben erhält und uns in eine nie geahnte Abhängigkeit von Pillen und Spritzen hineinführt; mit anderen Worten: zur biologischen *décadence*. Es gibt Forscher, die anhand sehr beachtlicher Daten die rapide Zunahme des biologischen Verfalls der europäisch-amerikanischen Völker dank der Medizin voraussagen. Vielleicht nehme ich das allzu tragisch; aber jedenfalls liegen hier ernste Probleme vor, nicht mehr das von „Klassizismus und Kulturverfall", sondern: „Europäische Kultur als Vernichter anderer Kulturen", „Der biologische Verfall der europäischen Kultur", „Die Selbstzerstörung der abendländischen Kultur durch den Fortschritt der Naturwissenschaft" etc. – Zum Glück gehen uns diese Probleme im gegenwärtigen Gemeinschaftsseminar nichts an.

Fritz Meier

SUFIK UND KULTURZERFALL

Das Thema „Sufik und Kulturzerfall“ ist, so formuliert, nicht eindeutig, erfordert daher eine Zerlegung in verschiedene Einzelfragen, die gesondert behandelt werden müssen. Im folgenden soll der Versuch gemacht werden, einige dieser Fragen zu beantworten. Von erschöpfender Behandlung kann natürlich keine Rede sein.

Zunächst stellt sich uns die Frage: Hat die Sufik, die islamische Mystik, selbst eine Entwicklung, eine Phase des Aufstiegs und eine Phase des Abstiegs oder vielleicht sogar mehrere, durchgemacht? Wie man weiß, sehen die islamischen Mystiker die Geschichte der Moral und der Frömmigkeit meistens im Lichte eines Abstiegs, eines zunehmenden Verfalls. Sie befanden sich damit in Übereinstimmung mit der Vorstellung der Orthodoxie von den idealen Zuständen des Islams zur Zeit Mohammeds und einer immer weiter um sich greifenden Verwilderung des Glaubens bis zur Endzeit und konnten sich dafür sogar auf von der einheimischen Kritik anerkannte Aussprüche des Propheten berufen, von denen einer auf die Frage, welches denn die beste Gemeinde *(umma)* sei, folgendermaßen antwortet: „Ich und meine Generation *(qarnī)*, sodann die zweite Generation, sodann die dritte, dann aber werden Leute kommen, die wohl schwören, die man aber nicht mehr zu Eidesleistungen heranziehen mag, die wohl Zeugnis ablegen, die man aber nicht mehr zur Zeugnisablegung auffordern mag, die wohl noch Dinge anvertraut bekommen, dieses Vertrauen aber nicht mehr rechtfertigen."[1] Was hier für den Islam im allgemeinen gesagt ist, wurde von den Sufi's auf ihre besondere Frömmigkeit übertragen; in ununterbrochenem Fluß beklagen sie den Verfall der Sitten in ihren eigenen Reihen und stellen den bedauerlichen Zeiterscheinungen die idealisierte Vergangenheit gegenüber. Ibn al-Ḫafīf (gest. 371/982) ruft: „Ich habe noch Sufi's gekannt, die über den Satan lachten, jetzt aber lacht der Satan über sie."[2] Nach einer erst spät und sonst nicht weiter verbürgten Nachricht soll Abū Saʿīd b. Abī 'l-Ḫayr (gest. 440/1048) einmal gefragt worden sein, warum jetzt die Derwische, wenn sie zusammen äßen, je eine eigene Schüssel bekämen, wo doch die Prophetengenossen alle eine gemeinsame Schüssel benutzt hätten und der Prophet gesagt habe: Je mehr Hände in einer Schüssel, um so größer der Segen. Darauf habe Abū Saʿīd die Neuerung mit dem Verfall der Sitten begründet: zur Zeit des Propheten habe man noch altruistisch, nach dem Satz des Korans „Sie lassen die andern vorangehen, selbst wenn sie Mangel haben" (Sure 59, 9) gegessen, heute dagegen esse man wie die Räuber, indem man am liebsten noch seinem Nachbarn seinen Teil wegschnappen möchte. Da Gott letzteres verboten habe, und um die Derwische davon abzuhalten, gebe er, Abū Saʿīd, jedem eine besondere Schüssel[3]. Anṣārī-i Harawī (gest. 481/1088–89): *Kanz us-sālikīn,* in *Rasāʾil-i Ḫwāǧa ʿAbdullāh-i Anṣarī,* Teheran 1319, 67 f: „Die Gruppe aber, die jetzt entstanden ist, sie kennen nur Farbe und Ruf, nur Haus und Name, nur Lockspeise und Garn, nur Kerze und Lampe, nur Lebensunterhalt und Freßkorb ... nur Zelle und Konvent, nur Königshalle und Audienzraum; ein Volk

[1] Ḫawlānī: *Taʾrīḫ Dārayyā,* Damaskus 1950, 93; *Concordance et indices de la tradition musulmane* 1, 500 a s. v. *wa-yaḥlifūna wa-lā yustaḥlafūna.*
[2] So die arabischen Quellen und ʿAṭṭār's *Taḏkirat ul-awliyā,* zitiert bei A. Schimmel: *Abu'l-Ḥasan ad-Dailamī, Sīrat-i Abū ʿAbdullāh Ibn al-Ḫafīf aş-Şīrāzī, farsça tercemesi Ibn Cunayd aş-Şīrāzī,* Ankara 1955, Text 35. Die persische Übersetzung des Daylamī hat: Der Sufi ist einer, der über den Satan lacht, und nicht umgekehrt.
[3] ʿAlāʾ ad-dawla as-Simnānī, gest. 736/1336, bei Iqbāl b. Sābiq-i Sīstānī: *Čihil maǧlis,* Hs. der Sammlung E. G. Browne in Cambridge D 21, 93b.

ohne Nachtwachen, Leute ohne Märtyrertum; einige haben Wollkutten, andere die Haare geschoren, Schmeichler um des Ansehens willen ... die Hand nach dem Geld der Leute ausgestreckt, vom Tag bis in die Nacht über charismatische Gaben sprechend und die Nacht bis in den Tag in Gleichgültigkeit verschlafend, vom Brand des Verlangens *(sar)* mit dem bloßen Namen zufrieden, von Religion und Herz durch tausend Hindernisse abgehalten, ihre Worte alle über innere Schau, doch parasangenweit vom geistlichen Kampf geflohen, tausend Häuser voll Herzensbegehrungen, doch an der Speise der Armut ohne Interesse und für den Krug der Gottessicht ohne Blick, jeder mit dem Äußeren und der Miene von Frommen vor den Leuten, doch mit der Triebseele eines Kalbs hintenherum; du könntest glauben, es seien Sufi's, aber nein, nein, es sind Halsstarrige und leere Prahler, in ihrem Gehaben Kerzen der Liebenden, doch in ihrer Lebensführung eine Rotte Religionsverbrecher, ihre Sorge geht darauf aus, den Bauch zu füllen, und ihre Absicht ist, weise Sprüche zu hinterlassen ... Du Pfadschreiter mit der leuchtenden Stirn, glaube nicht, daß die Leute der Moscheevorhalle *(ahl-i ṣuffa)* so waren! Mein Krieg geht vielmehr gegen eine Schar, deren ganze Ehre ein Flickenrock ist, die blau anziehen, aber grün essen, die ein gelbes Gesicht, aber schwarze Taten haben" usw. Aḥmad al-Ġazzālī (gest. 517/1123): *Bawāriq al-ilmāʿ*, bei James Robson: *Tracts on Listening to Music* (*Or. Transl. Fund, New Series* 34), London 1938, 113–118/177–183, beklagt wie viele vor und nach ihm die Lockerung der Zucht beim sufischen Musikhören *(samāʿ)*, die mit dem Fortgang der Zeit *(lammā taʾaḫḫara ʾz-zamān)* eingesetzt habe, indem jetzt, im Gegensatz zu früher, Weiber zuschauen und Epheben dabeisein dürften, zieht Parallelen zum Verfall der Moral unter den Juristen und schließt: „So geht aus den Tatsachen klar hervor, daß die Handlungsweise der Juristen unserer Zeit, ihr Verhalten und ihre juristische Arbeit gegenüber den früheren Juristen hinsichtlich ihrer Zucht, ihres Forschens *(iǧtihād)* und ihrer Religiosität genau dem Verhältnis der Mystiker unserer Zeit zu den Gottesfreunden der Vergangenheit entsprechen. Wenn sie also die

Mystiker tadeln, weil das Musikhören nicht erlaubt sei, da sie nicht mehr unter den Voraussetzungen der alten Gottesfreunde lebten, so fällt der Tadel auf sie selbst zurück, da auch sie nicht mehr das sind, was die alten, zuchtvollen Juristen waren" usw. (Text in schlechtem Zustand). Naǧm ad-dīn al-Kubrā (gest. 618/1221): *Risāla ila 'l-hā'im*, Hs. Ayasofya 2052, 62b: „Zur ältesten Zeit des Islams haben die Teufel und die Triebseelen den Menschen hin und wieder etwas abgezwackt *(kāna yasriqu)*. Aber zu unserer Zeit gehört schon alles den Triebseelen und den Teufeln. Jetzt müßt ihr ihnen etwas abzwacken." Nämlich „die gegenwärtige Stunde eures Lebens; gebt sie Gott zu eigen!" Sa'dī: *Gulistān* (verfaßt 656/1258), Kp. 2, ed. Furūġī, Teheran 1316, 69 f., läßt einen syrischen Scheich sagen: „Früher war die Sufik eine Klasse von Menschen, die äußerlich zerstreut, aber innerlich gesammelt waren; heute sind sie eine Gesellschaft von Leuten, die äußerlich gesammelt und innerlich zerstreut sind." Ibn al-Ḥāǧǧ: *Al-mudḫal* (verf. 732/1331–32), Kairo 1929, Bd. 3, 93 ff., weiß nicht oft genug den Finger auf die Mißstände seiner Zeit *(fī hāḏa 'z-zamān)*, besonders im Hinblick auf den *samā'*, zu legen und versteigt sich einmal zu dem allgemeinen Satz: „Hüte dich vor Iblīs bei allen deinen Taten, hüte dich vor deiner Triebseele und deiner Lust und hüte dich vor den Leuten deiner Zeit, traue nicht einem von ihnen hinsichtlich deiner Religiosität!" (3, 45)

Diese eingesessene Vorstellung von einem gleichsam im Lauf der Zeit begründeten, fortschreitenden Auflösungsprozeß eines einmal gewesenen Idealzustandes wird natürlich der wirklichen Geschichte nicht gerecht. Schon Badī' az-zamān al-Hamaḏānī (gest. 398/1007) hat dagegen Einspruch erhoben und sie in einer seiner *Rasā'il*[4] der Lächerlichkeit preisgegeben: „Der Scheich (der Adressat) sagt, die Zeit sei verdorben. Kann er mir nicht sagen, wann sie denn je gut war? Etwa in der Abbasidenzeit? Von dieser haben wir ja das Ende noch erlebt, und von ihrem Anfang haben wir

[4] ed. Ibrāhīm Afandī al-Ahdab aṭ Ṭarābulusī, Beyrouth o. J., 414 ff; Ġawā'ib, Konstantinopel 1298, 180 f.; Qazwīnī: *Kosmographie*, ed. Wüstenfeld 2, 326 f.

uns berichten lassen. Oder in der Marwanidenepoche?“ Und so verfolgt er mit rhetorischen Fragen die Zeitabschnitte zurück bis in die Präexistenz, den Prolog im Himmel, als die Engel, nach Sure 2, 30, Gott fragten, ob er denn wirklich jemand auf die Erde setzen wolle, der sie verheeren würde.

Seltener ist im Islam die andere Auffassung, der Glaube an einen stetigen Fortschritt, an eine allmähliche Aufwärtsentwicklung der Welt. Ein Ansatz dazu liegt in der Vorstellung von einer kontinuierlichen Verstärkung der göttlichen Offenbarungsakte: mit Adam angefangen wird die Dosis der Offenbarung, die Gott der Welt zuteil werden läßt, mit jedem Propheten größer, bis die letzte Fülle und letzte Form, die den Menschen bestimmt ist, im Koran erscheint. Nach ʿAlāʾ ad-dawla as-Simnānī (gest. 736/1336) ist der in mohammedanischer Zeit Geborene auch insofern besser versehen, als die Gebote der früher an die Menschen ergangenen Offenbarungen, soweit sie durch den Koran nicht ausdrücklich verworfen oder ersetzt sind, weiter gelten[5]. Von Simnānī stammt auch der Spruch, daß der mystische Pfad mit der zunehmenden Zahl der Flickenröcke zwischen dem Propheten und dem Scheich heller und leichter zu begehen sei. Währund beim ḥadīṯ mit der Zunahme der Überlieferer die Möglichkeit einer Verfälschung steige, werde das Licht durch die vermehrte Zahl der Scheiche nur größer[5a]. Die größte Rolle spielt die Vorstellung von der Zunahme der Weisheit in der Welt wohl bei gewissen Häretikern und in gewissen Kreisen der Schia, von der sie auch in den Babismus und den Behaismus übergegangen ist und dort eine eigenartige, stark auf die Zukunft gerichtete Entfaltung erfahren hat. In die Richtung eines Fortschrittglaubens deutet vielleicht auch der angebliche ḥadīṯ: „Der Sohn ist das Geheimnis (*sirr*, d. h. das Innere) seines Vaters“, der in einer Vita des Sufi ʿAlī-i Hamadānī (gest. 786/1385) zum Lob eines seiner Söhne erwähnt wird[6],

[5] Sīstānī: *Čihil maǧlis* 95a.

[5a] Sayyid Muẓaffar Ṣadr: *Šarḥ-i aḥwāl wa-afkār wa-āṯār-i šayḫ ʿAlā ud-dawla-i Simnānī*, Teheran 1334, 57; aus *Čihil maǧlis*.

[6] Nūr ud-dīn Ǧaʿfar-i Badaḫšī: *Ḫulāṣat ul-manāqib*, Hs. Berlin, Kat. Pertsch Nr. 6, 8, 127a/Hs. Oxford, Kat. Ethé 1264, 103a.

ferner folgender Traum eines Frommen, der Schüler von Šāh Niʿmatullāh-i Walī (gest. 834/1431) werden sollte: „Ich sah ... einen alten Mann sitzen und nähen. Es war Bāyazīd-i Bisṭāmī, und dieser sprach: Dieses Nähen war zuerst Sache des Ibrāhīm-i Adham, aber in seiner Hand war noch Wolle. Als die Reihe an mich kam, wurde es Schnur, und jetzt, da die Reihe an Sayyid Niʿmatullāh ist, ist es in seiner Hand Seide."[7] Natürlich ist auch diese optimistische Auffassung, die Umkehrung der erstgenannten, ein bloßes Schema und für eine Erkenntnis und Deutung des wirklichen Geschichtsverlaufs unbrauchbar.

Schließlich sei noch die Vorstellung von einer wellenförmigen Auf- und Abwärtsbewegung der Kultur erwähnt, die im Islam ebenfalls Anhänger gefunden hat. Hierher gehört die wiederum in einem als echt betrachteten ḥadīṯ vorgezeichnete Hoffnung auf eine allhundertjährlich sich vollziehende Erneuerung der Religion durch einen großen Theologen (*Concordance* 1, 324 s. v. *man yuǧaddidu*). Hans Bauer hat[8] wahrscheinlich gemacht, daß sich Muḥammad al-Ġazzālī (gest. 505/1111) in diesem Sinne als Erneuerer der Religion vorgekommen ist und sich im Hinblick darauf zur Benennung seines Hauptwerks als „Wiederbelebung der Theologie" hat bestimmen lassen. Wie der Ehrentitel des Čištīscheichs Aḥmad-i Sirhindī (gest. 1034/1624) „Erneuerer des zweiten Jahrtausends" *(muǧaddid-i alf-i ṯānī)* beweist, konnte man den Bogen auch über tausend Jahre spannen. Im starren Schematismus solcher Zahlen läßt sich jedoch Aufbau und Zerfall von Kulturerscheinungen nicht fassen.

Um dieses Ziel zu erreichen, müssen wir andere Grundsätze zur Anwendung bringen, Grundsätze, die aus der Lebenseinheit der kulturellen Erscheinungen selber gewonnen sind. Einer dieser Grundsätze dürfte der sein, daß Stillstand in einer Geisteskultur den Anfang des Verfalls bedeutet. Wenn also auf einem Gebiet, und sei es ein moralisches, der Versuch aufgegeben wird, im Sinne

[7] Jean Aubin: *Matériaux pour la biographie de Shah Niʿmatullah Wali Kermani*, in *Bibliothèque Iranienne* 7, Téhéran–Paris 1956, 82.

[8] In *Der Islam* 4, 1913, 159 f.

eines materiellen Bodengewinnes weiterzukommen oder von der persönlichen oder zeitgemäßen Situation aus ein positives Verhältnis zu den Zielen der betreffenden Bestrebung zu finden, bzw. zwischen beiden einen Einklang zu schaffen, so ist das als ein untrügliches Zeichen zu betrachten, daß die betreffende Erscheinung im Niedergang, vielleicht einem zeitbedingten Niedergang, begriffen ist; dem betreffenden Geistesleben ist das Interesse und damit das Lebensblut entzogen, und es wird nur noch als tote Schale, als leeres Gehäuse weitergeschleppt und vielleicht bald liegen gelassen. Überblicken wir die Sufik, so zeigt sich, daß über mehrere Jahrhunderte hinweg immer wieder Leute aufgetreten sind, die vom Bewußtsein der Zeit aus die Fragen der Mystik neu aufgeworfen und neu beantwortet haben. Ein Laie wie der persische Dichter Ḫāqānī (gest. wahrscheinlich 595/1199) zählt bei der Beschreibung eines frommen Zeitgenossen aus Mawṣil Sufyān aṯ-Ṯawrī, Fuḍayl b. ʿIyāḍ, Abū Yazīd al-Bisṭāmī, Ǧunayd, Šiblī und Abū Saʿīd b. Abī ʾl-Ḫayr auf, deren verschiedene Eigenschaften er in sich vereinige[9]. Das sind Sufi's vom 2./8. bis zum 5./11. Jh. ʿAlāʾ ad-dawla as-Simnānī (gest. 736/1336), der sich wie manche andere am *Qūt al-qulūb* des Abū Ṭālib al-Makkī in die Lehren der Sufik eingearbeitet hatte, kommt in seinen mündlichen Auseinandersetzungen nicht darum herum, zu Persönlichkeiten wie Ḥallāǧ, Muḥammad al-Ġazzālī, Ibn ʿArabī, Saʿd ad-dīn al-Ḥammūya, Ǧalāl ud-dīn-i Rūmī Stellung zu beziehen, um nur die wichtigsten aufzuzählen[10]. Er beklagt zwar die Armut an guten Lehrern in seiner Zeit, hat aber selber die Sufik hervorragend vertreten. So erhalten wir eine unabreißbare Kette von islamischen Mystikern vom 2./8. Jh. bis ins 8./14. Jh., die alle trotz ihrer Verschiedenheit Bedeutendes geleistet und der Sufik eine fortdauernde Entwicklung gesichert haben. Erst mit dem 10./16. Jh., nach Ǧāmī und Šaʿrānī, scheint die Sufik, wenigstens auf arabischem und persischem Sprachgebiet, allmählich einer Ver-

[9] *Tuḥfat ul-ʿIrāqayn,* Teheran 1333, 196.
[10] Sīstānī: *Čihil maǧlis.*

ödung anheimgefallen zu sein. Sie ist von da an nicht mehr auf der Höhe der Zeit und gewinnt immer mehr nur noch die Bedeutung einer kollektiven, volkskundlichen Erscheinung. Doch wäre der Gang im einzelnen, auch in bezug auf die verschiedenen Länder, noch aufzuzeigen, eine Aufgabe, die hier nicht unternommen werden kann. Wir kommen also zum Schluß, daß die Sufik eine Entwicklung durchgemacht und einen Verfall erlebt hat, der endgültig etwa um 900/1500 eingesetzt hat. Die Tatsache, daß sich die Sufik im Laufe ihrer Entwicklung in mannigfacher Weise gewandelt hat, darf uns dabei nicht irre machen, da wir nicht eine bestimmte Form der Sufik nach ihrem Verfall zu untersuchen haben.

Die Antwort auf die erste Frage setzt uns nun instand, eine zweite zu beantworten. Diese lautet: Ist die Sufik selbst ein Anzeichen, ein Symptom von Kulturzerfall? Man hat Mystik ganz allgemein oft als Produkt überalterter Kultur, einer Spätzeit, hinzustellen versucht. Aber in unserem Fall berechtigt nichts zu diesem Schluß. Nichts deutet auch nur auf eine Phasenverschiebung hin, etwa in dem Sinne, daß zu Zeiten eines materiellen Zusammenbruchs oder einer materiellen Unterentwickeltheit die Mystik um so mehr Raum gefunden, ein um so helleres Licht ausgestrahlt hätte, obwohl zugegeben werden muß, daß die Bedrohung des äußeren Lebens die Suche nach einem tragfähigen inneren Grund befördern kann. Die Gefährdung des Lebens kann aber auch umgekehrt alle Kräfte nach außen und zur Abwehr rufen, und die Folge davon kann entweder eine Vertierung oder eine besondere Differenzierung gerade der Mittel, die zur Lebenserhaltung dienen, sein. Gewiß hat die Umwelt einen Einfluß auf die Lebensart und -gestaltung des Menschen, aber doch nur im Sinne einer Herausforderung; wie er darauf antwortet, läßt sich vielleicht teilweise an seinen inneren Voraussetzungen – wenn man diese kännte –, niemals aber an den äußeren Anregungen oder Widerständen ermessen[11]. Wie weit hier innerer Zwang,

[11] Richtig schon R. A. Nicholson: *A Literary History of the Arabs* 384–85.

wie weit innere Freiheit die Entscheidung herbeiführt, ist eine andere Frage, die in unserem Zusammenhang nicht erörtert werden kann. Für uns ist nur von Bedeutung, daß die Sufik, soweit sie sich in den erhaltenen Nachrichten fassen läßt, in der Entfaltung und im Zusammenbruch mit der Größe und dem Niedergang der übrigen islamischen Kultur synchron geht. Man kann darin eine Bestätigung für die These Ibn Ḫaldūn's (gest. 808/1406) finden, daß sich die Sufik als eine Gegenbewegung gegen die zunehmende Verweltlichung der Muslime im 2./8. Jh. entwickelt habe[12]; die Mystik ist der tiefe Schatten zum hellen Licht oder das helle Licht zum tiefen Schatten; materielle Hochkonjunktur und Sufik stehen nebeneinander, sozusagen als zwei Seiten ein und desselben Körpers; die Sufik ist keine Begleiterscheinung einer Kulturentartung.

Dies gilt freilich nur so lange, als man die Sufik im Rahmen der Kultur des Islams betrachtet und diese in herkömmlicher Weise als eine Einheit geschichtlicher Entwicklung des Morgenlandes von Mohammed bis heute auffaßt. Der englische Kulturmorphologe Arnold Joseph Toynbee[13] vertritt jedoch eine andere Einteilung. Er zerreißt das, was wir als islamische Kultur bezeichnen, in drei Teile und ordnet die islamische Geschichte von Mohammed bis zum Mongolensturm als Endphase einer anderen Kultur, der sogenannten „syrischen Kultur“, zu, die von rund 1200 vor bis 1200 nach Christus reicht und als große schöpferische Periode das Zeitalter der israelitischen Propheten, als erste Universalstaatsphase die Herrschaft der Achämeniden und als zweite die des islamischen Weltreichs der Umayyaden und Abbasiden umfaßt. Da nun bei Toynbee Universalstaaten zu den Erscheinungen einer Kulturzersetzung gehören, wäre zwangsläufig auch die im islamischen Machtstaat groß gewordene Sufik als ein Vorzeichen des nahenden Endes zu betrachten. Nach dem Zusammenbruch der sog. syrischen Kultur durch den Mongolensturm im 7./13. Jh.

[12] *Muqaddima,* Kapitel *ʿIlm at-taṣawwuf.*
[13] Ich stütze mich im folgenden auf das Buch von Othmar Anderle: *Das universalhistorische System A. J. Toynbees,* Frankfurt a. M.–Wien 1955.

läßt Toynbee im gleichen Raum zwei neue Kulturen islamischer Religion entstehen, nämlich die sog. arabische mit den Mamluken und die iranische mit den Ilchanen[14]. Nun läßt sich gewiß nicht leugnen, daß die islamische Kultur bis zum Mongolensturm um einen Willen, um einen Schwerpunkt kreist, der geographisch in Arabien zu lokalisieren ist und dem sich weder Spanien noch Nordpersien entziehen konnte, während später einerseits Persien, andererseits Ägypten stark die Züge der morgenländischen Kultur prägen; der Nachweis im einzelnen wäre allerdings noch zu führen und dürfte nicht ohne eine gewisse Gewaltsamkeit zu erbringen sein. Ich muß jedoch bekennen, daß mir der Einschnitt, den der Mongolensturm dem Rumpf der islamischen Kultur von Osten und die Kreuzzüge von Westen zufügten, für die Kontinuität der geistigen Überlieferung im vorderasiatischen Bereich nicht entfernt die Bedeutung zu haben scheint wie die Erscheinung Mohammed's und die islamischen Eroberungen. Auch wenn Mohammed mit dem altarabischen Heidentum, dem Juden- und Christentum verbunden ist, so hat er doch eine religiöse Stiftung hinterlassen, die alle diese andern, älteren geistigen Lebensbezirke ersetzen sollte. Der Bruch, insbesondere mit der altarabischen Vergangenheit, wird bei Mohammed mit allen Mitteln gefördert, die moralischen, rechtlichen, geistigen Werte der arabischen Heidenzeit werden soviel wie möglich abgelehnt oder doch in der späteren Theorie von ihrem alten Wurzelgrunde abgelöst und an Mohammed gehängt, der für seine Anhänger den Anfang eines neuen Weltalters bildet. Nichts von alledem im 7./13. Jh.! Im Gegenteil, die Hoffnungen der Christen, den Schnitt des Mongolensturms und der Kreuzzüge zum tödlichen Ausgang weiterzuführen, werden zunichte gemacht durch den Verlust ihres letzten Stützpunktes in Palästina 1291 an die Mamluken und den vier Jahre später erfolgten Übertritt Ġāzān Ḫān's zum Islam. Es wäre freilich zu viel gesagt, wenn man behaupten wollte, daß

[14] Das Schema ist von Aly Mazahéri: *So lebten die Muselmanen im Mittelalter*, Stuttgart 1957, übernommen worden.

man im Islam nach der Mongolenzeit mit allen Mitteln die Verbindung mit der früheren Zeit gesucht hätte, aber nicht etwa, weil man nun neu anfing, sondern weil die Verbindung in der geistigen Überlieferung überhaupt nicht abgerissen war; der Einschnitt ist praktisch überhaupt nur in den Historikern, die darüber reden, sichtbar. Den Wechsel, den Ibn aṭ-Ṭiqṭaqā in der Pflege der Wissenschaften feststellen will, daß nämlich zur Abbasidenzeit am Hof nur Grammatik, Lexikographie, Dichtung und Geschichte im Kurs gewesen sei und bei den Mongolen Mathematik, Medizin und Astronomie[15], darf man weder als bare Münze nehmen noch im Sinne Toynbee's verallgemeinern. Weiter würde man, wenn man der Einteilung Toynbee's folgte, für die Beurteilung der Sufik als Faktor eines Kulturzerfalls oder Kulturaufbaus kaum viel gewinnen; denn die Sufik hat den Einschnitt überdauert, und zwar ohne wesentliche Änderungen zu erfahren, gehört also sowohl einer Periode des Endes als einer solchen des Anfangs an.

Der durch diesen Ausfall wieder zurückgewonnene Begriff der islamischen Kultur, zu dem wir die Sufik in ein Verhältnis setzen sollen, verlangt nun aber eine genauere Umschreibung. Fassen wir ihn zunächst so, wie ihn Gustave E. von Grunebaum in der ersten Studie seines Buches *Kritik und Dichtkunst*, Wiesbaden 1955, gefaßt hat, nämlich als einen Organismus von Fragen und Antworten hauptsächlich über menschliches Verhalten, der einer letzten Idee zugeordnet ist, d. h. als ein ideologisches Wertsystem mit einem höchsten Wert an der Spitze! Die islamische Kultur wäre demnach die vom Islam intendierte Formung, die vom Islam geforderte Haltung des Menschen. Wie wäre diese etwa zu beschreiben? Es ist ein glücklicher Gedanke von Hans Jonas[16] gewesen, als kennzeichnenden Begriff für die „arabische Kultur“ im Spengler'schen Sinne, also die Kultur des ersten nachchristlichen Jahrtausends, zu der auch der Islam gehört, den Terminus „der

[15] *al-Faḫrī*, ed. Hartwig Dérenbourg, Paris 1895, 23.

[16] In seinem Buch *Gnosis und spätantiker Geist*, Göttingen 1934, Teil 1, 96 ff.

Fremde“ herauszuheben. In der mandäischen Gnosis, die Jonas zur Exemplifizierung hauptsächlich heranzieht, spielt die Vorstellung vom „Geworfensein“ des Menschen in eine leidvolle Welt, von seinem Gefühl, als Fremdling hienieden zu leben, und von seiner Erlösungsbedürftigkeit und seinem Heimweh eine große Rolle. Dasselbe gilt aber schon für das Christentum, dessen erste Vertreter sich als „Fremdlinge und Beisassen auf Erden“ ansahen. Auch der Islam hat, trotz seiner tief in die Welt eingreifenden Gesetzgebung, diesen Charakter der Weltflucht bewahrt und in den paränetischen Vorstößen seiner Prediger den Weltmenschen immer wieder eingehämmert. Nicht erst die Drusen[17], Muḥammad al-Ġazzālī[18] und Yaḥyā as-Suhrawardī (gest. 587/1191), der den Mythos vom ausgewanderten Prinzen aus den Thomasakten in seine *Qiṣṣat al-ġurba al-ġarbiyya*[19] übernommen hat, kennen und vertreten diese Vorstellung, sondern schon ein angebliches Wort Mohammed's lautet: „Lebe in dieser Welt, als seist du ein Fremdling!“[20], und in einem als kanonisch anerkannten Ausspruch des Propheten wird sogar der Islam selber als ein solcher Fremdling hingestellt: „Der Islam hat als Fremdling begonnen und wird dereinst genau so als Fremdling zurückkehren. Wohl den Fremdlingen!“[21] Mit Recht hat daher G. E. von Grunebaum den Islam als eine Weltanschauung beschrieben, die dem Leben ein jenseitiges Ziel setzt und dem irdischen Dasein nur von hier aus eine gewisse Bedeutung zuschreibt. Diese Bedeutung wird dann durch die in der islamischen Theologie zur Herrschaft gelangte Lehre, daß das jenseitige Schicksal des Menschen schon vor seinem Auftreten hienieden und unabhängig von seinen Bemühungen im voraus festgelegt sei oder am Jüngsten Tag von Gott nach

[17] Silvestre de Sacy: *Exposé sur la religion des Druzes* 2, 156; 615.
[18] *Fażā'il ul-anām min rasā'il Ḥuǧǧat il-islām,* ed. ʿAbbās Iqbāl, Teheran 1333, 21–22/ed. Mu'ayyad Ṯābitī, Teheran 1333, 26–27; H. Ritter in *Oriens* 8, 1956, 354 f.
[19] Ed. Henry Corbin: *Opera metaphysica et mystica* 2, 274 ff.
[20] Ḫawlānī: *Ta'rīḫ Dārayyā,* Damaskus 1950, 98.
[21] *Concordance* 4, 70a; *Tārīḫ-i Faḫr ud-dīn Mubārakšāh,* ed. E. Denison Ross, London 1927, Text 18.

freiem, unerforschlichem Ermessen bestimmt werde, sogar fast auf Null reduziert. Die irdische Wohnstätte des Menschen wird ebenfalls von ḥadīṯen als Gegenstand von Gottes Fluch, als Paradies des Ungläubigen, als Gefängnis des Gläubigen hingestellt[22], und ein angeblicher Ausspruch Jesu fordert den Frommen auf, die Welt als eine Brücke zu betrachten, über die man hinweggehe, die man aber nicht bebaue[23]. Der Gegensatz von *dīn* (Religion) und *dunyā* (Welt) wird immer wieder als unversöhnliche Alternative verkündet. Obwohl es auch anderslautende Ermahnungen in der islamischen Religion gibt, so sind sie doch letztlich den angeführten Worten unterzuordnen.

Wie verhält sich, so formulieren wir unsere dritte Frage, die islamische Mystik zu diesem Uranliegen der islamischen Kultur? Niemand wird leugnen, daß die Sufik ganz in der skizzierten Linie liegt, ja diese Tendenz vielleicht am deutlichsten zum Ausdruck bringt und am unerbittlichsten zu verwirklichen gesucht hat. Insofern muß die Sufik geradezu als die Krone der islamischen Kultur gelten. Die These, daß die islamische Mystik ganz aus dem Islam selber herausgewachsen sei, entspricht zwar nicht den Tatsachen, aber die fremden Elemente, von denen besonders die aus dem Christentum hervorzuheben wären, haben als eine Art Sauerteig gewirkt und sind ganz in der Art im Islam aufgegangen, wie es Sir Hamilton Gibb: *The Influence of Islamic Culture on Medieval Europe*, in *Bulletin of the John Rylands Library* 38, 1955, 86 f., für eine förderliche und nicht zerstörerische Einwirkung von außen vorgeschrieben hat und wie auch Toynbee eine glücklich überwundene Herausforderung (challenge) beschreibt: das Fremde ist einer Bereitschaft im Islam entgegengekommen und von diesem organisch einverleibt worden.

Auch noch in anderer Hinsicht hat die Mystik dem Islam unschätzbare Dienste geleistet. Allzu lang und allzu einseitig hat man die Sufik bald als eine Opposition, bald als eine Art Kon-

[22] *Concordance* 2, 151b.
[23] S. Hellmut Ritter: *Das Meer der Seele,* Leiden 1955, 45.

kurrenzunternehmen zum Islam hingestellt. Gewiß drohte der Autorität der Prophetie eine Gefahr, traten doch nun Leute auf, die behaupteten, ähnlich wie Mohammed in einer mehr oder weniger direkten Beziehung zu Gott zu stehen und Visionen und Auditionen zu empfangen. Aber diese Gefahr haben erstens die Sufi's selber zu bannen versucht, indem sie für ihre Erlebnisse eine besondere Nomenklatur schufen, die sie von den Erlebnissen des Propheten unterschied und der Verbindlichkeit ihrer eigenen höheren Erfahrungen enge Grenzen setzten; so unterschied man Prophetenwunder *(muʿǧiza)* und Heiligenwunder *(karāma)* und prophetische Offenbarung *(waḥy)* und sufische Eingebung *(ilhām)* usw. Zweitens aber mußte gerade eine solche *imitatio Muhammadis* eine Gefahr bannen, die dem Islam von anderer Seite drohte. Gewiß muß es einer Zeit wie dem Mittelalter, in der man noch nicht so tief in die Geheimnisse der Stoffeswelt eingedrungen war wie heute, leichter gefallen sein, an Mächte wie Engel und Teufel und an allerlei Durchbrechungen der Naturgesetze zu glauben, aber wir haben Zeugnisse genug, die zeigen, daß sich dieser Glaube doch nicht einfach von selbst verstand, sondern daß er dauernd in Frage gestellt war und dauernd gestützt und in Einklang mit den Erfordernissen der Zeit gebracht werden mußte. Wie oft wird insbesondere der Glaube an die Auferstehung dem zeitgenössischen Verstand annehmbar zu machen versucht! Der Zwiespalt zwischen Pharisäern und Sadduzäern, wie er in Apg. 23, 8 geschildert wird, bestand auch im mittelalterlichen Islam. Hier hat die Sufik die Rolle eines Ardā Wīrāf gespielt, der sich, nach der mazdaistischen Überlieferung, durch Wein und eine Droge in einen leibfreien, visionären Zustand versetzen ließ, um die Wahrheit der mazdaistischen Jenseitsvorstellungen zu erkunden und dadurch dem verfallenden Glauben aufzuhelfen. In ähnlicher Weise sind nämlich dem sufischen Visionär Himmel und Hölle schon hier als erlebte Wirklichkeiten sichtbar geworden, er hat den Teufel in der oder jener Form selber vor Augen gehabt und Gott zu sich sprechen hören. Der Sufi wiederholt damit im kleinen, was der Prophet im großen vorgelebt hat, erweist durch sein geistiges Abenteuer die Möglichkeit der islamischen Weltanschauung und kann diese interpretieren. Kein Geringerer als Muḥammad al-Ġazzālī (gest. 505/1111) hat von hier aus den Weg zur Anerkennung des Phänomens der Prophetie gefunden und durch Einverarbeitung der sufischen Erfahrungen die islamische Theologie wieder zu beleben versucht.

Freilich hat sich die Tradition im Zuge des neuen Verständnisses, das ihr die Sufik entgegenbrachte, auch mancherlei Modifikationen gefallen lassen müssen, so vor allem die vielen Umdeutungen des Korans und der Prophetenaussprüche auf ein Seelengeschehen. Die koranischen und biblischen Geschichten waren für die Sufi's nicht länger bloß historische Mitteilungen, die man, von der Gegenwart abgelöst, einfach als vergangene Ereignisse zu glauben und zu buchen gehabt hätte, sondern im Stile Philo's zugleich Symbole und Allegorien seelisch-geistiger Vorgänge. Sogar Aussagen über das Jenseits erlagen diesem Bestreben, indem sie aus der Projektion in eine Überwelt in die Seele des Einzelnen introjiziert wurden. Bei Ibn ʿArabī (gest. 638/1240) ist der ganze Islam zu einer monistisch-pantheistischen Theosophie umgeformt. Daß solche Interpretationen des heiligen Gutes nicht allgemeine Zustimmung gefunden, sondern im Gegenteil auch glühende Gegner auf den Plan gerufen haben, die wie Ibn Taymiyya (gest. 728/1328) und die Schiiten Bahā ud-dīn-i ʿĀmilī (gest. 1030/1621), Muḥammad Bāqir al-Mağlisī (gest. 1111/1699–1700) u. a. den Einfluß der Mystik auf den Islam als ein Unheil betrachteten und ihr mit allen Mitteln entgegentraten, darf uns nicht irre machen. Als Außenstehende müssen wir als islamisch all das ansehen, was sich als solches ausgibt. Unter diesem Gesichtspunkt kann aber nicht der geringste Zweifel bestehen, daß gerade dieses ständige Anpassen des Islams an das geistige Leben der Mystiker geeignet war, die Glaubenswahrheiten des Islams zu erhalten und zu verbreiten.

So hat meines Erachtens die Sufik in mancherlei Hinsicht wie ein Leisten gewirkt, indem sie der traditionellen Religion eine gewisse Spannkraft und Aktualität verlieh. Im Verhältnis zu der so gefaßten islamischen Kultur wäre also die Sufik durchaus positiv zu bewerten.

Kultur kann jedoch noch anders, nämlich als Inbegriff der Pflege und des Ausbaues unserer irdischen Wohnstatt gemeint sein. Sie umfaßt in dieser Bedeutung alle Leistungen des Menschen, die zur materiellen Sicherstellung und Bequemlichkeit, zur Ordnung und Erhaltung der Gesellschaft dienen, aber auch alle Beiträge zu Wissenschaft, Kunst und Literatur. Mit dem Beiwort „islamisch" ist dann nur soviel gemeint, daß dieser ganze Komplex im Raume und im Spannungsfeld des Islams Ausdruck gefunden hat, in mannigfacher Beziehung zu der bereits gekennzeichneten Grundabsicht des Islams steht und davon überschattet oder überstrahlt wird. Wie verhält sich, so lautet unsere vierte Frage, die Sufik zu dieser Seite der islamischen Kultur?

Angesichts der bezeichneten Lage der Sufi's an der Spitze der Weltflüchtigen könnte ein rein rechnerisches Betrachten der Dinge mit raschem Urteil nur negative Auswirkungen der Sufik auf die Kultur vermuten. Daran ist folgendes richtig: Die Sufik hat eine nicht unbeträchtliche Menge von Menschen und dadurch geistigen Kräften andern Beschäftigungen und Zielsetzungen entzogen. Manche dieser Menschen haben den Weg in die Sufik schon von allem Anfang an genommen, bei andern können wir in ihrem Lebenslauf entweder eine allmähliche Wendung oder einen plötzlichen Bruch mit dem Bisherigen feststellen. So hat Šaqīq al-Balḫī (gest. 194/809–10) die Kaufmannschaft aufgegeben. So hat Muḥammad al-Ġazzālī der Jurisprudenz und dem Lehramt entsagt. So hat Simnānī den Staatsdienst quittiert – um nur drei Beispiele aus der Zeitspanne vom 2./8. bis ins 8./14. Jh. herauszugreifen. In manchen Äußerungen von Sufi's scheint sich direkt eine kulturfeindliche Propaganda zu entfalten, so in der oft erwähnten Empfehlung, lieber das Herz weiß als das Papier schwarz zu machen[24]. Sich wandelndes Wissen wird unter Umständen als uneigentliches Wissen bezeichnet und vor einem an-

[24] Ritter: *Meer der Seele* 103, Verf. im *Eranos-Jahrbuch* 14, 1946, 155.

geblich wirklichen, höheren Wissen, das nicht durch Studieren und Repetieren, sondern durch Blankpolieren des Herzensspiegels errungen werde, in Schranken gewiesen[25]. Der normale Wissenserwerb, auch über höhere Dinge, wird etwa als ein mühsames Abschreiben einer Vorlage aufgefaßt, bei dem sich dauernd Fehler einschlichen, während die Reinigung des Herzensspiegels schließlich eine fehlerfreie Abbildung der Gegenstände ermögliche[26]. Ǧalāl ud-dīn-i Rūmī (gest. 672/1273) bezeichnet die Wissenschaften und Künste als bloße Figuren auf dem Becher, die mit diesem zerbrochen würden, es komme aber auf den Inhalt des Bechers an[27]. Das höhere Wissen aber ist in gewisser Weise unsozial: es gilt nur für den Empfänger, für diesen aber unbedingt, und unterliegt keiner Erörterung auf der Basis des Denkens und keiner Beweisführung. „Wenn du dies", sagte Ibn-i Ḫafīf in einem Gespräch, „in einem Gesicht *(wāqiʿa)* gesehen hast oder es auf Grund einer übersinnlichen Enthüllung sagst, so ist es sicher und eine Diskussion *(nizāʿ)* darüber gibt es nicht; wenn du es aber auf Grund des Religionsgesetzes sagst, so braucht dieses Wort einen Beweis aus dem Koran oder dem ḥadīṯ oder aus den Worten der maßgebenden Altvordern."[28] Kubrā reagiert auf einen logischen Einwand gegen eine Behauptung mit dem apodiktischen Hinweis, daß er es eben so erlebt habe[29]. In sufischen Legenden wird oft auch die praktische Hilflosigkeit des bloßen Schriftgelehrten mit der höheren Macht des Heiligen konfrontiert und hervorgehoben, daß es nur auf diese ankomme. Als der Schriftgelehrte Ibrāhīm b. Muwallad feststellte, daß der Sufi Abū 'l-Ḫayr at-Tīnātī (gest. 349/960–61) nicht einmal die Fātiḥa richtig beten konnte, bedauerte er seinen Besuch. Während der Gebetswaschung setzte sich ihm jedoch ein Löwe auf die Kleider. Tīnātī kam dem zitternden Ibrāhīm zu Hilfe, indem

[25] *Eranos-Jb.* 14, 164 f.
[26] ib. 156.
[27] *Fīhi mā fīh,* lith. Aʿẓamkada o. J. 79.
[28] Daylamī's Vita in persischer Fassung 67.
[29] *Fawā'iḥ,* meine Einleitung 152.

er den Löwen einfach seines Tuns verwies und ihm befahl sich zu trollen. „Ibrāhīm“, so lautet die Lehre, die Tīnātī seinem Besucher erteilt, „ihr macht euer Äußeres zurecht, wir aber unser Inneres. Wer bloß sein Äußeres zurecht macht, der fürchtet sich vor dem Löwen. Wer aber sein Inneres zurecht macht, vor dem fürchtet sich der Löwe.“[30] Der Unterschied wird sogar dahin umschrieben, daß der Theologe alle Tage etwas lerne, was er noch nicht gewußt habe, der Mystiker aber alle Tage etwas von dem, was er wisse, vergesse[31]. Daß der Novize vor dem Scheich seine Bildung ablegen muß, ist bekannt, außerdem aber gilt auch jegliches wissenschaftliche Interesse an den inneren Erfahrungen, Visionen usw., etwa mit dem Ziel, darüber zu lehren oder zu schreiben, als Gift und wird verpönt[32]. Simnānī macht sich Vorwürfe, daß er das Aufschreiben der Gesichte und Träume unter seinen Schülern habe aufkommen lassen, und kann sich das Überhandnehmen dieser Übung nur als eine Strafe Gottes für den Stolz, mit dem er das erstemal die Sammlung ihrer Aufzeichnungen an seinen Meister in Bagdad weitergeschickt habe, erklären[33]. Als besonders zu vermeiden gilt jeglicher nähere Umgang mit der Regierung, mit Fürsten und Machthabern aller Art, eine Mahnung, die durch die ganze Sufik hindurchgeht und über deren Befolgung und Auswirkung im muslimischen Indien wir eine Spezialarbeit von Khaliq Ahmad Nizami[34] besitzen; der Sufi kann nur dann seinem Gotte richtig dienen, wenn er von Rücksichten auf weltliche Gewalten unabhängig ist, und kann als Vertreter der überweltlichen Gewalt der irdischen gegenüber nur eine Gegenposition beziehen. Der echte Sufi sucht auch eigene Macht, sobald er sie in seiner Hand sich ballen fühlt, aufzulösen. Als Kāzarūnī bei seinem Besuch in Schiraz die vielen Leute sah,

[30] *Firdaws ul-muršidiyya* 91, ult. – 92, 14.
[31] *Eranos-Jb.* 14, 155.
[32] *Fawā'iḥ,* Einleitung 29–31.
[33] Iqbāl-i Sīstānī: *Čihil maǧlis* 95b.
[34] *Early Indo-Muslim Mystics and their Attitude towards the State,* in *Islamic Culture* 23, 1949 – 24, 1950.

die ihm ihre Huldigungen entgegenbrachten, wandte er sich an Gott und sprach: „O Herr, was ist das für eine Berühmtheit, die du mir da gibst? Du weißt doch, daß mein einziges Ziel die Bescheidung mit dir ist. Bewahre mich davor, diese Leute zu sehen!“[35], und für ʿAlī-i Hamadānī war die Bewunderung und Verehrung, die er genoß, nachdem er in einem Dorf die Nacht in einem Gespensterzimmer heil überstanden hatte, der Anlaß, sofort weiterzureisen[36]. Doch auch die menschliche Gesellschaft an sich wird oft als Erzübel und die Flucht vor ihr als das Heil dargestellt; ein ʿAlī al-Ǧurǧānī soll sogar einmal, als jemand zu ihm kam, in den Ruf ausgebrochen sein: „Ach je, was habe ich denn heute verbrochen, daß ich einen Menschen sehen muß?“[37] Die Pflege der häuslichen Heimstatt fällt demselben Verdikt anheim, sagte doch derselbe ʿAlī al-Ǧurǧānī: „Mache dein Haus schon heute leerer als ein Grab, damit du an jenem Tag, da man dich ins Grab bettet, aufgeräumt und fröhlich vor Gott hintreten kannst!“ (ib. 110, 17–19). Ein Sufi hatte vierzig Jahre nicht einmal eine Lampe im Haus, so daß ihm die Mäuse ungehindert Löcher in die Kleider fraßen[38]. Auch Ibn-i Ḫafīf ging mit Löchern, die ihm die Mäuse in die Kleider gefressen hatten, umher und hatte eine Zeitlang sogar Fetzen von verschiedenen Misthaufen zusammengesucht, um sich daraus ein Hemd zu nähen[39]. Die Turbantücher der Jünger Kāzarūnī's bestanden eine Weile aus Lappen, mit denen man sonst Gefäße zu verschließen pflegt und die sie auf den Straßen zusammengelesen hatten[40]. Nicht besser stand es bei vielen mit der Nahrung und der Körperpflege. Die soeben genannten Jünger Kāzarūnī's trieben die asketischen Anweisungen ihres Meisters so auf die Spitze, daß sie Gras aßen[41], und ein Sufi, mit dem Ibn-i Ḫafīf bekannt

[35] *Firdaws ul-muršidiyya* 118, 1–2.
[36] Badaḫšī: *Ḫulāṣat ul-manāqib,* Hs. Berlin 121a/Oxford 86a–b.
[37] *Taḏkirat ul-awliyā* 1, 110, 15.
[38] Daylamī 140, faṣl 13.
[39] ib. 18, faṣl 3.
[40] *Firdaws* 103, 8–10.
[41] ib. 103, 3–8.

war, bat mehreremale Gott um Verzeihung, als er einmal unbewußt seinen Schnurrbart gestrichen hatte, und erklärte: „Seine Haare schön zu machen heißt sich selbst schön machen, und jeder, der sich schön macht und darin gefangen ist, ist ein großer Gleichgültiger *(ġāfil)*."[42] Dazu kommt die stets wiederholte Empfehlung an den Sufi, zu reisen. „Reist! Denn wenn das Wasser fließt, wird es gut; wenn es aber steht, verändert es sich und wird gelb", sagte Bišr al-Ḥāfī[43]. Eine Weisung, die, wörtlich verstanden, dazu angetan war, den Sufi auf dem Kulturniveau eines Nomaden zu halten. Wo, so müssen wir mit Recht fragen, bleibt bei solchen Grundsätzen die Kultur?

Nun ist die Sufik sicher nicht spurlos am Orient vorbeigegangen, aber es ist außerordentlich schwer, den konkreten Nachweis zu erbringen, daß die oder jene auffällige Grundhaltung des Orientalen auf den Einfluß der Sufik zurückzuführen sei. Es ist daher eine reine Vermutung, eine Möglichkeit, die ich zu erwägen gebe, wenn ich meine, daß der eigenartige, zum mindesten schwankende Gebrauch des arabischen Wortes für „Wirklichkeit, Wahrheit", *ḥaqīqa,* in der profanen Sprache der heutigen Zeit, sowohl im Arabischen als auch im Persischen, stark von der Wirklichkeitsauffassung der Sufik bestimmt ist. Wirklichkeit ist für den Sufi das Geistige, Göttliche, Jenseitige, Idealische, Mystische; alles Diesseitige ist für ihn übertragen *(maǧāzī),* unwirklich, unwahr, scheinhaft. So ist auch in der modernen profanen Sprache eine *maḥabba ḥaqīqiyya* eine religiöse, geistige Liebe, während die sinnliche, irdische Liebe etwa als *maḥabba maǧāziyya,* als eine übertragene Liebe, bezeichnet wird. Mit derselben, für die Sufik so charakteristischen, fast ausschließlich nach innen gerichteten Wirklichkeitsbetrachtung könnte es dann zusammen-

[42] Daylamī 141, faṣl 14. Niʿmatullāh wird nachgerühmt, daß er in Gesellschaft nie „seine Hand an seine Glieder und seinen Schnurrbart ... geführt" habe (J. Aubin: *Matériaux pour la biographie de Shah Niʿmatullah Wali* 28, 1–2). Doch dürfte damit das Sichkratzen gemeint sein, das in den *ādāb*-Büchern als verpönt gilt.

[43] *Taḏkira* 1, 111, 24–25.

hängen, wenn wir im Orient immer wieder ein so geringes Interesse an der nachhaltigen Pflege und Ausgestaltung des irdischen Lebensraumes feststellen. Im öffentlichen Leben, in den Bureaus, im Brief- und Geschäftsverkehr scheint jene rationale und soziale Ordnung, die wir in Europa so schätzen, zu fehlen, die Entwicklung der Naturwissenschaften und der Technik, die in Europa seit dem Beginn der Neuzeit eingesetzt hatte, hat der Orient nicht mitgemacht, sogar die Feldbestellung geschieht zum großen Teil noch im biblischen Stil, aber auch in Philosophie und Kunst sind seit dem Anfang der Neuzeit im islamischen Morgenland keine besonderen Leistungen mehr zu verzeichnen, jedenfalls keine Leistungen, die mit den Spitzen der abendländischen Kultur der gleichen Zeit in Wettbewerb treten könnten, und zwar offensichtlich, weil die Basis der Lebensbetrachtung nicht genügend über den von der Religion gesteckten Kreis in die konkrete Wirklichkeit hinaus verbreitert worden ist. An dieser Unterlassung, meine ich, könnte die Sufik mit schuld sein, da ihre Ziele, wie wir gesehen haben, ganz in jener anderen Wirklichkeit liegen, die nicht von dieser Welt ist. Man hat allerdings auch andere, im Äußeren liegende Gründe für den Kulturzerfall im neueren Orient angegeben: man hat den Mongolensturm, das Soldatentum der Türken und den dauernden Mißbrauch der Regierungsgewalt[44] dafür verantwortlich gemacht. Aber mir will scheinen, daß die Wurzeln letztlich nicht in solchen Leiden, sondern in den Motiven der Reaktion zu suchen sind, und diese zeigen alle Symptome einer säkularen Introversion, wie sie der Islam und die Sufik forderten. Daß angenommene Ursache (Sufik) und Wirkung (Mangel an Weltzugewandtheit) hier so schön aufeinander passen, heißt aber noch nicht: so muß es gewesen sein; denn zuvor wäre noch die wohl kaum lösbare Frage zu klären, ob die Introversion im Orient statt epidemisch, also beispielsweise vom Islam und von der Sufik ausgestreut, nicht vielleicht endemisch sein könnte, in diesem Falle also die Religion und die

[44] So Alfred Rühl: *Vom Wirtschaftsgeist im Orient,* Leipzig 1925, 40.

Sekte Ausdruck eines tiefer sitzenden allgemeinen Grundzuges jener Menschen wäre. Schon weil sich hier so komplizierte weitere Fragen auftun, muß ich die geäußerte Beziehungsmöglichkeit zwischen der Sufik und dem islamischen Kulturzerfall ausdrücklich in der Schwebe lassen.

Den gekennzeichneten kulturverneinenden Zügen der Sufik stehen aber außerdem andere gegenüber, die man ihr auf der positiven, auf der Habenseite wird buchen müssen. Überhaupt steht der Sufi der Kultur und der Welt nicht in dem Sinn negativ gegenüber, daß er sie geradezu vernichten möchte, sondern nur insofern, als sie ihm gleichgültig sein sollten, und so sehr er sich aus ihren Fängen zu lösen strebt, so klar ist er sich bewußt, daß ihm das ganz erst im Tode gelingen wird. Gewiß unterscheidet er sich vom sichtbaren Körper und weist gerade im Angesicht des Todes gern darauf hin, daß man nicht ihn selber, sondern nur seinen Leib begrabe[45]. Gewiß ruft er „Sterbt, bevor ihr sterbt!", aber zum Selbstmord versteht er sich nicht, sondern meint nur die Bereitschaft, alles, was Gott schickt, um der Treue zu ihm willen geduldig, ja dankend zu ertragen und alle leiblichen Belange dem höheren Willen unterzuordnen. Abū Yaʿqūb Yūsuf (oder Abū Yūsuf Yaʿqūb)-i Hamadānī (gest. 535/1140–41) „vertraute allzeit auf die Versorgung durch Gott *(mutawakkil būdandē)* und beschäftigte sich nie mit dem Ausbau des Diesseits *(ʿimārat-i dunyā)*; aber wenn ein anderer es tat, wehrte er es nicht"[46]. Nach Ǧalāl ud-dīn-i Rūmī will Gott durchaus beide Welten, die innere und die äußere, im Makrokosmos sowohl wie im Mikrokosmos; hätte er nämlich die äußere nicht gewollt, so hätte er sie nicht erschaffen. Sie zu pflegen weist er freilich der religiösen Gleichgültigkeit, der *ġaflat* zu, die aber dadurch geradezu zu einer göttlichen Einrichtung aufrückt. „Die Welt", ruft er, „besteht durch die *ġaflat*, und ohne die *ġaflat* bliebe diese

[45] Rūmī: *Fīhi mā fīh* 220; vgl. Sokrates im *Qābūsnāma,* ed. Saʿīd Nafīsī 102, 3–9.

[46] ʿAbdulḫāliq-i Ġuǧduwānī: *Risāla-i Ṣāḥibiyya,* ed. Saʿīd Nafīsī in *Farhang-i Īrānzamīn* 1, 1332, 84–85.

Welt nicht bestehen. Das Verlangen nach Gott, die Erinnerung ans Jenseits, Trunkenheit und Ekstase sind dagegen die Architekten der andern Welt. Würde diese sich allen zeigen, so gingen wir samt und sonders dort hinüber und blieben nicht mehr hier. Doch Gott will, daß wir hier bleiben, damit zwei Welten bestehen. Also hat er zwei Hausverwalter eingesetzt, einen die *ġaflat* und den andern die Wachheit *(bīdārī)*, damit beide Häuser ausgebaut blieben *(maʿmūr bimānad)*.“[47] Die Leute, die sich diesem Ausbau widmen, sind allerdings nicht die Sufi's, aber diese sind die Nutznießer jener *ġaflat*. Wer einem weltlichen Beruf nachgeht, dient daher auf diese Weise einem höheren Ziel. „Die jenseitige Welt ist wie ein Meer und die diesseitige wie Schaum. Gott aber wollte, daß der Schaum *(kafk)* Gegenstand der Pflege *(maʿmūr)* sei. So ließ er gewisse Menschen den Rücken dem Meer zukehren zwecks Pflege des Schaumes. Würden sie sich damit nicht beschäftigen, so gäben sich die Menschen gegenseitig den Tod, und Zerfall *(ḫarābī)* wäre die Folge. So ist die Welt eine Art Zelt oder Haus für den König, zu dessen Ausbau einige Menschen bestimmt sind. Einer sagt: ‚Wenn ich keine Nägel mache, wo soll man dann die Stricke festmachen?‘ Der andere sagt: ‚Wenn ich keine Stricke machte, wie könnte dann das Zelt stehen?‘ Denn alle wissen, daß sie samt und sonders Diener jenes Königs sind, der sich ins Zelt setzen und dort seinen Geliebten betrachten will (mit dem König ist der Sufi gemeint, der Gott betrachten will). Wenn also (in dieser Welt) der Wäscher wegen der Anforderung eines Ministers das Waschen unterläßt, so bleiben alle Leute nackt und bloß. Es ist dem Wäscher daher ein eigener Genuß *(ḏawqē)* mitgegeben worden, mit dem er zufrieden ist. Diese Menschen sind also zu Nutz und Frommen *(barāy-i niẓām)* der Welt des Schaumes geschaffen, die Welt dagegen zu Nutz und Frommen jenes Gottesfreundes (der im Zelte seinen Geliebten betrachtet). Wohl dem, zu dessen Nutz und Frommen die Welt geschaffen ist und der nicht umgekehrt zu Nutz und

[47] *Fīhi mā fīh* 117.

Frommen der Welt geschaffen ist! Jedem aber gibt Gott bei seiner Arbeit Zufriedenheit und Wohlbefinden, so daß er, selbst wenn er 100 000 Jahre lebte, immer dieselbe Arbeit machte und seine Liebe in der Arbeit jeden Tag zunähme und ihm in seinem Beruf Fertigkeiten erwüchsen und er die verschiedensten Freuden daraus zöge. Im Koran heißt es (Sure 17, 44): ‚Und nichts gibt es, was nicht sein (Gottes) Lob sänge.' Der Zeltstrickmacher hat seine Art, Gott zu lobsingen, der Pflockmacher, der Tuchmacher haben jeder seinen eigenen Lobgesang, und so auch die Gottesfreunde, die dann im Zelt sitzen und dort im Glücke leben."[48] Der Gedanke war schon gegenüber Sarī as-Saqaṭī (gest. 257/871) ausgesprochen worden: „Wenn Gott nicht die Ohren vor dem Verständnis des Korans verschlossen hätte, so würde der Bauer nicht säen, der Kaufmann keinen Handel treiben und die Leute den Koran nicht auf den Straßen vortragen"[49] und liegt wohl auch einem angeblichen Spruch Ḥasan al-Baṣrī's zugrunde, nach dem ohne die Dummen die Welt zerfiele[50]. Doch da jeder Mensch zunächst in die Welt hineinwächst, ist das Leben des Frommen selbst in dieser Weise zweigeteilt; der erste Abschnitt vollzieht sich in *ġaflat*. „Gott hat gewissen Menschen die Augen mit *ġaflat* verschlossen, damit sie diese Welt bebauen; denn würde er nicht einige gegenüber der andern Welt gleichgültig machen, so würde keine Welt bebaut. Die *ġaflat* veranlaßt die Pflege und Bebauung. Später aber entwächst das Kind der *ġaflat*. Wenn ihm nämlich die Vernunft zur Vollkommenheit gelangt ist, schießt es nicht weiter in die Höhe und wächst nicht weiter. Grund und Ursache der Bebauung ist also die *ġaflat*, und Ursache des Zerfalls *(wērānī)* ist die Aufgewecktheit *(hušyārī)*"[51]. „Was soll ich sagen", ruft er an anderer Stelle[52] aus, „zu einer Welt, deren

[48] *Fīhi* 100 f.
[49] Ibn Ḫallikān: *Wafayāt al-aʿyān*, Kairo 1299, 1, 251; vgl. F. A. D. Tholuck: *Ssufismus sive theosophia Persarum pantheistica*, Berlin 1821, 85.
[50] *Firdaws ul-muršidiyya* 93, 8–9.
[51] *Fīhi 90.*
[52] *Fīhi* 202.

Stütze und Säule die *ġaflat* ist? Siehst du nicht, daß wer erweckt wird, der Welt überdrüssig wird, kalt wird und sie auf sich beruhen läßt? Der Mensch hat von Kindheit an, da er aufgewachsen ist, mittels der *ġaflat* gelebt. Sonst wäre er gar nicht gewachsen und nicht groß geworden. Wenn er dann aber mittels der *ġaflat* ausgebaut *(maʿmūr)* und groß ist, bestellt ihm Gott zwangsmäßig und willentlich allerlei Leiden und Widerwärtigkeiten, um jene Formen der *ġaflat* von ihm abzuwaschen und ihn zu reinigen. Dann kann er mit der andern Welt bekannt werden *(āšnā gaštan)*." Die Wendung nach innen und die damit zusammenhängende Weltflucht des Sufi brauchen jedoch nicht das Ende zu sein, sondern können umgekehrt wieder der Anfang zu einer neuen, allerdings veränderten, verklärten Weltzugewandtheit werden; der Mensch kann die in der Zurückgezogenheit gewonnene Verbindung mit Gott wieder in die Welt tragen, wofür Ǧalāl ud-dīn-i Rūmī den Propheten Mohammed selbst als leuchtendes Beispiel zitiert: „Den Auserkorenen ließ Gott zuerst ganz mit sich selber beschäftigt sein. Dann aber befahl er ihm: ‚Rufe die Menschen auf, rate ihnen und führe sie zum Rechten.' Da geriet der Auserkorene in Jammer und Klage und sprach: ‚Ach, mein Herr, was habe ich verbrochen? Warum jagst du mich von dir fort? Ich will die Menschen nicht.' Gott aber antwortete: ‚Mohammed, sei unbesorgt! Ich habe dich bis jetzt nicht dazu gehalten, dich mit den Menschen zu beschäftigen. Jetzt aber wirst du bei all deiner Beschäftigtheit (mit ihnen) bei mir sein, und kein Härchen von deiner jetzigen Verbundenheit mit mir wird, wenn du nun mit den Menschen beschäftigt sein wirst, weniger werden; bei allem, was du wirkst, wirst du gerade umgekehrt mit mir vereinigt sein."[53]

So haben viele Sufi's, nicht nur durch ihr Beispiel, sozusagen unbewußt, für ein religiöses Leben gewirkt, sondern haben sich bewußt in die Fußstapfen Mohammed's gestellt und für Allah geworben. In den Zeugnissen *(iǧāza)*, die die Novizen nach ab-

[53] *Fīhi* 73.

solvierter Lehrzeit von ihrem Meister bekamen, hieß es, daß sie hiermit berechtigt seien, „die Menschen zu Gott aufzurufen". Damit ist zunächst die innere Mission unter den Muslimen gemeint; denn der Sufi betrachtet seine eigene Hinwendung zur Mystik als eine „Bekehrung" *(tawba)* von einem nur äußerlich angeklebten zu einem wahren und echten Islam und sieht alle nichtsufischen Muslime, von den reinen Weltmenschen bis zu den hochgelehrten Theologen, in diesem Sinne als Objekte seiner Mission an. Der Islam hat durch dieses aktive Eingreifen der Sufik zweifellos eine ungeheure Vertiefung und Befestigung im Vordern Orient erfahren. Aber nicht genug damit, haben die Sufi's auch namhaft zu seiner Verbreitung beigetragen, indem sie als geistliches Fußvolk dem Islam auch überall Boden Andersgläubiger zu gewinnen vermochten. Hier zeigt sich das Doppelgesicht aller Mission. In dem Maße, wie der Reichtum und die Lebenskraft der islamischen Kultur durch diesen Zuwachs erhöht wird, erleidet die Kultur der Nichtmuslime Einbußen und wird dem Verfall näher getrieben. Ziemlich deutlich kann man das im Falle von Kāzarūnī (gest. 426/1035) verfolgen, der nach Ausweis der allerdings einseitig darstellenden Vita durch seine fromme Tätigkeit die Positionen der Mazdaisten in Südpersien stark erschütterte und viele Übertritte zum Islam bewirkte. Bekehrungen gehören auch zu den Ruhmestiteln eines so späten Mystikers wie Šāh Niʿmatullāh. Nicht so klar scheint sich die entsprechende Wirksamkeit der Sufik unter den Türken fassen zu lassen, da die erste dort deutlich erkennbare Sufigestalt, Aḥmad Yasawī (gest. 562/1166), nach den Ausführungen Fuad Köprülü's[54] bereits auf islamisiertem Gebiet arbeitete. Doch wird man auch sufische Beteiligung an der Verbreitung des Islams in jenen Landstrichen annehmen dürfen, heißt es doch von Aḥmad's Lehrer Yūsuf-i Hamadānī, natürlich mit klischeehafter Übertreibung, daß er, neben vielen Juden und Christen, 8000 Götzendiener zu Muselmanen gemacht habe[55]. Deutlich ist der sufische

[54] *Ilk mutasavviflar,* Istanbul 1918, 23.
[55] *Risāla-i Ṣāḥibiyya* 84, 91.

Anteil wieder an der geistigen Eroberung Afrikas. Jedenfalls hat I. B. Lewis in *BSOAS* 18, 1956, 149 ff., zu zeigen versucht, daß in Somaliland gewisse Eigentümlichkeiten des sufischen Islams die Brücke bilden, auf der die dort eingesessene heidnische Bevölkerung den Weg von ihrer alten Religion zum Islam finden konnte: die *zār*-Übungen wurden durch den *ḏikr*, der Ahnenkult durch die Heiligenverehrung ersetzt. Ähnliches gilt für Nordafrika. Nur an einer Stelle ist umgekehrt die Sufik von der fremden Religion überwältigt und aus dem Islam herausgerissen worden: bei den Yazīdī's in Mesopotamien und Persien[56].

Sufi's sind aber auch direkt kriegerisch für die Sache des Islams eingetreten. ʿUtba al-Ġulām, ein Zeitgenosse Ḥasan al-Baṣrī's, ist im Kampf gegen die Byzantiner gefallen[57]. Šaqīq al-Balḫī (gest. 174/790–91) und Ḥātim al-Aṣamm (gest. 237/851–52) treffen wir auf einem Kriegszug gegen die Türken in Mittelasien, und Šaqīq soll sich dort in der Hölle des Kampfes so wohl gefühlt haben wie in der Hochzeitsnacht[58]. Ein glühender Befürworter des heiligen Krieges war Simnānī. Obwohl er gelobt hatte, nie mehr in Fürstendienst zu treten, erklärte er sich doch bereit, im Falle eines Krieges gegen die Ungläubigen eine Ausnahme zu machen. Er bekannte, früher einmal die Absicht gehabt zu haben, sich zum Zweck einer solchen Anwerbung nach Syrien zu begeben. Als der mongolische Landesherr, dem er dies ausrichten ließ, nicht gleich für einen heiligen Krieg zu haben war, sondern beschwichtigend auf das angebliche Prophetenwort „Der Friede ist besser“ hinwies, fuhr Simnānī auf: „Eigenartig, wie dreist die Leute das Wort des Gesandten Gottes in der Hand verdrehen und jeder es nach seinem Willen ausdeutet! Erstlich wissen sie nicht einmal, ob es sich um ein Wort Gottes oder des Propheten handelt; denn der Ausspruch ‚Der Friede ist besser‘ stammt (nicht vom Propheten, sondern) aus dem Koran (Sure

[56] S. meinen Aufsatz ‚Der Name der Yazīdī's‘ in *Westöstliche Abhandlungen, Festschrift für Rudolf Tschudi,* Wiesbaden 1954, 244 ff.
[57] Abū Nuʿaym: *Ḥilyat al-awliyāʾ* 6, 227.
[58] Qušayrī: *Risāla,* Kairo 1346, 13.

BERNHARD LAUM

SCHENKENDE WIRTSCHAFT

1959. Etwa 450 Seiten

Leinen ca. DM 36,— kart. ca. DM 32,—

Den Verfasser, Professor der Wirtschaftsgeschichte an der Universität Marburg, bekannt durch sein Buch „Heiliges Geld“, beschäftigt das Problem des Verhältnisses von „Wirtschaften“ und „Schenken“, das, in immer gewandelten Formen, sehr alt ist.

Anlaß zur Beschäftigung mit der nichtmarktmäßigen Güterbewegung des Schenkens gaben Vorgänge der Jahre 1930 bis 1934, als auf dem Höhepunkt der Weltwirtschaftskrise um der Preisstabilisierung willen große Gütermengen vernichtet wurden. Welche Folgen hätte es wirtschaftlich gehabt, wenn man diese Güter an notleidende Menschen, im In- oder Ausland, verschenkt hätte? Wäre das ökonomische Ziel der Marktregelung erreicht oder im Gegenteil unmöglich gemacht worden?

Eingehende wirtschaftshistorische und wirtschaftspsychologische Untersuchungen beleuchten u. a. die Bedeutung mittelalterlicher Kaufmannstestamente, die Macht des zum Mittel illegitimer wirtschaftlicher Konkurrenz gewordenen Geschenks im Barockzeitalter. Sie geben interessante kulturgeschichtliche Beiträge.

Die wissenschaftliche Methode ist philologisch: sie besteht aus begriffsgeschichtlichen Analysen, etymologischen Interpretationen, Zurückverfolgungen eines Begriffes bis auf seinen historischen Ausgangspunkt, Vergleichen seines ursprünglichen Sinngehalts mit dem gegenwärtigen Wortgebrauch und schließlich Deuten und Verstehen des Begriffswandels aus der Entwicklung der Gesamtkultur heraus. Mittelpunkt und Grundlage bildet der Umbruch, den der Begriff „Wirtschaft" im Verlaufe seiner Geschichte erfahren hat.

Gerade in der neuesten Zeit, seit 1945, hat das wirtschaftliche Schenken, vor allem in Form von Krediten ohne Zins- und Rückzahlungsforderungen, bisher ungekannte Ausmaße angenommen. Es bleibt dazu nicht innerhalb einer nationalen Grenze. Die Vereinigten Staaten von Nordamerika wie die UdSSR „verschenken" Summen an das Ausland, die (für Amerika) ein vier- bis fünffaches ihrer regulär gewährten Kredite betragen.

„Schenken“ und „Wirtschaften“ sind zu gleich wesentlichen Faktoren im internationalen Verkehr der Völker geworden. Ganz neue wirtschaftspolitische Probleme stellen sich. Für ihr Verständnis sind die Tatsachen und Erkenntnisse des Buches von großer Bedeutung.

INHALTSÜBERSICHT

Die beiden Arten des Güterverkehrs. Von der Freigebigkeit. Grundbedeutung und Bedeutungswandel des Wortes „Wirtschaft“. Über die Gastfreundschaft. Ursprung und Sinngehalt des Wortes „Schenken“. Die Wechselseitigkeit des Gebens und Nehmens beim Schenken. Die Formen der Geschenkübergabe. Anlässe und Termine des Schenkens. Die als Geschenke gespendeten Güter. Die gegenseitige Beistandspflicht in der Gemeinschaft. Die Fürsorge für notleidende Gemeinschaftsmitglieder. Der ursprüngliche Charakter der Genossenschaft. Das Verhältnis zwischen Geschenk und Lohn. Das Geschenk als Zugabe. Gibt es Steuern, die Geschenke sind? Das Austauschen von Geschenken im Dienst der Außenpolitik. Schenken und Markten im Sakralen Bereich. Über Eignung und Verwendung des Geldes als Geschenk. Die internationale Nothilfe bei Katastrophen. Das Problem der geschenkten Wirtschafts- und Waffenhilfe. Schenken als sozial-biologische Funktion. Der Sinnwandel des Schenkens im Wandel des Wirtschaftsdenkens.

VITTORIO KLOSTERMANN · FRANKFURT A. MAIN

4, 128). Er geht dort aber auf das Verhältnis von Mann und Frau in der Ehe und nicht auf das Verhältnis zwischen Muslimen und Ungläubigen. Und selbst wenn man es zur Beschwichtigung und Einlullung auf die Ungläubigen beziehen dürfte (Text verderbt), so doch nicht in der Weise, daß man den Ungläubigen das eigene Land überläßt und das Frieden nennt!" Simnānī hält den heiligen Krieg für den „größten Pfeiler" *(rukn-i aʿẓam)* der Religion und ruft: „Wenn es sicher ist, daß die Armee in den heiligen Krieg zieht, so ziehe ich mit."[59]

Unter bestimmten Voraussetzungen kann sogar der Gegensatz zwischen weltlicher und geistlicher Macht, wie er seit dem Tode Mohammeds bestand, und zwischen Fürstendienst und Gottesdienst, wie ihn die Sufi's sonst hochhielten, vergessen werden. Die islamische, insbesondere persische Hagiographie ist voll von frommen Pakten zwischen Sufi's und Fürsten. Ṭuġril Beg trug in seinen Schlachten als Talisman die Scherbe eines Krugs, mit dem ein Sufi bei Hamadan seine Waschungen vollzogen und die dieser ihm geschenkt hatte, in der Hand[60]. Einzelne Sufi's und ganze Orden, wie z. B. die Bektaschi's und Chalveti's, gewannen großen Einfluß bei Hofe, andere haben sich, gestützt von den Hoffnungen sunnitischer oder schiitischer Theologeme auf einen inspirierten Führer, selbst an die Spitze von Volksbewegungen und Aufständen gestellt und sind in dieser Eigenschaft geradezu staatenbildend geworden. Ich erinnere an den Aufstand des Scheich Bedr ed-dīn, des Sohns des Richters von Simāw, in der ersten Hälfte des 9./15. Jh.[61], an die Entstehung des safawidischen Staates in Persien aus dem Orden von Ardabīl im Laufe desselben 9./15. Jh., an die Mahdiyya im Sudan (1881–98), der es um die Befreiung des Landes von den Engländern ging, und an die Sanūsī's in Libyen, die sich 1911–12 gegen die eindringen-

[59] Iqbāl-i Sīstānī: *Čihil maǧlis* 93b–94b.
[60] Rāwandī: *Rāḥat uṣ-ṣudūr,* ed. Muḥ. Iqbāl, in *Gibb Memorial New Series* 2, 1921, 99.
[61] Franz Babinger in *Der Islam* 11, 1921, 1–106.

den Italiener zur Wehr setzten und heute in der Person Idrīs I. einen eigenen Staat regieren.

Mag diese Art der sufischen Weltzugewandtheit fragwürdig sein, so gibt es daneben andere Formen, über deren rein aufbauenden Charakter kein Zweifel bestehen kann. Wir meinen nicht die von den Sufi's immer wieder geforderte Haltung der Friedfertigkeit und ihre Sorge, andere nicht zu schädigen, sondern die aktive Anteilnahme an den Nöten ihrer Mitmenschen und den tätigen Versuch, ihnen zu helfen. Die Obsorge der Armen ist schon ein Anliegen der ältesten Sufik und hat durch Kāzarūnī und andere in Gründungen von Freitischen und Herbergen eine besondere Pflege und Ausgestaltung erfahren. Auch Reisende wie Ibn Baṭṭūṭa (gest. 779/1377) haben in solchen gastfreundlichen Stätten Unterkunft und Verpflegung gefunden. Berühmt bis in die heutigen Tage ist die Gastfreundschaft in Māhān, der Stätte des Niʿmatullāh.

„Obwohl das wohlgepflegte, gereinigte Herz seiner Heiligkeit", heißt es z. B. von Niʿmatullāh, „ganz Gott gegenwärtig und von Gottes Gegenwart begnadet, ganz Gott beschäftigend und mit Gott beschäftigt war und im Reich der Einheit auf dem Thron der Gottesnähe festen Sitz hatte, so pflanzte doch seine schöne Rücksichtnahme und Werktätigkeit auch die Banner der Ethik und des Wohltuns auf."[62] Natürlich war der Bestand solcher Herbergen und die Sorge für die Armen gerade bei der Kāzarūniyya in hohem Maße auf die mildtätige Hand auch der Welt- und Machtmenschen angewiesen, und ihre Niederlassungen sowie der Mutterkonvent in Kazarun lebten nicht ohne ein weitverzweigtes Netz von Agenten, die gleich an Ort und Stelle die Gaben, die gespendet wurden, einzogen. Aber Weltflucht und Kultursabotage wird man ihr nicht vorwerfen können. Gerade weil die Sufi's zur Armut verpflichtet waren, konnten sie die Mittler zwischen reich und arm werden; sie zogen Geld und Gaben ein, um sie an Bedürftige, allerdings auch unter ihresgleichen,

[62] Aubin 290 f.

weiterzuleiten, wozu sie ein altes Gebot, kein Geld auch nur eine Nacht bei sich zu behalten, noch besonders antrieb. Zum idealen Bild des Sufi gehört, daß er, wie es von Yūsuf-i Hamadānī heißt, „alles, was Gott ihm schenkt, den Armen, Witwen, Waisen, Fremdlingen und bedürftigen Familienvätern gibt“[63].
Die Hilfe, die die Sufi's ihren Mitmenschen angedeihen ließen, erstreckte sich weiter auf die körperlichen und seelischen Leiden. Wenn es bei den Heilungen, die der Sufi versuchte, nicht ganz nach den Regeln einer Schulmedizin herging, sondern vor allem auf die Kraft des Gebetes und auf die Freundschaft, in der man den frommen Mann mit Gott verbunden glaubte, ankam, so braucht man nur die Lehrbücher der Orthodoxie, auch der schiitischen, die gegen Krankheiten und alle möglichen Übel bestimmte Gebete empfehlen, daneben zu halten, um zu erkennen, daß die Sufik auch hier nichts anderes als die praktische Verwirklichung der Religion als solcher betrieb, daß also, wenn man diese Art des Verhaltens dem Leben gegenüber als eine rückständige, hinterwäldlerische bezeichnen und ihr einen Zusammenhang mit dem Mangel an Aufklärung im neueren Orient zuschreiben will, das Verdikt nicht minder die Lehren der islamischen Frömmigkeit überhaupt trifft. Noch Niʿmatullāh soll einmal eine Kur verschrieben haben, von der verständige Menschen annahmen, daß sie zum Tode des Patienten führen müsse; aber er wurde gesund[63a]. Daß man freilich zum Sufi statt zum Arzt ging, hängt auch mit dem Glauben an ein besonderes, andern nicht ohne weiteres erreichbares Wirkungsvermögen zusammen, das die Gottesmänner hätten. Dieser Glaube konnte sich bis zu magischen Praktiken vom Pfade der Orthodoxie entfernen, so wenn Kāzarūnī eine Kuh bespricht oder mit einem Gebet eine Schale Wasser anhaucht, das der Patient nachher trinkt, um von der Kolik zu genesen[64]. Aber die Praktiken scheinen geholfen zu haben, und hier kommt es uns nur darauf an zu zeigen, daß sich die Sufi's

[63] *Risāla-i Ṣāḥibiyya* 84.
[63a] J. Aubin: *Matériaux* 111–112.
[64] *Firdaws ul-muršidiyya* 185, 3–14; 170, 1–16.

mit allen ihren Mitteln den Anforderungen ihrer Mitmenschen gestellt und ihre Aufgabe offenbar zur Zufriedenheit der Bittsteller gelöst haben. Viele Sufi's standen übrigens in ihrer Anthropologie durchaus auf der Höhe der Zeit, und ʿAzīz-i Nasafī (7./13. Jh.) hat sich mit Heilkunde eigens befaßt, um sich in der Anatomie ein sicheres Wissen anzueignen[65]. Ein oft erwähntes Ruhmesblatt der Sufi's ist ihre Heilkraft auf seelischem Gebiet, sei es, daß sie unmittelbar, einfach durch ein Fluidum, das von ihnen ausging, sei es bewußt, in väterlichem Trost an die Mühseligen und Beladenen, zur Auswirkung kam. Von Ibn-i Ḫafīf heißt es, daß jeder, der betrübt zu ihm kam, fröhlich von ihm ging, daß wenn zwei in gegenseitiger Feindschaft vor ihn traten, sie als Freunde von hinnen schieden, daß er Böses mit Gutem vergalt usw.[66] Er ging in der Rücksicht auf die Mitmenschen so weit, daß er die Zufriedenstellung der Brüder, die Teilnahme an einem gemeinsamen Mahl mit ihnen, einem überpflichtigen Fasten vorgehen ließ[67].

Wir ersehen aus all dem, daß man, um die vierte Frage – wie verhält sich die Sufik zur Kultur als Pflege der irdischen Wohnstatt? – richtig zu beantworten, von einem so zentralen Begriff wie der Weltflucht nicht einfach logisch auf die Folgen schließen darf, sondern immer wieder das Phänomen selber aufsuchen und die konkreten Mitteilungen sammeln muß. Es zeigt sich auch in unserem Falle, daß nicht so heiß gegessen wird, wie gekocht worden ist, daß auch die Sufi's, obwohl im Ernst ihres Strebens radikal und Nonkonformisten, dem Kompromiß, den jedes wirkliche Leben vom Menschen einfordert, ihren Zoll entrichtet haben. Durch diesen Kompromiß haben sie es sogar zu einer eigenen Kultur gebracht; denn Kultur entsteht wesentlich dadurch, daß etwas Vorgefundenem eine bestimmte Richtung gegeben wird. In der Sufik trägt man den Erscheinungen des Lebens durchaus Rechnung, ordnet sie aber einem höheren Ziel unter, richtet sie

[65] *WZKM* 52, 1953, 146.
[66] Daylamī 31 f.
[67] ib. 33.

nach einem höheren, jenseitigen Stern aus. Immer wieder stellen sich die Sufi's, sicher nicht unabhängig vom *ἰσαγγελος* der christlichen Väter, die hohe Aufgabe, ihr Leben dem der Engel anzugleichen, aber sie suchen deswegen weder den Leib, noch die Triebseele abzutöten, sondern begnügen sich, letztere zu dressieren *(riyāḍa)* oder ihre Übergriffe zu bekämpfen *(muǧāhada);* man sprach ihr ausdrücklich gewisse Rechte *(ḥuqūq)* zu und weigerte ihr nur die über den Zweck der Erhaltung des Ganzen hinausgehende Lust um der Lust willen *(ḥuẓūẓ). Imāta* „Abtötung" kommt sehr selten, etwa bei ʿAmmār al-Bidlīsī (6./12. Jh.), vor. Hierher gehört auch die freundliche Duldung der musikalischen Unterhaltung, des Musikhörens *(samāʿ);* denn etwas derartiges verträgt sich zunächst schlecht mit der strengen Selbstbeobachtung und der Ausnützung jedes Augenblicks zur Verbesserung des Verhältnisses zu Gott, auf die die Sufik so unerbittlich dringt. Aber auch hier hat allen Bedenken zum Trotz der Kompromiß mit dem Leben gesiegt. Eines der geringsten Bedenken, die Muḥammad al-Ġazzālī bei der Behandlung dieses Themas ins rechte Licht zu rücken versucht, ist der Vorwurf, daß Musik und Tanz doch ein bloßes Spiel *(laʿb, lahw)* seien. Ġazzālī bestreitet das nicht, zeigt aber an ḥadīṯen, daß Spiele erlaubt seien, daß Musik und Tanz also von dieser Seite nichts im Wege stehe. Die Sufik, und mit ihr Ġazzālī, ist aber noch viel weiter gegangen: sie entdeckte in diesem Spiel, das sie als Ermächtigung *(ruḫṣa)* gelten ließ, geradezu Vorteile *(fawāʾid)* für die Erreichung ihrer mystischen Ziele und baute es unter gewissen Voraussetzungen in ihr Erziehungssystem ein. So wird das Musikhören auch von einem Abū Ḥafṣ as-Suhrawardī (gest. 632/1234), der es als bloßes Vergnügen ablehnt[68], im Dienste der höheren Ziele anerkannt und von dessen persischem Bearbeiter Maḥmūd-i Kāšānī (gest. 735/1335) ausdrücklich als eine Einrichtung bezeichnet, die der Prophet und die älteren Scheiche zwar noch nicht gekannt hätten, die aber den Willen des religiösen

[68] *ʿAwārif al-maʿārif* Kp. 33.

Gesetzgebers unterstütze[69]. Die Kompromißbereitschaft der Sufik hat hier also geradezu zu einer Bereicherung und Erweiterung der islamischen Religionskultur geführt. Die Beschäftigung mit der Dichtung bezeichnet Muḥammad al-Ġazzālī in seinen Briefen[70] als nutzlose Zeitverschwendung. Aber seine Werke wie seine Briefe sind voll von Verszitaten, und im Zusammenhang mit dem Musikhören erkennt er nicht nur die Beschäftigung mit der Dichtung als religionsgesetzlich einwandfrei an, sondern gibt darüber hinaus sogar Beispiele dafür, wie die Sufi's aus dem Gift äußerlich anfechtbarer Verse durch Umdeutung heilsame Getränke der Seele bereiteten[71]. Den Sufi's ist auch etwa der Vorwurf gemacht worden, daß sie Verse auf der Kanzel zitierten. Die Verse werden gewiß in einem Zusammenhang mit dem religiösen Anliegen der betreffenden Prediger gestanden haben. Aber wir verfügen aus Sufikreisen auch über Beispiele für einfache Freude am dichterisch Schönen. So soll einmal Abū Saʿīd b. Abī 'l-Ḫayr, als er in einer Musikveranstaltung den Vers gehört hatte „Ich will mich in mein eignes Lied verstecken, damit ich deine Lippen küssen kann, wenn du es singst", mit seiner ganzen Jüngerschar entzückt zum Grabe des Dichters gepilgert sein[72].
Nachfrage bedeutet Förderung. Wir werden daher den Sufi's für den ungeheuren Verbrauch dichterischer Erzeugnisse in *samāʿ*-Veranstaltungen das Verdienst zuerkennen müssen, den Markt zweier der wichtigsten und schönsten Kulturgüter, der Dichtung und der Musik, gesteigert zu haben. Darüber hinaus haben sie aber auch selbst manche bleibenden Werke der Dichtkunst geschaffen. Von Abū Saʿīd b. Abī 'l-Ḫayr wird zwar glaubwürdig versichert, daß er in seinem ganzen Leben nur anderthalb Vierzeiler selbst gedichtet habe, da er zu sehr in Gott versunken gewesen sei, um sich mit Dichten abzugeben, daß er alle anderen

69 *Miṣbāḥ ul-hidāya,* Teheran 1323, 179.
70 *Fażā'il ul-anām, ed. Iqbāl,* 85 u. 95; H. Ritter in *Oriens* 8, 1956, 356.
71 *Kīmiyā-i saʿādat,* Teheran 1333, 337 f.; Fritz Meier: *Der Derwischtanz,* in *Asiatische Studien* 1954, 123.
72 Muḥammad b. ul-Munawwar: *Asrār ut-tawḥīd,* Teheran 1332, 280.

Verse, die man von ihm kenne, von seinen Scheichen gehört habe[73], und umgekehrt bleibt die Zugehörigkeit eines der fruchtbarsten und hervorragendsten mystischen Dichter der Perser, nämlich ʿAṭṭār's, zur Sufik umstritten. Aber es gibt zwischen Ḥallāǧ und Ǧāmī genug sufische Dichter, deren Werke eine ausgesprochene Formungsarbeit voraussetzen und eine untadelige Vertrautheit mit der Tradition des Dichtens, also humanistische Bildung, verraten. Auch sie rufen etwa, wie ʿAṭṭār, vom *qāl* zum *ḥāl*, vom Reden zum Sein, auf, aber sie haben doch ihren Mund des überfließen lassen, wes ihr Herz voll war, und bei Ǧalāl uddīn-i Rūmī kommt noch ein anderes, ein soziales Element hinzu. Er verkleinert, echt sufisch, die Bedeutung des Dichtens, das er weitgehend als ein Spiel zu betrachten scheint, und stellt sein Dichten als einen Kompromiß dar, nämlich als einen Beitrag, den er an die Unterhaltung leiste, als einen Tribut an die Pflege der Geselligkeit, den er seinen Besuchern, die daran ihre Freude hätten, schuldig sei. Er schreibt: „Ich habe die Art, nicht zu wollen, daß ein Herz durch mich verletzt wird. Siehe, da stürzen sich beim *samāʿ* einige Leute auf mich, und einige Freunde halten sie davon zurück. Das gefällt mir nicht. Hundertmal habe ich gesagt: ‚Sagt meinetwegen zu niemand etwas! Ich bin es zufrieden.' Ich bin sogar so sehr auf Freundlichkeit eingestellt, daß ich, um diesen Freunden, die mich besuchen, nicht langweilig zu werden, dichte, damit sie sich daran unterhalten. Was hätte ich sonst mit Dichtkunst zu schaffen? Bei Gott, mit Dichtkunst habe ich keine Verbindung, und etwas Schlimmeres als sie gibt es in meinen Augen nicht. So wie einer mit den Händen in die Kaldaunen geht und sie wäscht, um seinen Gästen, wenn er deren Lust darauf kennt, einen Wunsch zu erfüllen, so muß ich. Der Mensch schaue immer, was die Leute in der oder jener Stadt für Waren brauchen, und muß diese kaufen und verkaufen, auch wenn es miserabelstes Zeug ist. Ich habe eigens in Wissenschaften studiert

[73] *Asrār ut-tawḥīd* 218; 339 ff. Der neuerliche Versuch von Saʿīd Nafīsī: *Suḫanān-i manẓūm-i Abū Saʿīd-i Abī'l-Ḫayr*, Teheran 1334, diese Nachricht zu widerlegen, hat mich nicht überzeugt.

und mir viel Mühe gegeben, um den Gebildeten, Forschern und Gescheiten, wenn sie zu mir kommen, etwas Ausgefallenes, Kostbares, Feines vorsetzen zu können. Gott selbst wollte es so. Er hat alle jene Wissenschaften hier versammelt und jene Mühen hieher gebracht, damit ich mich diesen Dingen widme. Was kann ich tun? In meinem Heimatland gab es nichts Schimpflicheres als Dichter zu sein. Wären wir dort geblieben, würden wir entsprechend der Natur jener Bevölkerung leben und das tun, was die Leute dort wollten, also beispielsweise unterrichten, Bücher schreiben, predigen, Askese üben und äußere Arbeiten verrichten."[74]

Doch unterliegt auch das Bücherschreiben, selbst über sufische Gegenstände, wie wir gesehen haben, gewissen Bedenken, und vielleicht ist es mehr als eine leere Floskel, wenn es in so vielen sufischen Büchern heißt, daß sie auf Bitten eines Freundes entstanden seien. Von Aḥmad al-Ḥawārī (gest. 230/844–45) wissen wir, daß er seine theologischen Bücher ins Meer warf. Aber diese Tat wird auf eine mystische Trunkenheit zurückgeführt, und Ḥawārī beging sie erst, als er, wie er sagt, ans Ziel gekommen war. „Ein ausgezeichneter Führer und Wegweiser waren sie mir, aber nach Erreichung des Ziels kann man sich nicht mehr mit dem Führer beschäftigen; denn ein Führer ist nur so lange vonnöten, als der Novize unterwegs ist. Da nun der Königssaal sichtbar geworden ist, was haben da Vorhof und Weg noch für einen Wert?"[75] So ist denn auch eine gelehrte sufische Literatur entstanden, an der sich Generationen von Mystikern geschult und erbaut haben. Sie bildet einen beachtlichen Teil des Schrifttums des Islams, das Behältnis, dem wir die Kenntnis der ganzen Bewegung verdanken, und den schlummernden Keim, aus dem zu gegebener Zeit sufisches Geistesleben vielleicht neu erblühen könnte.

Damit kommen wir zur fünften und letzten Frage: Wie verhält

[74] *Fīhi* 81 f.
[75] *Taḏkira* 1, 286, 13–16.

sich die Sufik zu unserer modernen Kultur? Als Ausdruck des mystischen Triebes der Menschenseele stellt sie kein Novum und keinen Ausnahmefall in der Geschichte der menschlichen Kulturentwicklung dar, sondern hat überall und zu allen Zeiten ihre Parallelerscheinungen und begleitet in der oder jener Form, in größerer oder geringerer Ausdehnung eigentlich jede Kultur. Nicht ihr Vorhandensein, sondern eher ihr Fehlen könnte als Krankheitszeichen am Körper einer Hochkultur wie der des Islams gedeutet werden. Selbst wenn man der Mystik an sich nur geringes Verständnis entgegenbringt und etwa mit René Basset das Fehlen jeglicher Sufik in einem Gedicht wie der Burda des Būṣīrī (gest. 694/1294) als einen ihrer größten Vorzüge preist[76], wird man ihr von diesem Standpunkt aus, nämlich als einem integrierenden Bestandteil eines differenzierteren Geisteslebens, Gerechtigkeit widerfahren und sie wenigstens als spannungbildendes Element, als Herausforderung, als Gegengewicht, als der Vereinseitigung wehrendes Kraftfeld im Gesamtverband der islamischen Kulturerscheinungen gelten lassen. Ich gehe jedoch weiter. Es ist mir gerade durch die Beschäftigung mit anderen Erscheinungen der islamischen Kultur, beispielsweise der Dichtung, klar geworden, was wir an den Dokumenten der Sufik haben. Die arabische oder persische Dichtung, um bei diesen zu bleiben, mag mit ihrer Wort- und Bildkunst, mit ihrer Auffassung und Darstellung der Welt noch so reizvoll, ihre historische Entwicklung und ihre Motivik noch so belangreich und ihre Überlieferungsgeschichte geradezu faszinierend sein, sittlich und religiös aufbauend ist sie nicht. Das ist erst die eigentlich religiöse Literatur, sei sie orthodoxer oder heterodoxer Färbung, vor allem aber die Sufik und die sufische Dichtung; denn hier kommen nicht nur die tiefsten Probleme des menschlichen Daseins zur Sprache, sondern sie erfahren zugleich eine so lebensnahe Behandlung, daß der Leser sich selber angesprochen fühlt. Der europäische Leser wird allerdings kaum etwas dabei gewinnen und kaum in der richtigen Weise vorwärtskom-

[76] *EI* s. v. *Burda.*

men, wenn er die in der Sufik verkündete Psychologie in Bausch und Bogen übernimmt, aber er kann viel gewinnen, wenn er sich durch die Fragestellungen der Sufik zu einer Anerkennung dieser inneren Seite der menschlichen Existenz und zu einer Auseinandersetzung mit den daraus sich ergebenden praktischen Problemen anregen läßt. Gerade diese Art geistiger Abenteuer und geistiger Arbeit gewinnt zwar im modernen Europa zusehends mehr Boden, doch ist der Druck, der die moderne Kultur in die Veräußerlichung treibt, so stark, daß ein Gegenzug, wie ihn das Studium der Sufik ausüben kann, grundsätzlich zu den heilenden Kräften gezählt werden muß. So könnte die Sufik, in der richtigen Weise und im richtigen Ausmaß ernst genommen, auch heute noch, über Völker und Zeiten, ja über ihr eigenes Grab hinweg, ein segensreiches, kulturaufbauendes Wirken entfalten.

Diskussion

Die Frage nach Vorbild und Verfallserscheinung in Orthodoxie und Sufik gab den Anstoß zur Diskussion. Es wurde zunächst auf die Aufnahme superstitioneller Momente in das religiöse Schrifttum bei al-Ġazzālī (1058–1111) verwiesen, der dadurch die Religion wieder volkstümlich zu machen sucht. Der tiefere Grund für die sich anbahnenden Verfallserscheinungen müsse aber in einem prinzipiellen Haltungswandel gesucht werden, der bereits geraume Zeit vor den äußeren Verfallserscheinungen anzusetzen sei (v. Grunebaum).

Ein grundsätzlicher Zweifel wurde geäußert, ob Nachlassen literarischer Produktion als Zeichen für Kulturverfall gewertet werden dürfe, und zum Vergleich die allgemeine Sachlage im Fall der traditionellen orientalischen Gelehrsamkeit herangezogen.

Nach Ǧāmī (1414–1492) finde sich auch in der Sufik keine wesentliche literarische Neuproduktion mehr, doch beherrsche sowohl der Dichter als der Gelehrte die Tradition bis ins letzte.
Ein Zeichen für das Weiterleben sufischer Frömmigkeit sei die Grabinschrift eines vor achtzig Jahren verstorbenen Türken, dem man das gleiche wie dem im Vortrag erwähnten Ibn Ḫafīf (gestorben 982) nachrühme: keiner sei ungetröstet von ihm geschieden (Ritter).
Die Lebenskraft der Sufik drücke ferner sich darin aus, daß noch vor zwei Jahrhunderten eine neue Musik entwickelt wurde. Daß heute noch die Wirkungen der Sufik in aller Breite zu spüren sind, zeigen die mannigfachen orientalischen Orden, denen sich bis vor kurzer Zeit noch jeder Ägypter und Türke gewidmet habe. Auch wenn es sich weitgehend um Produkte des Vereinsbedürfnisses handle, so gelte für den Orient doch, daß alle Vereine, auch die der Ringer und Bogenschützen, unter religiöser Sanktion stehen (Ritter).
Die grundsätzliche Frage nach der Existenz eines objektiven Maßstabes für Kulturhöhe und -verfall (Volhard) wurde negativ beantwortet. Das Fehlen eines solchen Maßstabes wurde im Hinblick auf die lebendige Entwicklung, die aller Kultur zugebilligt werden müsse, begrüßt (Hartner). Man trat dafür ein, jeder Kultur ihre eigenen Maßstäbe für die Beurteilung ihres Zustandes zuzugestehen, jede Epoche sei, nach dem Wort von Ranke, unmittelbar zu Gott (Ritter).
Abschließend wurde noch die Sonderfrage nach den Anschauungen über die Entwicklung des Embryos behandelt, wobei die Ansichten Suhrawardīs (ca. 1153–1191) den Anstoß gaben. In der Scholastik werde die Meinung vertreten, und zwar noch vor Thomas von Aquin (ca. 1225–1274), der männliche Foetus werde nach 40 Tagen, der weibliche nach 80 Tagen beseelt. Die Frage, ob sich solche Unterscheidungen auch im Islam fänden (Hartner), wurde unter Hinweis auf aṣ-Ṣafadī (gestorben 1363) beantwortet, dessen Buch über die Blinden 40 Tage für den betreffenden Zeitraum angebe, aber keinen Unterschied für die Geschlechter

kenne (Meier). Als Beispiel für die Nachwirkung dieser Anschauung wurde ein 1939 von einem Mufti abgegebenes Gutachten genannt, nach dem Eingriffe zur Geburtenverhütung während der ersten 40 Tage dem Islam nicht widersprechen sollen (v. Grunebaum).

W. H. McNeill

KLASSIZISMUS IM ALTEN MESOPOTAMIEN UND ÄGYPTEN

Die Wiederentdeckung der Kulturen des alten Assyrien, Babylon und Sumer wird – zusammen mit der Entzifferung der ägyptischen Hieroglyphen – immer zu den bedeutendsten Leistungen unserer Gelehrsamkeit zählen. Indem die Geschichte des Alten Orients während der letzten 130 Jahre für die westlichen Gelehrten allmählich Gestalt annahm, gewann die menschliche Geschichte eine neue zeitliche Dimension, und es wurde immer deutlicher, daß unsere und die antike Kultur im Orient wurzeln. Dennoch ist es heilsam, sich immer zu erinnern, daß für die mehr als 3000 Jahre der Geschichte des Alten Orients (also eine längere Zeit als von Homer bis heute) die gesamten Bemühungen der Archäologen lediglich Bruchstücke und Splitter zutage gefördert haben; es ist allen Anstrengungen der Epigraphiker und Philologen noch nicht gelungen, schwerwiegende und folgenreiche Unklarheiten in den ihnen vorliegenden Texten aufzuhellen.
Unter diesen Umständen, wo nicht einmal schlichte Fragen der Chronologie beantwortet werden können, wäre es vermessen, wollte jemand versuchen, die Kulturgeschichte Mesopotamiens oder Ägyptens zu schreiben. Das wäre es erst recht für mich, der ich die betreffenden Sprachen nicht beherrsche und der ich überhaupt ein Amateur auf diesem Gebiete bin. So sollte ich es vielleicht mit diesem Bekenntnis meiner Unfähigkeit bewenden lassen und nur noch sagen, daß die Merkmale und Schattierungen

des Begriffs „Klassizismus“, wie ihn Herr von Grunebaum in unseren ersten Sitzungen vorgetragen hat, in dem dunklen Zwielicht der mesopotamischen und ägyptischen Geschichte nicht unterschieden werden können.

Und doch fühle ich bei mir – und finde ich auch im Werk anerkannter Gelehrter – eine Neigung, die verstreuten Bruchstücke und Splitter dieser alten Kulturen in eine zusammenhängende Ordnung zu bringen. Wenn diese Neigung zu Irrtümern führt, so handelt es sich doch nur, wenn auch in weit größerem Maße, um jene Art von Irrtümern, wie sie aller geschichtlichen Synthese und Interpretation drohen. Lassen Sie mich denn zur Sache kommen, etwas kühn und vielleicht töricht, mit der stillschweigenden Voraussetzung, daß wir es hier mit einer vorgestellten Struktur zu tun haben, die den Dingen, wie sie wirklich waren, nur schwach entspricht. Ich will mich fast die ganze Zeit mit Mesopotamien beschäftigen, das – wie ich glaube – in der Geschichte des Orients und der Welt einen gewissen Vorrang einnimmt. Abschließend will ich dann auf Ägypten übergehen, um einen ungefähren Vergleich anzustellen. Weiter beabsichtige ich, meine Bemerkungen zur Kultur Mesopotamiens vorwiegend auf die literarische Überlieferung zu stützen; denn die erhaltenen Bruchstücke aus der bildenden Kunst sind zu fragmentarisch, um ein entsprechendes, zusammenhängendes Bild des Erreichten zu geben.

Ehe wir zu der Frage des Klassizismus in Mesopotamien kommen, wird es gut sein, den allgemeinen Gang der Kulturgeschichte in diesem Land zu umreißen. Nur innerhalb dieses Rahmens kann der Klassizismus, von dem ich sprechen möchte, verstanden werden. Allgemein gesehen, scheint es in der Entwicklung der Kultur Mesopotamiens zwei besonders fruchtbare Epochen gegeben zu haben. Die erste kam in den Jahrhunderten um 3000 v. Chr., als die Grundlagen der sumerischen Kultur gelegt wurden. Nicht nur praktische Fertigkeiten, wie künstliche Bewässerung, monumentales Bauen usw., sondern auch feinere Dinge, wie besondere künstlerische Motive und theologische Vorstellungen, scheinen in einem relativ kurzen Zeitraum erarbeitet worden zu sein – in nicht mehr als zwei oder drei Jahrhunderten. Diese bleiben auch später wichtige konstituierende Bausteine der mesopotamischen Kultur, allen Wandlungen und Erweiterungen späterer Jahrhunderte zum Trotz. Diese früheste Blütezeit war das Werk von Tempelgemeinschaften unter der Leitung von Priesterkollegien. Die Sprache war sumerisch.

Die zweite große Epoche kulturellen Aufstiegs in Mesopotamien liegt etwa um die Zeit des Hammurabi von Babylon, sagen wir etwa um 1700 v. Chr. – wenn auch das Datum der Herrschaft des Hammurabi unter den Assyriologen noch immer heiß umstritten ist. Diese Zeit sah bedeutende Veränderungen im religiösen und geistigen Erbe Sumers und noch bedeutendere Fortschritte auf den Gebieten des Rechts, der Verwaltung, der sozialen Organisation usw. Die Sprache dieser zweiten Blütezeit war akkadisch; aber auch nachdem das Sumerische aufgehört hatte, eine lebende Sprache zu sein, blieb es ein Mittel liturgischen und pädagogischen Gebrauchs, so wie heute das Latein.

Der wichtigste Punkt bei den frühen sumerischen Tempelgemeinschaften ist: sie wirkten darauf hin, den Ernteüberschuß der Gemeinde an einem Punkt zu sammeln, nämlich in den Tempelmagazinen. Dort pflegten sie Spezialisten aller Art zu halten, Priester, Verwalter, Aufseher, Bewässerungsingenieure, Buchhalter, Handwerker und Kaufleute. Als die Spezialisten, offenbar zum ersten Mal in aller menschlichen Geschichte, auftraten, nahm der rasche technische und geistige Fortschritt seinen Lauf, der die ersten Phasen der kulturellen Entwicklung Sumers zu kennzeichnen scheint. Das war ganz natürlich. Es gab noch keine fertigen Modelle, denen diese Spezialisten hätten folgen müssen, und sie hatten die Muße und die Freiheit, sich neue Wege zu erarbeiten. Als aber die Spezialisten der ersten Generationen ihre Nachfolger schließlich mit einem Modell, wie sie zu handeln und zu denken hatten, versorgt hatten, wurde die Macht der Priesterschaft und der Tempelgemeinschaften unfehlbar außerordentlich konservativ. Eine heilige Aura dehnte sich leicht und natürlich von den

Kulthandlungen selbst auf alle speziellen damit verbundenen und untergeordneten Angelegenheiten der Fachleute aus, die sich um den Tempel herum niederließen.

Die kulturelle Entwicklung zur Zeit des Hammurabi ging in einer sehr viel komplizierteren und mannigfaltigeren Gesellschaft vor sich, als sie 1300 Jahre zuvor in Sumer bestanden hatte. Tempelgemeinschaften blühten noch immer; aber sie lagen wie Inseln in einem größeren sozialen Meer: einem Meer, das die verschiedensten Formen von Vereinigungen umfaßte – Handwerkergilden, Familienunternehmen in Bankgeschäft und Handel, Dorfgemeinschaften, feudale militärische Beziehungen, politische Stadt-, Staat-, Stammes- oder quasi-Stammeseinheiten und dergleichen. Diese *Große Gesellschaft,* wie ich sie bezeichnen möchte, war auf der politischen Ebene durch Gesetze, durch eine bürokratische Verwaltung und durch das Hochkönigtum der gesamten Euphrat-Tigris-Ebene koordiniert. Auf der wirtschaftlichen Ebene war sie koordiniert durch Handelsbeziehungen in Kauf und Verkauf, aus denen sich Privatverträge, Darlehen, Zinsen usw. in komplexer Weise ergaben. Auf kultureller Ebene schließlich war sie koordiniert durch die Religion, sowie durch alte und neue Formen der Gelehrsamkeit und Literatur.

Wir wissen sehr wenig darüber, wie die Gemeinschaften des frühen Sumer, die sich um die Tempel herum gebildet hatten, sich zur Großen Gesellschaft der Zeit des Hammurabi entwickelt haben. Aber ich nehme an, daß der Bereich, in dem sich die Wandlung während der betreffenden mehr als 1000 Jahre vor allem durchzusetzen strebte, in der politisch-militärischen Sphäre lag. Probleme der Rechtsprechung und der inneren Ordnung wurden in dem Augenblick brennend, als das leicht zu bewässernde Land Sumer zum Ackerbau gekommen war, so daß die Felder der einen Tempelgemeinschaft unmittelbar an die einer anderen anstießen. Darüber hinaus wurden, als das Land wegen der in großem Maßstab einsetzenden Anwendung der in den Tempelgemeinschaften ausgearbeiteten Bewässerungstechnik reich wurde, Ausländer durch die Möglichkeit der Plünderung angezogen. Um barbarische Überfälle abzuwehren und um sich selbst im Streit zwischen den benachbarten Städten zu behaupten, waren die alten Sumerer gezwungen, sich für den Krieg zu rüsten. Sie taten das unter militärischen Führern, die wir Könige nennen können. Diesen Königen begegnen wir schon in der allerfrühesten Geschichte, und Berichte von kurz nach 2500 v. Chr. zeigen sie, wie sie sich mit den Priesterschaften um die Macht streiten und in die Macht teilen.

Noch war die Macht dieser sumerischen Könige, die gewöhnlich nur über eine einzige Stadt herrschten, nicht ausreichend, um eine barbarische Eroberung abzuwehren. In der Tat besteht die mesopotamische Geschichte aus immer neuen Eroberungen und Einwanderungen aus den angrenzenden Bergen und Wüsten. Die jeweiligen Neuankömmlinge nahmen in der Regel die Kultur des Landes an, wenn sie auch auf kleine Änderungen nicht ganz verzichteten.

So entwickelten sich – wie ich die Dinge sehe – die mesopotamische Kultur und Gesellschaft als das Ergebnis eines jahrhundertelangen Spiels zwischen zivilisiertem Herzland und barbarischem Ausland auf der einen Seite, als das Ergebnis des kaum weniger bedeutsamen Spieles innerhalb der zivilisierten Gesellschaft zwischen konservativen Priesterschaften und einem aufrührerischen, neuerungssüchtigen Königtum auf der anderen. Die Große Gesellschaft zur Zeit des Hammurabi war schließlich einer klassischen Lösung dieser beiden Spannungen nahe gekommen, indem sie eine Einheit in der Gegensätzlichkeit etablierte, eine geordnete Verschiedenheit, eine zusammenhängende Vielfalt im Rahmen des Hochkönigtums, das die ganze Flußebene unter einer Verwaltung einigte und die unruhigen Grenzgebiete in Schranken hielt.

Dies Ergebnis war natürlich nicht von Dauer. Auch bezeichnete es nicht das Ende der kulturellen und sozialpolitischen Entwicklung Mesopotamiens. Vielmehr sehe ich im Verlauf der 1000 Jahre zwischen 1500 und 500 v. Chr. eine Wiederholung der Entwicklung, die in den Grenzen des Euphrat-Tigris-Tales früher vor sich gegangen war, nur jetzt auf einer geographisch größeren Ebene. Statt Mesopotamien war nun der gesamte Nahe Osten der Schauplatz, auf dem sich der politische Kampf, der zu einer schließlichen Konsolidierung unter den Persern führte, abspielte; und so verschiedene und tiefverwurzelte Kulturen wie die von Babylon, Ägypten, Iran und Syrien lieferten nun das Rohmaterial, aus dem eine kosmopolitische Zivilisation des Nahen Ostens um die Mitte des ersten vorchristlichen Jahrtausends hervorging.

Gewiß steuerte Mesopotamien manches zur persischen Regierung und zu der Gesellschaft bei, die unter der persischen Verwaltung lebte, ich möchte sogar sagen, mehr als irgendeine andere Kulturgemeinschaft. Das war zu erwarten; denn die Mesopotamier hatten schon zur Zeit des Hammurabi Institutionen gefunden, um mit dem Problem der Einheit in der kulturellen Mannigfaltigkeit fertig zu werden, dem sich die Völker des Nahen Ostens in der ersten Hälfte des ersten vorchristlichen Jahrtausends so dringlich gegenübergestellt sahen. Doch wurden die Perser und ihre Untertanen keine Babylonier, wie es so viele der früheren Eroberer Mesopotamiens geworden waren. Vielmehr löste sich – aus Gründen, die ich in meinem letzten Referat darzulegen versucht habe – die kulturelle Überlieferung Mesopotamiens unter der persischen Herrschaft und noch endgültiger unter der Herrschaft der Seleukiden auf, bis eine besondere und abgesonderte mesopotamische Kultur schließlich nicht mehr bestand.

Diese Bemerkungen mögen als eine sehr summarische Analyse des allgemeinen Ganges der mesopotamischen Geschichte genügen. Ich komme nun zu meinem eigentlichen Gegenstand und frage: Wo läßt sich in diesem allgemeinen Bild Klassizismus feststellen? Um eine kurze Antwort zu geben: etwas Derartiges zeigt sich jeweils einige Jahrhunderte nach einem Gipfelpunkt kulturellen Aufschwungs; außerdem, wenn wir den Begriff in der ausgedehnten Bedeutung, die Herr von Grunebaum ihm gegeben hat, in der er „heterogenetischen“ Klassizismus mitumfaßt, akzeptieren, so können wir am Rande der mesopotamischen Welt Klassizismus entdecken. Lassen Sie mich zunächst etwas über den Klassizismus

am Rand der mesopotamischen Welt sagen, dann zu dem Klassizismus im Herzland selbst kommen.
Während des zweiten Jahrtausends v. Chr. kämpften eine Reihe barbarischer Völker gegen die Hochkulturen in Kleinasien, Syrien, Armenien, im nördlichen Mesopotamien und im Hochland von Iran. Die Völker, die damals in diesen Gebieten lebten, die Hethiter, Hurri, Mitanni, Assyrer, Elamiter und andere, neigten dazu, die Hochkultur der vor alters zivilisierten mesopotamischen Flußebene vor allem in geistigen Dingen als ihr Modell zu betrachten. Die Ausbreitung des Akkadischen, das um die Mitte des zweiten vorchristlichen Jahrtausends zur lingua franca der Diplomatie wurde, mag als ein Beweis für die Rezeption der babylonischen Kultur durch Nachbarvölker dienen. Was vermutlich geschah, war, daß Herrscher der umliegenden halbbarbarischen Staaten den Nutzen der Schrift für die Verwaltung erkannten und sich deshalb babylonische Schreiber und Lehrer in ihre Reiche holten. Mit den Lehrern kam babylonisches literarisches Material, und zwar sumerisches und akkadisches, und mit dieser Literatur kam unvermeidbar eine besondere babylonische Weltanschauung. Für den kleinen, aber strategisch bedeutsamen Kreis literarisch gebildeter Personen gewann die babylonische Kultur daher etwas wie einen normativen Wert, nach dem der besondere lokale Denkstil und das religiöse Fühlen sich soweit als möglich zu richten hatten. Die einigermaßen unstimmige Kulturmischung, die in Bogazköy, der alten hethitischen Hauptstadt, entdeckt wurde, illustriert sehr gut die Herausbildung dieser Art Klassizismus, denn die Überreste tragen – trotz streng lokaler Eigentümlichkeiten – durchgehend ein mesopotamisches Gepräge. Ein weiteres, und in mancher Hinsicht ganz überraschendes, Beispiel für das gleiche Phänomen bieten uns die Assyrer, die zur Zeit ihrer Großmachtstellung eine bemerkenswerte Abhängigkeit von der geistigen Kultur Babylons aufweisen. Ich will aber meine Bemerkungen über Assyrien auf später verschieben, um die chronologische Ordnung klarer einzuhalten.
Wenn wir uns nun dem Hauptkulturzentrum zuwenden, so las-

sen sich überzeugend zwei Perioden des Klassizismus unterscheiden. Die frühere ist zuweilen die sumerische Renaissance genannt worden, ein Ausdruck, der durch die Tatsache gerechtfertigt wird, daß Sumer etwa 300 Jahre lang (zwischen 2350 und 2050 v. Chr.) fremder Verwaltung und kulturellem Einfluß unterworfen war. Zuerst hatte Sargon, der große akkadische Eroberer, die sumerischen Städte überrannt. Dann kam die barbarischere Herrschaft der Guti. Um 2050 v. Chr. konnten sumerische Herrscher, die sogenannte Dritte Dynastie von Ur, fast ganz Mesopotamien unter ihrer Administration vereinigen. Aber nur ein Jahrhundert später war das Land abermals zwischen konkurrierende Staaten aufgeteilt, von denen einer, das Königreich Isin, sich als der spezielle Verteidiger des Sumerertums gegenüber rivalisierenden Gruppen aufgespielt zu haben scheint.
Entweder unter der Dritten Dynastie von Ur, vielleicht aber auch erst später unter den Herrschern von Isin,wurde der Hauptteil der sumerischen Literatur, wie wir sie kennen, erstmals aufgeschrieben. Das ist es vor allem, weswegen moderne Gelehrte von einer sumerischen Renaissance sprechen. Der Datierungsunterschied zwischen der Dritten Dynastie und Isin ist beträchtlich, etwa 2–300 Jahre; aber ich bin nicht in der Lage, eine Entscheidung darüber, welche Datierung vorzuziehen ist, zu treffen[1]. Ich will die Streitfrage umgehen und von einer sumerischen Renaissance sprechen, die – soviel wir wissen – sich sowohl über die Zeit von Ur als auch die Zeit von Isin erstreckte, das ist also von kurz vor 2050 v. Chr. bis kurz nach 1750 v. Chr.
Wir haben gute, wenn auch spärliche Indizien für die Vermutung, daß die Könige von Ur und Isin sich bemüht haben, sich selbst mit dem Ruhm und den Traditionen der frühen Zeit

[1] Für die frühe Datierung cf. Thorkild Jacobsen, *The Sumerian Kinglist*, Chicago 1939, und S. N. Kramer, *Sumerian Mythology*, Philadelphia 1944, pp. 11–12. Für die spätere Datierung cf. F. R. Kraus, „Zur Liste der älteren Könige von Babylon“, *Zeitschrift für Assyriologie, N. F. XVI* (1952) p. 29–60; Adam Falkenstein und Wolfram von Soden, *Sumerische und Akkadische Hymnen und Gebete*, Zürich 1953, p. 12.

Sumers zu identifizieren. Die Könige von Ur machten Sumerisch wieder zur Verwaltungssprache; und wann auch immer die alte mündliche Literatur der Sumerer in Ton festgehalten wurde, die Vermutung scheint vernünftig, daß das Motiv hierfür der Wunsch war, ein kulturelles Erbe, das gefährdet schien, zu retten, zu verewigen.

Der überwiegende Teil der sumerischen Literatur, wie sie modernen Gelehrten bekannt ist, wurde in einer Bibliothek zu Nippur gefunden, einer Stadt, die lange einen besonderen religiösen Status innehatte. Nun stimmen Einzelheiten der Göttergenealogie etc., die in den Tafeln von Nippur enthalten sind, miteinander nicht überein. Es sieht daher so aus, als ob die mündliche Überlieferung lange in den verschiedenen Tempeln des Landes gehütet und schließlich auf einmal gesammelt und aufgeschrieben worden sei. Wenn wir annehmen, daß dies spät, also unter Isin der Fall war, dann war der Grund hierfür vielleicht, daß man die Unterweisung in der sumerischen heiligen Überlieferung erleichtern wollte, zu einer Zeit, da die Kenntnis der gesprochenen Sprache allmählich ausstarb[2].

Zieht man ein früheres Datum vor, so mag man sich vorstellen, daß die Erinnerung an Schäden, die „Gutium, die Viper aus den Bergen", wie eine alte Inschrift die Barbaren im Nordwesten nennt[3], angerichtet hatte, die Priester von Nippur veranlaßte, autoritative Versionen lokaler Traditionen zu sammeln und in eine dauerhafte Form zu bringen. Was auch immer die Motive gewesen sein mögen, jedenfalls war der „Klassizismus", der die Leute von Nippur das sumerische literarische Erbe aufzeichnen ließ, ein Klassizismus, der nicht davor zurückschrak, die altangestammte mündliche Überlieferungsweise zu verwerfen, um sein Ziel zu erreichen.

Ein anderes Beweisstück, das auf Klassizismus in der Zeit der Dritten Dynastie von Ur hindeutet, ist die „Friedenspropaganda" der Könige dieser Dynastie.

[2] Cf. Falkenstein und von Soden, a. a. O. p. 12–13.

[3] Zitiert nach: Henri Frankfort, *Kingship and the Gods*, Chicago 1948, p. 258.

Die Sumerer wußten von einem ursprünglichen goldenen Zeitalter, in dem die Menschen mit der Natur im Frieden waren:

The whole universe, the people in unison
To Enlil in one tongue gave praise[4].

Wenn Herrscher der Dritten Dynastie von Ur nichts über ihre Feldzüge berichten, sondern statt dessen sich selbst in dieser Zeit als fromme Anbetende darstellen und ihre Taten des Friedens, vor allem die Errichtung von Tempeln und die Kanalisationsarbeiten verherrlichen, dann sieht es so aus, als wollten sie ihre Untertanen zurück in das entschwundene goldene Zeitalter der frühen sumerischen Zeit führen. Der Kontrast, den ein Vergleich der königlichen Berichte von Ur mit denen der akkadischen Epoche liefert, kann schwerlich zufällig sein, denn Sargon und seine Nachfolger stellen sich selbst als große Eroberer, im Glanz ihrer militärischn Tapferkeit dar. Die Berichte, die wir von den Herrschern von Ur haben, erinnern mich an die vom Kaiser Augustus in seinen reiferen Tagen ins Leben gerufene Propaganda. Die Ara Pacis, die Res Gestae und das Carmen Saeculare scheinen mir dem zu entsprechen, was von Ur überliefert ist. Und die selbstbewußte Frömmigkeit und bemühte Latinität des betagten Imperators, auch die allgemeine Rolle des „altmodischen Römers“, wie Augustus sie kultivierte, ähneln sehr stark der Haltung, die ich mir bei den Königen von Ur vorstelle.

Wenn aber Augustus die Realität der Gegenwart verfälschte, um seine Stellung im Staat zu maskieren, so scheinen die Herrscher von Ur eine Verfälschung der sumerischen Vergangenheit vorgenommen zu haben, um ihre gegenwärtige Stellung als Hochkönige im ganzen Lande zu legitimieren. Oder – wenn wir der späteren Datierung folgen – es scheint, daß die Könige von Isin ihren Anspruch auf das Hochkönigtum durch eine Verfälschung der wirklichen Vergangenheit zu rechtfertigen suchten. Gleichgültig aber, welcher Datierung wir zu folgen haben, wir wissen jedenfalls sicher, daß eine in tendenziöser Absicht herausgegebene

[4] S. N. Kramer, *Sumerian Mythology,* Frontispiz.

Version der frühen sumerischen Geschichte aus verstreuten Berichten kompiliert wurde, wie sie sich in einigen der Tempel alter sumerischer Städte fanden. Der entstandene Text nahm die Form einer Königsliste an; und seine Kompilatoren setzten schmeichlerisch voraus, daß ehemalige Herrscher einiger Städte Hochkönige von ganz Mesopotamien gewesen seien. Sie gruppierten deren Namen mehr oder weniger willkürlich in eine chronologische Ordnung, rückten so Herrscher, die in Wirklichkeit Zeitgenossen gewesen waren, ganze Jahrhunderte auseinander und dehnten damit den zeitlichen Horizont der sumerischen Kultur aus zu einer zufriedenstellend entlegenen Vergangenheit. Ich glaube, man erkennt gut, inwiefern dieses zurechtgemachte Bild dazu dienen konnte, Kritiker zum Schweigen zu bringen, die aus der wirklichen sumerischen Geschichte die Forderung ableiten mochten, jede Stadt habe sich selbst zu regieren. War das Land immer einem Hochkönig unterworfen, dann war die gegenwärtige Stellung der Könige von Ur (oder die Prätention der Herrscher von Isin) legitimiert, obgleich ihr Hochkönigtum in Wirklichkeit nicht mehr Recht hatte, sich auf die Geschichte zu berufen, als das des Sargon von Akkad, das unglücklicherweise nicht sumerisch und deshalb als Prototyp vielleicht ungeeignet war[5].

Mein Eindruck von der sumerischen Renaissance ist nicht der, daß sie etwa eine Periode der kulturellen Regression oder steriler Stabilisierung in alten Formen gewesen sei. Im Gegenteil, es war eine Zeit, da Mesopotamien blühte und – besonders unter der Dritten Dynastie von Ur – seinen Einfluß bis weit ins Hinterland hinein, bis nach Kleinasien, zu erstrecken vermochte.

Die Könige von Ur bauten prächtigere Tempel als jemals zuvor und entwickelten erstmals den reifen Zigurrat-Stil, der später die Norm für die religiöse Architektur Babylons bilden sollte. Es ist auch möglich, daß sie ältere Methoden der Verwaltung und der bürokratischen Organisation wesentlich verbesserten.

[5] Diese Bemerkungen über die Königsliste beruhen auf Thorkild Jacobsen, *The Sumerian King List,* mit einigen Berichtigungen im Sinne der von F. R. Kraus a. a. O. aufgeworfenen Fragen.

Wir können daher, wenn die bruchstückhaften Beispiele, auf denen ich aufbaue, gut gewählt sind, in der sumerischen Renaissance einen Klassizismus erblicken, der vor allem dazu dient, ein unsicheres Hochkönigtum zu stabilisieren (oder wiederherzustellen).

Die Königsliste, die „Friedenspropaganda" der Dritten Dynastie, und auch die Sammlung der literarischen Überlieferung Sumers in einer zentralen Bibliothek, all das diente vermutlich der Sache der Zentralisation und erleichterte es den Königen von Ur und von Isin, Unterstützung für sich als für die Verteidiger der alten sumerischen Kultur zu fordern. Das ist Klassizismus einer dynamischen Art, Klassizismus als Mittel sozialer Konsolidierung und Veränderung.

Ein ganz anderes Bild bietet die zweite Epoche des Klassizismus in Mesopotamien. In den Jahrhunderten nach Hammurabi, als Mesopotamien politisch wieder geteilt und auf die Ebene einer von mächtigeren Randstaaten umstrittenen Einflußsphäre abgesunken war, fand statt, was man eine Kodifikation der geistigen Kultur Babylons nennen könnte. Ein beschränkter Bestand religiöser und anderer Literatur gelangte zu etwas wie einem kanonischen Status, während andere Teile des literarischen Erbes verloren gegeben wurden. Zwei Mächte scheinen in erster Linie für die Entwicklung verantwortlich gewesen zu sein. Die eine war das Priestertum, vor allem das des Marduk von Babylon. Die zweite waren die Gilden der Schreiber und Lehrer, die aufeinanderfolgende Generationen in der Kunst des Schreibens und in den Überlieferungen der geistigen Kultur Mesopotamiens erzogen. Lassen Sie mich über die Arbeit jeder dieser beiden Gruppen einige Worte sagen.

In assyrischen Zeiten und vielleicht schon einige Jahrhunderte vorher hatten die Priester des Marduk ein festes Jahreszeremoniell ausgearbeitet und Sammlungen von geeigneten Hymnen, Gebeten, Gesängen usw. für den gottesdienstlichen Gebrauch angelegt. Das Schöpfungsepos zum Beispiel, nach seinen Anfangsworten bekannt als „Enuma elish", wurde im Tempel des Marduk, und vielleicht in allen anderen Tempeln des späten Babylonien am Neujahrstage rezitiert. Als diese Version älterer Mythen vollendet war (vermutlich zwischen 1500 und 1300 v. Chr.), ließ man andere Mythenzyklen in Vergessenheit geraten. Bei dem Verlust von so vielem aus der älteren Literatur mögen Schwierigkeiten der Lektüre alter Texte eine Rolle gespielt haben, aber noch ein anderer Faktor scheint mit am Werk gewesen zu sein: alte Texte scheinen nämlich gereinigt oder unterdrückt worden zu sein, wenn sie Vorstellungen zum Ausdruck brachten, die mit der entstehenden Orthodoxie Babylons nicht im Einklang standen. So wurden z. B. sumerische Hymnen, die sich auf die Könige als auf Götter bezogen, vom Kanon gestrichen, sehr wahrscheinlich deshalb, weil es nun ein Sakrileg schien, in solcher Weise von bloßen Menschen zu sprechen. Entsprechend wurden die sehr zahlreichen Götter, die sumerische Texte nennen, auf ein vergleichweise sehr begrenztes Pantheon eingeschränkt, in der Regel so, daß aus ursprünglich selbständigen Gottheiten Epitheta oder Attribute einiger wichtigerer Götter gemacht wurden.

Während eben dieser Jahrhunderte, zwischen etwa 1500 und 1300 v. Chr., scheinen Schulmeister, Wahrsager, Ärzte und Schreiber eine ähnliche Umwandlung des mehr säkular-literarischen und -geistigen Erbes aus der Zeit des Hammurabi bewirkt zu haben. Schulen entwickelten einen mehr oder weniger festgelegten Lehrplan, der sowohl die sumerische wie die akkadische Keilschrift, Musik und Mathematik umfaßte; und diese Fertigkeiten wurden weitgehend durch Abschrift von einem ziemlich gleichförmigen Bestand klassischer Literatur erworben. Sorgfältig ausgearbeitete sumero-akkadische Wörter- und Phrasenbücher wurden auf mehr oder weniger systematischer Basis kompiliert, sodaß sie den Stand von Enzyklopädien des Wissens erreichten. Diese waren vermutlich zum Gebrauch der berufsmäßigen Schreiber bestimmt. Speziellere Nachschlagewerke und Grundrisse der überlieferten Lehre wurden auch für Wahrsager und Ärzte angefertigt. Das Endergebnis scheint die Reduzierung der geistigen Kultur Babylons auf den Zuschnitt und die engen Grenzen von Schultexten und Berufshandbüchern gewesen zu sein. Der Erwerb dieser Bildung erforderte lange Jahre der Übung, und ihre Geheimnisse wurden von den Berufsverbänden eifersüchtig gehütet. Das Herz- und Kernstück der Tradition war eine Einführung in die Verworrenheiten einer alten, nur halb verstandenen sumerischen und die Beherrschung der immer mehr archaischen akkadischen Literatur-Sprache geworden. Das Endergebnis war eine hochartifizielle literarische und gelehrte Kultur, die entschlossen in die Zeit des Hammurabi und über diese Zeit hinaus auf die frühen Sumerer zurückblickte.

Die Geisteshaltung dieser späten babylonischen Kultur läßt sich an der Prahlerei des Königs Assurbanipal (668–626 v. Chr.) vielleicht erfassen:

> Nabu, der Schreiber von Allem, hat mir die Er-
> lernung seines Wissens zum Geschenk gemacht ...,
> die Wahrzeichen von Himmel und Erde kenne ich,
> habe darüber in der Versammlung der Meister diskutiert ...,
> ich löse komplizierteste Multiplikations- und Di-
> visions-Aufgaben, die sich nicht durchschauen lassen,
> ich lese die kunstvollen Tafeln in Sumerisch, das
> verdeckte Akkadisch, das schwer zu meistern,
> ich verstehe den Wortlaut von Steininschriften von
> vor der Sintflut, die völlig rätselhaft ...,
> aller Meister hohen Beruf verstehe ich[6].

Welch ein Unterschied zu dem Klassizismus der sumerischen Renaissance! Jetzt zählt jeder i-Tüpfel obskurer alter Texte. Das Bemühen scheint gewesen zu sein, die lange zuvor erreichten Weisheiten und Kenntnisse festzuhalten, nicht dagegen, in der lebendigen Gegenwart in irgendetwas über sie hinauszukommen.

[6] Zitiert nach Adam Falkenstein, „Die babylonische Schule“, *Saeculum IV* (1953) 126.

Wie seltsam wirkt es, einen der mächtigen Könige Assyriens in der Sprache eines babylonischen Wissenschaftlers reden zu hören! Assurbanipal war sicher gebildeter als seine Vorgänger auf dem assyrischen Thron, aber auch diese stellten eine tiefe Verehrung für das verknöcherte Gebilde babylonischer Gelehrsamkeit zur Schau und pflegten ganz besonders die Kunst der Zeichendeutung und Wahrsagerei. Die großen Eroberer, die den Nahen Osten von einem Ende bis zum anderen mit Blut und Feuer erfüllten, wobei sie selbst Babylon nicht schonten, und die sich als bemerkenswert entschlossene und erfolgreiche Neuerer auf militärischem Gebiet erwiesen, scheinen gleichzeitig Tabus und Ritualen unterworfen gewesen zu sein, die ihnen in Übereinstimmung mit der alten babylonischen Lehre auferlegt wurden. Ein Beispiel:

> Dem König, unserem Herrn, Deine Diener Balasi und Nabu-ahe-erba:
> Wir grüßen den König, unseren Herrn. Mögen Nabu und Marduk unseren Herrn segnen.
> Der König, unser Herr, ist gnädig. Ein Tag ist vergangen, seit der König zu fasten begann und keinen Bissen aß. „Bis wann?" ist seine Frage. Heute sollte der König keine Speise zu sich nehmen, der König ist ein Bettler... Der König sagt: „Erlöst mich. Habe ich nicht lange genug gewartet? Es ist Anfang des Monats. Ich möchte Nahrung zu mir nehmen, ich möchte Wein trinken ..." Später, ganzes Jahr lang, darf der König Nahrung verlangen. Wir haben die Sache überdacht, und wir haben verordnet. Wir haben dem König entsprechend geschrieben[7].

Dennoch gab es zur selben Zeit andere Seiten der assyrischen Kultur, die eine starke Unabhängigkeit von babylonischen Modellen aufwiesen. Das wird deutlich, wenn man sich an die wunderbaren Wandreliefs assyrischer Paläste erinnert oder wenn

[7] Henri Frankfort, *Kingship and the Gods*, p. 234. Um welchen assyrischen König es sich handelt, läßt sich nicht feststellen.

man an die großartige Architektur der Paläste und Städte denkt, die für assyrische Könige erbaut wurden. Eine ähnliche Unabhängigkeit verraten die königlichen Annalen, eine Literaturgattung, die keine babylonische Parallele kennt. Hier waren ohne Zweifel Einflüsse anderer Kulturen am Werk, der Hethiter, der Hurri und anderer. Zum mindesten aber in den Skulpturen erreichten die Assyrer ihren eigenen besonderen Stil und Erfolg.
Eine tiefere Erkundung der kulturellen und psychologischen Beziehungen zwischen Assur und Babylon, gegen den Hintergrund der politischen und wirtschaftlichen Beziehungen zwischen beiden Völkern betrachtet, würde eine faszinierende Aufgabe sein. Ich habe dafür keine Zeit mehr, auch reichen dazu meine Kenntnisse nicht aus. Immerhin möchte ich erwähnen, daß die politischen Beziehungen alles andere als glatt waren. Es scheint, als ob die militärische Überlegenheit Assurs zusammen mit seiner geistigen Abhängigkeit von Babylon ein schwieriges und eigenartig erbittertes Verhältnis auf beiden Seiten hervorrief.
Nun ist es höchste Zeit, daß ich zu Ägypten komme. Im Vergleich zu Mesopotamien war die lange Geschichte Ägyptens von Ebbe und Flut fremder Eroberung nahezu unberührt. Infolgedessen sah Ägypten kein solches Gemisch von Völkern und Kulturen, wie wir es in der Euphrat-Tigris-Ebene seit der frühesten Zeit antreffen. Für einige Jahrhunderte in der zweiten Hälfte des zweiten vorchristlichen Jahrtausends ließ Ägypten sich offenbar auf eine Großreichspolitik (imperial career) in Asien ein und kam dabei in enge Berührung mit Völkern anderer Kulturen. Als sie das taten, sahen sich die Ägypter alsbald mannigfachen Problemen gegenüber. Ein Gottkönig mochte zum Beispiel in Ägypten kraft unvordenklichen Herkommens in der Ordnung sein, aber in Syrien mußte die Rolle des Pharao eine andere sein, da die religiösen Vorstellungen Ägyptens in diesem fremden Boden nicht tief genug Wurzel gefaßt hatten. Probleme wie dieses waren in Mesopotamien schon zur Zeit des Hammurabi alt. Ägypten aber war niemals imstande, innerhalb seiner Grenzen etwas ähnliches wie die Große Gesellschaft von Mesopota-

mien zu schaffen. Statt dessen beherbergte das Niltal bis in römische Zeiten hinein ein seltsames Volk. Die Ägypter waren nicht fähig, oder nicht gewillt, zu anderen Völkern in lebhafte kulturelle Beziehungen zu treten, außer zu rohen Barbarenvölkern, die – wie die Äthiopier oder die frühen Griechen – bereit waren, Brosamen von der ägyptischen Tafel anzunehmen, ohne dafür zu der ägyptischen Kultur etwas beizutragen.

Unter einem Gesichtspunkt kann fast die gesamte Spanne der kulturellen Entwicklung nach der Ausbildung eines besonderen Stiles ägyptischer Kultur im Alten Reich als „Klassizismus" angesprochen werden. Sicher, die Modelle aus dem alten Reich wurden niemals vergessen, und in einigen Perioden lastete das Bemühen, sie zu imitieren, schwer auf ägyptischen Künstlern und Denkern. Und doch führte die ägyptische Kultur innerhalb ihrer eigenen beschränkten Verhältnisse ein hinlänglich lebhaftes und buntes Leben, indem sie den Schwerpunkt ihrer kulturellen Interessen innerhalb der engen Grenzen des ägyptischen Stiles von Generation zu Generation verlagerte[8].

Die ägyptischen Kunstdenkmäler sind hier die weitaus besten und am leichtesten zugänglichen Führer für uns. Vom Alten Reich bis in römische Zeiten tragen sie ein unmißverständliches und eigenartiges Gepräge, das selbst dem ungeschulten Auge erkennbar ist. Es gehört ein Fachmann dazu, um die bedeutenden und zahlreichen Wandlungen wahrzunehmen, die sich in dem vollzogen, was dem gelegentlichen Betrachter als ein einziges fast unwandelbares Ganzes erscheint.

Die große Ausnahme zu dem bisher Gesagten bildet die Amarna-Periode, in der neue Kunststile und neue literarische und geistige Richtungen sehr plötzlich im Zusammenhang mit der religiösen Revolution auftraten, die der Pharao Echnaton versuchte. Der Universalismus und das beinahe Monotheistische des Aton-Kultes scheint die Unruhen einer entstehenden kosmopolitischen

[8] Cf. Joachim Spiegel, „Die Phasen der ägyptischen Geistesgeschichte", *Saeculum I* (1950) 1–72.

Weltanschauung widerzuspiegeln, einer Weltanschauung, die in Ägypten vielleicht Fuß fassen konnte, weil es während der Zeit seiner Großmachtposition fremden Kulturen ausgesetzt war. Doch hatte die Revolution des Echnaton auch noch eine andere Seite. Der königliche Revolutionär versuchte, jene Doktrin aus dem Alten Reich wieder zu beleben, nach der persönliche Unsterblichkeit von der Zugehörigkeit zur Dienerschaft des Pharao abhing. Er mag seine Reform auch angesehen haben als eine Rückkehr zu den reinen, angestammten Lehren der Heliopolitanischen Sonnenverehrung. Diese Seiten der Aton-Religion gleichen sie an den revolutionären Typ des Klassizismus an, der eine junge Vergangenheit im Namen einer entfernteren heftig ablehnt.
Das Ende war natürlich ein Mißlingen. Ägypten lehnte Aton ab, und mit fast ebensolcher Heftigkeit scheinen die Nachfolger Echnatons versucht zu haben, die von dem häretischen König so roh bekämpften Überlieferungen wiederherzustellen. Das war ein anderer Klassizismus, Klassizismus von der einschränkenden Art, der jede Neuerung als eine Gefährdung alles Guten betrachtete und fremden Einfluß systematisch ausschaltete.
In der Folge nahm die ägyptische Kultur – innerhalb der Fesseln, die ihr durch die Vorherrschaft einer solchen, allem Fremden abholden und rückwärts orientierten Geisteshaltung auferlegt waren – ihren alten Gang offenbar wieder auf. In der Zeit der Ramessiden scheint Ägypten nahe daran gewesen zu sein, ein zweites Mal in das kulturelle Fahrwasser West-Asiens zu geraten. Es kam aber nicht so, und die Ägypter zogen sich wieder hinter das Bollwerk ihrer gewohnten nationalen Kultur zurück und blieben dort.
Ich kann mich des Gefühls nicht erwehren, daß da in der kulturellen Entwicklung Ägyptens ein großes und zentrales Versagen ist! In Mesopotamien sahen wir zwei große und fruchtbare Epochen kulturellen Fortschritts: die erste sumerisch, die spätere akkadisch. In Ägypten nur eine: die erstaunliche, ja alles in allem aufsehenerregende Leistung des Alten Reiches. Die Völkermischung und wechselseitige Befruchtung der Kulturen, die zu

den Errungenschaften der Zeit des Hammurabi führte, gelangte spät und in verwässerter Form nach Ägypten. Sie rief hier zunächst die heftige revolutionäre Geisteshaltung des Aton-Kultes hervor, und dann die heftige Gegenrevolution, mit der die Amarna-Epoche abschließt. Die Erinnerung an diese Erschütterungen führte spätere Generationen der Ägypter dazu, sich in ihre gewohnte kulturelle Welt zurückzuziehen und ihre Augen so weit als möglich vor allem, was sonst in der Welt geschah, zu verschließen.

Zufällig bietet die Geschichte Rußlands und Japans einige interessante Parallelen zu der Entwicklung in Ägypten. Alle drei Völker lagen in gewissem Sinne am Rande eines kulturellen Hauptstromes und waren gezwungen, sporadische und heftige Anstrengungen zu machen, um die größere Welt außerhalb von ihnen entweder auszuschließen, oder mit ihr Schritt zu halten. Diese Ähnlichkeiten aufzuzeigen, würde hier aber zu weit führen.

Lassen Sie mich abschließend nur soviel sagen, daß die Ägypter niemals lernten, was die Mesopotamier schon zur Zeit des Hammurabi mehr oder weniger gut verstanden: nämlich in einer Welt vieler verschiedener Völker zu leben und sich in ihr heimisch zu fühlen. Die Kultur Mesopotamiens zeigt gewiß manche Schwächen. In den Tagen ihres politischen Unglücks verwandelten die Babylonier ihr geistiges Erbe in einen Schildkrötenpanzer, der ferneres Wachstum verhinderte. Dennoch scheint mir, daß das in Mesopotamien Erreichte, so weit es ging, im Hauptstrom der menschlichen Geschichte liegt, und daß es eine Zwischenstufe schafft zu den höheren Religionen, den direkten Vorläufer der späteren klassischen Zeiten bildend und damit den Ahnen der Größeren Gesellschaft der modernen Zeit.

Zu Beginn der Diskussion kommt der Vortragende dem Wunsche nach, die Parallele zwischen Ägypten, Japan und Rußland weiter auszuführen, und skizziert die ambivalente Haltung, die hier wie dort hinsichtlich einer Kulturübernahme eingenommen wird. In Japan stehen der Wille, chinesisches Kulturgut anzueignen, und das Bestreben, sich gegen China abzuschließen, einander gegenüber; in der gleichen Weise reagierte Rußland auf byzantinische Einflüsse; die völlige Abkapselung begann erst nach der Eroberung Konstantinopels durch die Türken und währte bis zur Zeit Peters des Großen (1682–1725), der das Land westlichen Einflüssen öffnete. Im Augenblick finden wir dort die Tendenz, sich technisch dem Westen anzugleichen, sich geistig aber völlig abzukapseln. Solche Erscheinungen sind typisch für Völker am Rande eines großen historischen Stromes. Nach der Hyksoszeit herrscht in Ägypten die gleiche Einstellung vor.

Es fragt sich nun, ob man den Begriff Klassizismus so weit fassen darf, daß Akkulturationserscheinungen unter ihn fallen; wenn die Randvölker die babylonische Kultur assimilieren, sollte man tunlichst von Akkulturation sprechen, selbst wenn der Vorgang, was der Vortragende befürwortet, unter heterogenetischen Klassizismus notfalls rubriziert werden könnte. Da es bei Kulturübernahme nicht zuletzt auf den Geist ankommt, in dem sie vollzogen wird, scheint es sich auch in Japan nicht um klassizistische Nachahmung Chinas gehandelt zu haben: einmal, weil vorwiegend Elemente übernommen wurden, die nur als Mittel innerhalb eines gegebenen kulturellen Zusammenhanges figurierten, ohne die Selbständigkeit japanischer Geisteshaltung zu berühren, zum andern, weil dort nicht nur Neigung und Abneigung gegen solche Übernahmen immer nebeneinander bestanden haben, sondern zusätzlich geographische Unterschiede zu berücksichtigen sind: Kyoto orientiert sich mehr an China, Tokyo tendiert zur japanischen Tradition (Eberhard).

Da der Vortragende den Hethitern eine den Japanern vergleichbare selbständige Geisteshaltung nicht zubilligen will, weil sie sich offensichtlich bemühten, in Literatur und bildender Kunst den Mesopotamiern so ähnlich wie möglich zu werden, wiederholt Herr von Grunebaum seine Definition: Akkulturation fällt dann unter den von ihm gemeinten Klassizismus, wenn das Gefühl vorherrscht, das Fremde könne als Eigenes adaptiert werden, und wenn die Existenz des Fremden eine Verpflichtung zur Nachahmung einschließt. Er nennt als Beispiel das Verhältnis der Sprachbildner der Renaissance zu Cicero und erwägt, ob sich das Verhältnis Bogazköys zu Mesopotamien mit dem vergleichen ließe, in dem der spanische oder kleinere deutsche Höfe zum französischen Hofe Ludwigs XIV. standen. Was die Spanier taten, war immer noch sehr spanisch, und selbstverständlich lassen sich die deutschen Verhältnisse gut gegen die französischen abheben. Aber man will doch so sein, wie man soll, und das ist eben französisch.

Er schlägt vor, die strittigen Fragen bezüglich des Gültigkeitsbereiches von „Klassizismus" noch einmal aufzugreifen, und zwar unter Berücksichtigung der Thesen von Erich Rothacker[9], der gefordert hat, man müßte bei der Betrachtung jedweder geistesgeschichtlichen Entwicklung auf dreierlei achten: auf Problem-, Traditions- und Lebenszusammenhang. Für unser Spezialproblem ließe sich dann sagen: in den von Herrn McNeill besprochenen beiden Perioden wird ein bis zu einem gewissen Grade realer Zusammenhang mit der vorbildhaften Epoche empfunden. Man fingiert einen Traditionszusammenhang. Was aber nicht besteht, ist ein Lebenszusammenhang. Rothacker hat nun ein Element, das wesentlich scheint, nicht berücksichtigt: das Gefühl, daß die Modellzeit verbindlich und zur Nachahmung verpflichtend ist.

Wenn man die Rothackerschen Thesen auf Herrn McNeills Behauptung von der beständigen Aufwärtsentwicklung Europas

[9] Handbuch der Philosophie IV; F. Geschichtsphilosophie (München und Berlin 1934), p. 9 f.

anwendet, läßt sich vielleicht eine gewisse Einigung auf Grund der dort vorgenommenen Differenzierung erzielen. Der Traditionszusammenhang wurde zweifellos häufig unterbrochen. Ist der Lebenszusammenhang immer gegeben? Etwa zwischen dem Kaisertum der Hohenstaufen und dem Reich der Elisabeth von England? Es fragt sich also, ob es sich bei der behaupteten Konstanz um Traditions-, Problem- und Lebenszusammenhang handelt.

Der Vortragende verficht den Traditionszusammenhang, wenngleich in einem recht weiten Sinne; das europäische Weltbild hat sich seiner Ansicht nach seit 900 immer in bestimmten gleichen Grenzen gehalten; dazu gehören: der Primat des Staates, die Einheit der sozialen Organisation, technische Bemeisterung der Umwelt und schließlich allgemein die Rationalität als Instrument, mit dessen Hilfe praktische Probleme bewältigt werden. Es ließen sich noch weitere Elemente anführen, beispielsweise der die Realität darstellende Charakter der Kunst.

Dem geäußerten Zweifel an der Einheit und Kontinuierlichkeit der mesopotamischen Kultur vermag der Vortragende nicht beizupflichten; er mißt der Einheitlichkeit mehr Gewicht bei als den Veränderungen, die Akkadern und Amoritern zuzuschreiben sind. Die Verfechter der Unterschiedlichkeit innerhalb der mesopotamischen Kultur stützen sich auf die bildende Kunst, deren Beurteilung aber erschwert wird, weil uns dank der geringen Haltbarkeit der sumerischen Lehmziegel nur verschwindend wenige Zeugnisse zur Verfügung stehen, während die literarische Tradition bemerkenswert gleichförmig bleibt.

Daß eine derartige Einheitlichkeit zustande kam, hat das Königtum ermöglicht, die Tendenz zur Zentralverwaltung, das entwickelte Recht und, seit der Zeit des Hammurabi, die Propagierung des Mardukkultes, bei der aber Unduldsamkeit gegen Lokalgötter vermieden wurde.

Nach der Rechtsprechung gefragt, sowie nach Details des öffentlichen Rechts, das unter den die Einheit fördernden Institutionen aufgeführt wurde (Volhard), gibt der Vortragende an, der Codex

Hammurabi enthalte zahlreiche Verwaltungsbestimmungen. Wie weit man sich in den Gerichtshöfen an die Bestimmungen der Codices gehalten habe – es gab deren ähnliche vor Hammurabi, später erließ fast jeder König eigene Gesetze –, wisse man allerdings nicht. In den Gerichtsakten finden sich jedenfalls oft Urteile, die von dem Gesetz Hammurabis abweichen. Im großen und ganzen lassen sich die Verhältnisse mit denen des römischen Reiches vergleichen: in der Provinz hat neben kaiserlichen Edikten empirisch gewordenes, aus Beamtenrechtsprechung erwachsenes Recht Gültigkeit.

Einwände gegen die Bevorzugung der Mesopotamier erheben sich, und der Vortragende erklärt sich bereit, von der Verwendung des gerügten (Rahn) Wortes „Versagen" bezüglich der Ägypter Abstand zu nehmen. Wenn man die den Ägyptern eigene Abneigung gegen Assimilierung mit griechischen Augen betrachtet, so könnte man sagen: die Ägypter fanden bereits im Alten Reich ihr *telos*, und der geographische Raum mit den regelmäßigen Nilschwellen garantierte ihnen ihre zeitlose Lebensform in der Folgezeit. Die Frage, ob man solches telos als klassische oder als klassizistische Form bezeichnen solle (Rahn), wird dahingehend entschieden, daß dieses telos von den Zeitgenossen nicht artikuliert, sondern eben gelebt werde. Erst wenn eine nachfolgende Zeit diese Epoche als einzig lebenswert und verbindlich empfindet, setzt der Klassizismus ein (von Grunebaum).

Die bereits in der zweiten Diskussion kurz berührte Beurteilung kultureller Zustände durch Zeitgenossen wird nochmals aufgegriffen. Klassizismus kann einzig bei Nachfahren auftreten, und die treffen dann ihre Auswahl unter den Modellen, die naturgemäß im Laufe der Geschichte zahlreicher werden: je später die Zeit, desto größer die Auswahl an potentiell klassischen Perioden. Warum manches Modell nie zum Vorbild erkoren wird – etwa die Zeit von Augustus bis Marc Aurel, die in unseren Augen einen Höhepunkt darstellte –, ist nicht leicht zu erklären. Weitaus schwerer noch läßt sich der Grund angeben, warum eine Epoche sich als vorbildlich empfindet (von Grunebaum). Bei den

Griechen werden gewisse Begründungen ausgesprochen, wenn sie auch nicht gerade auf eine bestimmte Epoche beschränkt sind, z. B. die dem Aristoteles und auch Platon zugeschriebene Antwort auf die Frage, warum er glücklich sei: „Weil ich Grieche bin und kein Barbar, weil ich Mann bin und keine Frau, und weil ich Mensch und kein Tier bin.“ Daß diese Antwort als verbindlich akzeptiert worden ist, ersieht man aus der Tatsache, daß selbst noch in der Kaiserzeit jeder Grieche das Bekenntnis des Aristoteles abgelegt hätte (Rahn). Was man vor allem als das Auszeichnende am „Grieche-Sein“ erachtete, wird mitunter aus der Literatur ersichtlich: die Bemühungen um die Wissenschaft etwa werden gepriesen (von Grunebaum), ja, laut einem Fragment[10] des Demokrit (geb. zw. 470 und 457 v. Chr.), war es diesem lieber, eine einzige aitologia festgestellt zu haben, als der Perser König zu sein (Rahn).

[10] Diels B 118; Bd. 2, p. 116.

Wolfgang Preiser

KLASSIZISTISCHE ERSCHEINUNGEN IN DER ÄGYPTISCHEN KULTUR

(Zusammenfassung des Referats)

Der Vortragende hebt einleitend die Bedeutung gerade des ägyptischen Beispiels für das Problem des Klassizismus hervor (das Wort „Klassizismus“ in seinem weiten, der Arbeit des Seminars zugrunde gelegten Inhalt genommen). Sie beruht in erster Linie auf dem, was man die geographische, politische und vor allem auch geistige „Isolation“ des Niltals und seiner Bevölkerung nennen könnte. Daß diese Isolation freilich nur eine relative ist, daß wir – bei aller gewaltigen Konstanz der uns als eigentlich „ägyptisch“ erscheinenden Kulturfaktoren – offenbar von Anfang an (und immer wieder im Laufe der Entwicklung) mit starken Beeinflussungen von außen zu rechnen haben, ist der Forschung im Laufe der letzten Jahre und Jahrzehnte immer deutlicher geworden. Immerhin, die Macht einer trotz alledem außerordentlichen, weithin ungebrochenen Tradition tritt uns hier stärker als irgendwo sonst entgegen. Wo dürften wir also eher hoffen, Erscheinungen „klassizistischer“ Art in größerer Anzahl und zugleich in vergleichsweiser Reinheit anzutreffen, als auf dem Gebiet der altägyptischen Kultur?

Der Vortragende gibt sodann einen Überblick über die geographischen Voraussetzungen und über die kulturelle Entwicklung des alten Ägypten, dessen Wiederholung hier deshalb unterbleiben kann, weil der Leser ihn sich aus jeder wissenschaftlich zuverlässigen neueren Darstellung selbst zu verschaffen vermag: etwa aus *E. Drioton/J. Vandier,* L'Egypte (Les peuples de l'Orient Méditerranéen II), 3. Aufl. 1952 (1. Aufl. 1938), *John A. Wilson,* The Culture of ancient Egypt, 1956 (in 1. Aufl., 1951, unter dem Titel The Burden of Egypt erschienen), *Eberh. Otto,* Ägypten. Der Weg des Pharaonenreiches, 1953.

Archaisierende Erscheinungen bis zur Spätzeit

(d. h. bis spätestens zum Beginn der Herrschaft der sogenannten „äthiopischen Könige" um 715 vor Chr.).

Unter „archaisierende Erscheinungen" wird hier natürlich nicht begriffen das „ritornar verso il principio" Machiavelli's, das für jede Kultur selbstverständlich ist, sondern nur *bewußt restaurative, konservative oder „altertümelnde" Erscheinungen.*

Bereits im Mittleren Reich (etwa 2050–1700) gibt es eine, freilich nicht allzulange Restaurationsbewegung unter Sesostris I. im 20. Jahrhundert (Sesostris-Statuen von Lischt, Pyramidenbauten der 12. Dynastie), die aber nach Spiegel (Das Werden der altägyptischen Hochkultur, 1953, S. 588) nur eine „natürliche, vorübergehende Reaktion" ist, „die das überschnelle Tempo der Entwicklung zeitweise zu mäßigen sucht, um neue Festigkeit zu gewinnen", tatsächlich auch, bei aller anfänglichen Anknüpfung an die ererbten Formen, im Ergebnis etwas völlig Neues entstehen läßt.

Dagegen zeigen sich *deutliche Spuren eines nach rückwärts gerichteten Blicks* schon im Neuen Reich (ab etwa 1580 v. Chr.).

Spätestens unter der 18. Dynastie (15./14. Jahrhundert) beginnt man, Pyramiden, Tempel, Gräber früherer Generationen nicht aus kultischen Gründen, sondern wegen des historischen (auch ästhetischen?) Interesses, das sie einflößen, aufzusuchen; hier begegnen die ersten uns erhaltenen „Besucher-Inschriften" der Geschichte. „Zur Stufenpyramide von Sakkara machten die Lehrer mit ihren Schülern regelrechte Schulausflüge" (Wolff, Welt der Ägypter, S. 142).

Diese Erscheinung könnte immerhin noch als die Suche nach etwas „Anderem“ schlechthin aufgefaßt werden, wobei es verhältnismäßig gleichgültig war, von welcher Beschaffenheit dieses Andere war und ob es für die damalige Gegenwart in irgendeiner Beziehung vorbildlich erschien, wenn es sich nur von dieser Gegenwart unterschied und möglichst weit zurücklag!

Eine solche (schon zur Erklärung der Besucher-Inschriften kaum zulängliche) Deutung verbietet sich jedoch von vornherein bei den im 13. Jahrhundert in der Ramses-Stadt (Tanis-Auaris) an der Ostgrenze des Deltas aufgestellten Königsstatuen und -sphinxen der 12. (und teilweise auch der 13.) Dynastie (Amenemhets I., Sesostris' I., Amenemhets III. aus der 12., Sebekhoteps III. aus der 13. Dynastie), die in der Ramessidenzeit *„usurpiert“* worden sind (durch Ramses II., Merenptah u. a.): das ist ganz gewiß mehr als die auch früher schon vorkommenden „verfehlten“ Usurpationen, ebensowenig auch (allein) aus der Steinarmut des östlichen Deltas zu erklären, vielmehr das *Bekenntnis zu einer bestimmten Phase der eigenen Geschichte:* „die Ramessidenzeit bekennt sich damit zu einem bestimmten *Königsideal der Vergangenheit*, will die Kräfte und Mächtigkeit, die es in ihm verkörpert sah, für sich selbst richtunggebend in Anspruch nehmen“ (Eberh. Otto, S. 198/9).

Im Gegensatz zur Ramessidenzeit der 19. und 20. Dynastie, die bei allen Übersteigerungen, bei allem tönenden, nicht selten etwas hohlen Pathos, bei aller Qualitätseinbuße (Königsstatuen in Abu Simbel im nördlichen Sudan) doch noch etwas Imponierendes und – bis hinein in die eben erwähnten gewalttätigen „Usurpationen“ – in ihrer Art Schöpferisches, ja, einen uns als ausgesprochen *modern* anmutenden weltoffenen Charakter besessen hatte, stellt sich die den „Übergang zur Spätzeit“ bezeichnende Spanne von 1085–715 (und zwar ganz besonders der erste Teil dieser Periode, die „Tanis-Theben-Zeit“ von 1085–950) als eine Zeit des Niedergangs auf allen Gebieten dar. Die politisch-militärisch-wirtschaftliche Situation charakterisiert vortrefflich der oft abgedruckte Reisebericht des Wenamon von Theben, der um

1080 ausfährt, um aus Byblos Holz für die Prozessionsbarke des Amun zu holen. Künstlerisch beschränkt sich die Epoche auf wenige Statuentypen (darunter den Würfelhocker) - „ein wesentliches Kriterium für die Kunstgesinnung der Spätzeit, die kühl und streng ihre Typen wählte und beibehielt, ohne Sinn für die üppige Vielgestalt der Kunst des Neuen Reiches zu haben" (Scharff, Ägypten, Handbuch der Archäologie, S. 608).
Die Usurpation oder „Annektierung" (Scharff a. a. O.) von Statuen des Mittleren Reiches setzt sich fort. Daneben begegnet eine, im ganzen kümmerliche, Wiederverwendung „antiker" Baustücke – übrigens offenbar nicht einmal immer aus einer einheitlichen archaistischen Gesinnung: der Sargdeckel des unterägyptischen Königs Amenemope (gegen 1000 v. Chr.) stammt aus dem Alten Reich!
Weitere Anzeichen für „Epigonentum" (Eberh. Otto S. 213) namentlich der 21. Dynastie:
Restaurationsarbeiten in Theben, Fürsorge für die königlichen Mumien und, auf dem Gebiete der Namengebung: Wiederaufnahme von Königsnamen der 18. Dynastie; schließlich die für die Gesamtkultur vielleicht wichtigste Erscheinung der Übergangszeit: die Errichtung des „Gottesstaates" des Amun von Theben – offensichtlich eine bewußte Reaktion gegen die unterägyptische „Moderne", wie sie unter den Ramessiden eingedrungen war, ein Zeichen der unverändert starken traditionalistischen, auf Konservierung gerichteten Kräfte und wohl auch eines *„beginnenden Archaismus"* (Eberh. Otto S. 215).
Hierher gehören ferner die Bestrebungen, sich auch abstammungsmäßig an die früheren Glanzepochen anzuschließen. Aus dieser Periode sind Ahnentafeln des Priesterstandes erhalten, die ins Mittlere, ja ins Alte Reich zurückführen.

„Klassizismus" der sogenannten Spätzeit (715–332)

Eine Vorbemerkung zur Terminologie: Der überkommene und übliche Terminus „Spätzeit" rechtfertigt sich daraus, daß das Mutterland nunmehr durch die kulturellen „Randvölker" beherrscht wird – eine Erscheinung, die schon um 950 begonnen hatte, sich aber mit der 25. („äthiopischen“) Dynastie (715–663) verstärkt fortsetzt –, was das (mindestens politisch) müde gewordene „Zentrum“ sich durchaus gefallen läßt.

Schon in der relativ kurzen „Äthiopenzeit“ findet eine ausgesprochene „Restauration“ statt:

Die Hauptstadt der Äthiopenkönige bleibt Nápata; der „thebanische Gottesstaat“ aber wird fortgesetzt, indem in Theben von nun an eine (sich durch Adoption fortpflanzende) Reihe von „Gottesgemahlinnen“ regiert (die Gottesgemahlin ist ein zu Beginn der 18. Dynastie gestiftetes, bis dahin bedeutungslos gewesenes Prinzessinnenamt, das nun aufgegriffen und zu wirklicher Bedeutung erhoben wird).

In der Kunst zeigt namentlich die Plastik ausgesprochen „archaisierende“ Züge (Scharff S. 614 f.). Beispiel: die Statue des Taharka, nur mit dem Königsschurz bekleidet, technisch hervorragend, an den Rückenpfeiler gelehnt, in der üblichen Schrittstellung. „Fast könnte man an eine Statue des Alten Reiches denken, so schlicht ist alles“ (Scharff a. a. O.). Gleichwohl liegt hierin nicht, wie man es gelegentlich hat formulieren wollen, eine „Renaissance“ im eigentlichen Sinne des Wortes: „es handelt sich nicht um eine ‚Wiedergeburt‘ zu neuem wirklichem Leben, sondern um eine etwas gekünstelte Liebe zum Alten, Vergangenen, die das Fehlen eines neuen, künstlerischen Schöpferwillens nur notdürftig verdeckt“ (Scharff S. 615).

Die Neigung der Äthiopenzeit gilt neben dem Alten Reich dem Mittleren Reich und der frühen 18. Dynastie (gegen 1500); die *reife* Kunst der 18. Dynastie und alles Folgende wird – jedenfalls in dieser ersten Stufe der Spätzeit – „geflissentlich“ abgelehnt.

Vor allem aber ist wichtig, daß man jetzt (und unter der 26., Saitischen Dynastie, 663–525) nicht so sehr usurpiert („annektiert“), als vielmehr dazu übergeht, Statuen und Bildwerke, die man nun ganz neu anfertigt, im Geiste des Mittleren Reiches oder der frühen 18. Dynastie herzustellen.

Der thebanische Statthalter Montemhet (um 700 v. Chr.) läßt in seinem thebanischen Grab Bilder des Hatschepsut-Tempels von Dêr el-Báhari kopieren.

Von demselben Montemhet besitzen wir u. a. eine sitzende Statue im Stil der frühen 18. Dynastie *und* eine Standfigur im feierlichen Stil des Alten Reiches, die letztere freilich bezeichnenderweise mit durchaus porträthaftem Kopf!

Dies ist für die Spätzeit charakteristisch: neben den „unkritischen und unfruchtbaren Konservatismus" (Anthes) tritt unter der 25. wie unter der 26. Dynastie ein durchaus originaler, neuartiger, künstlerisch höchst vollendeter *Individualismus* – auch er gewiß eine typisch spätzeitliche Erscheinung, aber doch eine durchaus unkonservative, ja den übrigen stark archaisierenden Zügen zuwiderlaufende.

Diese doppelte Richtung: Archaismus und konservierende Beharrung einerseits, individualisierende Naturauffassung auf der anderen Seite setzt sich – wenn auch in geringerem Ausmaße – unter den Saiten fort, nicht selten in enger, scheinbar unzulässiger, ja „unmöglicher" Verbindung: Reliefs aus dem Grabe des Pabâsa in Theben (26. Dynastie).

Daneben begegnen allerdings auch Züge eines ausgesprochen und ausschließlich *„wissenschaftlich antiquarischen" Geistes:* so *Gipsabgüsse* der 26. Dynastie nach Reliefs im Sahurê-Tempel der 5. Dynastie! (Dabei ist verständlich, daß die Nachwirkung des Alten Reiches in Unterägypten stärker war als am Oberlauf des Nils.)

Im allgemeinen darf man sagen, daß die archaisierenden Tendenzen sich unter der 26. Dynastie gegenüber der vorhergehenden Epoche eher noch verstärken. Der Gesichtsausdruck der Statuen wird (bei aller hervorragenden technischen Arbeit) leer, die realistischen Köpfe der 25. Dynastie finden kaum Nachfolge. Eine Folge der zum Teil fast sklavischen Nachbildung früherer Formen ist, daß wir nicht selten an der Möglichkeit einer sicheren Datierung fast verzweifeln müssen. Und zwar besteht Unsicherheit nicht nur innerhalb des Zeitraums von rund 600–350, die Einordnung der Kunstwerke schwankt vielmehr gelegentlich sogar zwischen der Zuschreibung zur Spätzeit oder zum Mittleren Reich – so philologisch getreu wird nachgebildet!

Um die kunstgeschichtliche Seite abzuschließen: Die 30. Dynastie (378–341) bringt eine kurze, aber glänzende Nachblüte: zahlreiche Bauten von zum Teil hoher Qualität; auf dem Gebiete der Skulptur der „Grüne Kopf" (um 350?). Aber auch hier treten bezeichnende Schwierigkeiten auf in der zeitlichen Einordnung. Wieder schwankt man nicht selten: Handelt es sich um ein Werk des 4. Jahrhunderts oder etwa des Mittleren Reiches? Läßt uns hier die stilkritische Bestimmung im Stich, so hilft uns häufig genug auch die Namengebung nicht weiter: Der „Thron-Name" des Nektanebos und der des Sesostris I. lautet gleich: Cheperkarê; also weiß man häufig nicht: 12. oder 30. Dynastie? (Dabei kann kaum ein Zweifel daran bestehen, daß Nektanebos jenen Namen aus der vom Glanz der großen Vergangenheit umwehten Epoche gerade des Mittleren Reiches bewußt aufgegriffen hat.)

Neben ausgesprochenen „Meisterwerken" (Grüner Kopf) „geht die übliche glatte Spätzeitplastik auch in der ‚Perserzeit' ihren Weg weiter" (Scharff S. 624).

Weitere Belege für den „Archaismus" der Spätzeit

In Gräbern und auf Denkmälern werden alte Texte kopiert (sklavische Kopien z. B. der Pyramidentexte der 5./6. Dynastie unter der 26. Dynastie). König Schabaka (gegen 700) läßt das „Denkmal memphitischer Theologie" (wohl aus der 3. Dynastie: Djoser), das man auf einer von Würmern zerfressenen Handschrift im Ptah-Tempel von Memphis gefunden hatte, auf eine Granitplatte übertragen. Die „archaisierende Titelflut" auf den Denkmälern der Zeit läßt fast nie erkennen, „welcher Titel ein wirkliches Amt bezeichnet", welcher bloß wiederaufgegriffener Klang aus der Frühzeit ist. In unserem Zusammenhang entscheidend ist, daß auf diese Weise durchgehend „der Anschein erweckt (wird), als wäre *das Alte Reich in seiner Struktur wieder auferstanden*" (Eberh. Otto S. 235).

In den „Biographien" finden sich Formulierungen, die wörtlich aus dem Alten Reich (6. Dynastie) und dem beginnenden Mittleren Reich (11. Dynastie) übernommen sind; ganz besonders im 5. und 4. Jahrhundert schließlich sucht man stammbaummäßig an die Glanzzeit des Alten Reiches wiederanzuknüpfen: der unter Darius (um 500) verstorbene Oberbaumeister Chnemibrê hinterläßt einen riesigen „Stammbaum“, der zwar bis 930 v. Chr. nachweisbar bezeugt ist, jedoch unbekümmert bis zum legendenverklärten Imhotep (aus der Zeit Djosers) zurückgeführt wird! Nicht lange Zeit danach erscheint das nur in dürftigen Auszügen erhaltene, griechisch geschriebene Geschichtswerk des Manetho.

Auf dem Gebiete der *Religion* zeigt sich neben einer groben Veräußerlichung, wie sie insbesondere im zum Teil groteske Formen annehmenden Tierkult hervortritt, eine ausgesprochene Verinnerlichung („Ethisierung“, Ed. Meyer). Für die letztgenannte Tendenz bezeichnend ist, daß man den Glauben an die Zuverlässigkeit der äußere Riten verliert, sich unsicher, *in der Hand der Gottheit fühlt.* Wenn es früher gelautet hatte: „Jeder Edle, der den Menschen Gutes tun wird und die Art dessen übertrifft, der ihn erzeugt hat, der wird dauern auf Erden“, so formuliert man jetzt so: „Jeder Edle, der den Menschen Nützliches tut und die Art dessen übertrifft, der ihn erzeugt hat, den *läßt Gott auf Erden dauern*“. (Unzweifelhaft liegen hier Parallel-Erscheinungen zur gleichzeitigen Entwicklung außerhalb Ägyptens, vor allem in Israel, vor; doch kann darauf nicht näher eingegangen werden). Das, was man treffend eine *„persönliche Frömmigkeit“* genannt hat, tritt in vielfachen Zeugnissen in den Vordergrund. Es bilden sich Grundsätze einer „absoluten“, von Ort und Zeit unabhängigen Ethik.

Ob und eventuell inwieweit hier die beiden ursprünglichen Komponenten der ägyptischen Religion: die „afrikanische“ Komponente (magisch, fetischgläubig) und die aus dem Ostdelta stammende, offensichtlich semitisch beeinflußte *„kosmische“* Komponente (anthropomorphe Fassung der kosmischen Gestalten, Verdrängung der *theriomorphen* Götterwelt durch eine *anthropomorphe*) wieder durchschlagen, muß unentschieden bleiben.

Auf dem Felde des *Rechts* sind uns Spuren von Archaismus nicht erhalten. (Seidl, Ägyptische Rechtsgeschichte der Saiten- und Perserzeit, 1956, S. 70:) „Höchstens bei der Adoption der ‚Gottesweiber' könnte es sich darum handeln, daß man aus" archaistischen Tendenzen heraus wieder zu einer altüberlieferten Form „als Übertragungsurkunde gegriffen hätte. *Das Recht des Alten Reiches dürfte eben in der Spätzeit völlig in Vergessenheit geraten sein, so daß man es gar nicht wieder erwecken konnte*".

Allgemein macht sich in der Spätzeit ein ausgesprochener Zug zur „Privatisierung" des Lebens bemerkbar, ein Hervortreten des engeren Heimatgefühls. Die Bedeutung des Königs tritt erkennbar zurück:

1) hinter der Gottheit (Gottkönigtum des Amun, der später von Osiris und Isis verdrängt wird);

2) in gewissem Maße auch hinter dem Einzelnen: „*Ich* leitete den König zum Nutzen für die beiden Länder", „*ich* ließ den König die Bedeutung dieser oder jener Sache erkennen" – wo es unter der 18 .Dynastie trotz starken Hervortretens der leitenden Figuren etwa noch geheißen hatte: „Ich sah, wie *seine Majestät* dies oder jenes ausführte."

Diskussion

Im Mittelpunkt der Diskussion steht die Beurteilung Echnatons. Der Auffassung, Echnaton sei weniger ein Revolutionär als ein Klassizist, der auf die heliopolitanische Tradition zurückgriff (McNeill), pflichtet der Vortragende bei, er hält jedoch den König speziell deswegen für eine Schlüsselfigur des 14. Jahrhunderts, weil seine „Revolution" eine scharfe und lange wirksame Reaktion bei den Amonspriestern auslöste. Er warnt vor der Überschätzung des Atonkultes als einer neuen monotheistischen

Gottesauffassung, die der kurz darauf in Vorderasien entwickelten vergeistigten vergleichbar sei. Doch scheint eine Abkehr von der Vermenschlichung der Gottheit und eine auf Monotheismus zielende Entwicklung in dieser Epoche allgemein zu sein, was der hethitische Hymnus auf Teschub und die Bilderfeindlichkeit der Kassiten anzudeuten scheinen. Seiner Ansicht nach hat Echnaton nicht verspielt, weil er für sich beanspruchte, als einziger Vermittler des Sonnenglanzes zu gelten, noch auch weil er eine fragwürdige Anhängerschar um sich versammelt hatte, sondern weil er mit den liebgewordenen und tröstlichen Vorstellungen vom Weiterleben des individuellen Toten völlig gebrochen hatte.

Nun spricht aber der Sonnenhymnus von Aton als von „der Glut, die in der Sonne ist" und verrät auf diese Weise, daß Echnaton doch wohl nicht das konkrete Objekt der Anschauung, sondern ein abstraktes lebenspendendes Prinzip im Auge hatte[1]. Gegen die Behauptung, Echnaton habe mit den Jenseitsvorstellungen gebrochen, spricht die Errichtung seiner neuen Totenstadt in Amarna, die ja dann sinnlos gewesen wäre. Leider liegen Texte über die in der Amarnazeit herrschenden Ansichten über das Leben nach dem Tode nicht vor; aber ob auch die breite Masse wirklich glaubte, in die Ewigkeit einzugehen, scheint recht fraglich, wenn man bedenkt, daß bei uns noch 1000 Jahre später diskutiert wurde, ob Sklaven im Besitz einer Seele seien (Hartner).

Der Vortragende ist überzeugt, daß zwar ursprünglich dem Gottkönig allein, hernach ihm und dem Hofstaat das Weiterleben nach dem Tode vorbehalten blieb, daß aber im Laufe der ägyptischen Geschichte[2] das Anrecht auf ein Weiterleben nach dem Tode auf alle ausgedehnt worden sei. Totengericht und Totenwage hätten gleichermaßen auf alle gewartet.

[1] Vgl. Willy Hartner: Einfluß des Orients auf die Gestalten der abendländischen Kultur. Die Neue Zeitung vom 25. 7. 1953.

[2] Joachim Spiegel: Soziale Reformbewegungen in Ägypten. Heidelberg 1950.

Wolfram Eberhard

DAS PROBLEM DES KULTURVERFALLS IN CHINA

a) Chinesen über Kulturverfall

1. Die chinesische Sprache besaß vor dem Zusammenstoß mit dem Westen kein Wort, das unserem Begriff „Kultur“ in all seinen Schattierungen entsprach. Und trotzdem gibt es wenige Völker, die so „kulturbewußt“ waren, wie die Chinesen. Dieses Kulturbewußtsein, dies Gefühl, anders und besser zu sein als die benachbarten Völker, findet sich klar ausgeprägt seit der frühen Chou-Zeit, d. h. seit dem frühen ersten Jahrtausend v. Chr. Damals schon war das Gegensatzpaar Chinesen/Barbaren aufgestellt; damals schon gab es ein „Wir“-Gefühl, das Chinesen vereinte, obwohl diese Chinesen politisch nur lose durch einen schwankenden Feudalstaat zusammengehalten waren und sehr bald, spätestens vom 8. Jahrh. v. Chr. an, die einzelnen Lehnsstaaten sich benahmen wie unabhängige Nationalstaaten[1]. Wir finden hier eine Situation, die sich mit der der alten Griechen und ihrem Begriff der „Barbaren“ vergleichen läßt. Obwohl die Etymologie des Wortes „Hua“, das für „Chinesen“ oft benutzt wurde, unklar ist, scheint die Bedeutung „entwickelt“ zu sein; oft wird statt dessen die Bezeichnung „die Hsia“ benutzt, die sich auf die halbmythische, halbhistorische erste Dynastie der Hsia bezieht, wobei das Wort „Hsia“ wiederum „blühend, groß“ zu

[1] Eine Anzahl von Gelehrten geht heute so weit, die Existenz eines feudalen Einheitsstaates sogar für den Beginn der Chou-Zeit abzustreiten.

bedeuten scheint. Spätestens von der Zeit des Konfuzius an, also seit der Mitte des 1. Jahrt. v. Chr., finden wir die Vorstellung, daß ein „Chinese" ein Mensch ist, der sich zu den Werten der Chinesen bekennt, gleichviel, zu welcher Rasse er gehört, oder welchem Staat er untertan ist. Der Zerfall des Feudalstaates in Nationalstaaten war zu jener Zeit eine Tatsache, wenngleich die Staatstheorie diese Tatsache verleugnete. Und unter den Nationalstaaten gab es solche, die gemeinsame „chinesische" Werte hatten, während andere gewisse Werte ablehnten und durch andere ersetzten. Diese standen dann eben außerhalb der Gemeinschaft der „Chinesen" im kulturellen Sinn. Zu dieser Zeit findet sich dann auch zum ersten Male der Begriff des „Kulturverfalls", in einer klar moralischen Bedeutung.

2. Kultur für den Chinesen kann sich ausdrücken in Kleidung und Benehmen, in Lesen und Schreiben, in Dichten und Philosophieren, aber all dies ist nur eine äußere Form. Grundlegend ist die Anerkennung der dahinterliegenden moralischen Normen, und diese wieder sind nicht Normen, die nur für den Einzelnen gelten, oder nur für den Herrscher, sondern sie beginnen beim Individuum, schreiten fort zur Familie, zur Gruppe, zum Staat und seinem Vertreter, dem Herrscher, und darüber hinaus zum Universum. Die Regeln, die das Benehmen des Einzelnen festlegen, sind nur ein Teil eines Systems von Regeln, das unsere ganze Welt reguliert. Es kann daher keine Zeit geben, in der die Einzelnen „tao" hatten, dieses ethische menschlich-kosmische System von Werten und Regeln, während ihr Herrscher kein „tao" hatte. Wenn solch eine Situation einträte, würde der Herrscher stürzen; er würde beseitigt werden durch die Gesetze des Himmels, die ihren Ausdruck finden können in Naturkatastrophen genau so wie in einer Erhebung des Volkes. Es kann aber auch nicht vorkommen, daß ein Herrscher „tao" besitzt, aber sein Volk ohne „tao" ist. Kultur ist also für den Chinesen ein ethisch-politischer Begriff, dessen Fundament aber in der Gesetzmäßigkeit und Ordnung der Welt liegt. „Kulturverfall" wird darum auch immer in einer Weise geschildert, die Gesellschaft und Universum ein-

schließt. Meng-tse, einer der wichtigsten Fortführer der Philosophie des Konfuzius, faßte die Zeit seines Meisters als eine Verfallszeit auf und sagte: „Die Welt verfiel, das *tao* wurde verdunkelt: Ruchlose Reden und grausame Taten kamen auf. Es kam vor, daß Untertanen ihre Herrscher ermordeten, daß Söhne ihre Väter ermordeten“[2], und er nahm an, daß sein Meister seine „Frühlings- und Herbstannalen“ als ein Mahnbuch geschrieben habe. Es scheint in der Tat bereits Konfuzius eine Vorstellung von einem zyklischen Kulturverfall gehabt zu haben; jedenfalls hatte Meng-tse diesen Gedanken, und Gelehrte viele Jahrhunderte nach Konfuzius haben den Meister dahingehend interpretiert. Meng-tse sagt: „Lange ist es schon, daß die Welt steht, und immer folgten auf Zeiten der Ordnung Zeiten der Verwirrung.“[3] Auch für ihn ist die erste Zeit des Verfalls gekennzeichnet durch Naturkatastrophen wie Überschwemmungen und wilde Tiere, die zweite Periode aber durch pflichtvergessene Herrscher, die das Volk aussaugen, um ihrem eigenen Vergnügen frönen zu können. Erst wenn das soziale Übel weit fortgeschritten ist, kommen auch Naturkatastrophen noch dazu und führen eine Revolution herbei. Typisch für eine Niedergangszeit ist nicht nur, daß der Herrscher nicht einsichtig ist und die Moralgesetze vernachlässigt, sondern auch, daß keine neue führende Elite aus dem Volk herangezogen wird, so daß fähige Leute keine Anstellung bekommen und unfähige regieren. Eine Kulturblüte ist also gekennzeichnet durch *social mobility*.

Die zyklische Theorie vom Kulturverfall, die Konfuzius entwickelt hat, wenn man der in der Han-Zeit weitest verbreiteten Kung-yang-Schule glauben darf (und ich persönlich folge dieser Konfuzius-Interpretation der Kung-yang-Schule[4]), ist ein Drei-

[2] *Meng-tse* 3b, 9, *Wilhelm* p. 70.
[3] *Meng-tse* 3b, 9, *Wilhelm* p. 69.
[4] Ich lehne mich hier an Theorien von O. Franke und Ch'ien Mu an, verfolge aber auch Gedanken weiter, die ich bereits früher ausgesprochen habe. Ch'ien Mu's Artikel ist im *Journal of Orient. Studies,* vol. 1, no. 1, Hongkong 1954 veröffentlicht.

Perioden-System, die sogenannte „san-t'ung"-Lehre. Diese schließt an die Dynastien an. Konfuzius lebte zur Zeit der 3. Dynastie (Chou), als diese alle Macht verloren hatte und China aus Nationalstaaten bestand, die einander bekämpften. Nach ihm repräsentiert jede Dynastie einen Zyklus: bei Dynastiebeginn ist das *tao* vollkommen, darum der Herrscher gut, die Untertanen sind moralisch, die Kultur blüht. Im Lauf der Dynastie setzt Verfall ein, und erst die folgende Dynastie bringt wieder neue Kulturblüte. Jeder der drei Zyklen, die einander in endloser Folge ablösen, ist charakterisiert durch eine Anzahl von Symbolen, wie z. B. symbolische Farben, und durch eine allgemeine Einstellung, wie etwa „materialistisch" *(chih)* oder „verfeinert" *(wen)*. Konfuzius hat nach dieser Interpretation geglaubt, daß zu seinen Lebzeiten oder kurz danach der dritte Zyklus abgelaufen sein, und daß eine neue Dynastie kommen werde. Man nimmt an, er habe darum in seinen „Frühlings- und Herbstannalen", die die Annalen der dritten Periode, der Verfallszeit, sind, eine Darstellung der Regeln und Werte geben wollen, die man von der neuen Dynastie erwarten müsse, und er tadele in diesem Buch die noch herrschende Dynastie bereits vom Standpunkt der kommenden Dynastie aus.
Nach dieser Auffassung aber kritisieren die „Annalen" nicht nur die dritte Periode vom Standpunkt der neuen Dynastie aus, sondern sie sind gleichzeitig eine Art Code, oder Verfassung, für alle drei Perioden, indem Konfuzius seine „Annalen" in drei Teilen aufgebaut hat, und jeder dieser drei Teile die Werte und Regeln einer der drei Perioden enthält und eine Kritik, die auf diesen Werten beruht. Es ist hier zu betonen, daß nach dieser Auffassung die „Annalen" kein historisch echtes Bild der Geschichte zu geben beabsichtigen. Die drei Teile des Werkes sind bei allen Autoren 1) die Zeit, über die Konfuzius nur durch Dritte etwas erfahren konnte, 2) die Zeit, über die er durch die ältere Generation Daten erfahren konnte, und 3) die Zeit, die er miterlebte. Nach der Auffassung, die wir hier beschreiben, entsprechen diese drei Teile den Perioden des Verfalls, des beginnenden Aufstiegs, des Gro-

ßen Friedens (d. h. der Kulturblüte), insofern als bei der Analyse der historischen Vorgänge die für solche Perioden geltenden Wertungen angewandt wurden. Genauer gesagt: ein historischer Vorgang, der im ersten Teil der „Annalen" berichtet wird, wird gewertet als ein Vorgang, der in einer Verfallsperiode auftritt; würde derselbe Vorgang in der zweiten Periode nochmals auftreten, so würde er anders gewertet werden, nämlich nach den für die Zeit des Aufstiegs gültigen Wertungen, und träte derselbe Vorgang in der letzten Periode auf, so würde er wiederum anders bewertet werden, nämlich nach den Werten, die für die Zeit der Kulturblüte gelten. Das heißt also, daß z. B. derselbe Vorgang einmal als nur ablehnenswert, das andere Mal als verwerflich, und das dritte Mal als Kapitalverbrechen bewertet werden kann.
Die drei Teile enthalten, nach dieser Auffassung, noch ein zweites Prinzip der Wertung: Im ersten Teil sind historische Aktionen bewertet, wie sie sich darstellen vom Blickfeld von Konfuzius' Heimatstaat aus, im zweiten Teil, wie sie sich darstellen von China aus gesehen, und im dritten Teil, wie sie sich vom Blickfeld der ganzen zivilisierten Welt aus darstellen. D. h. also, daß eine gegebene historische Aktion das eine Mal als gut, das zweite Mal aber als schlecht bewertet werden kann, je nachdem, ob diese Aktion vom Blickfeld des Kleinstaates, oder vom Blickfeld der Menschheit aus betrachtet wird.
Die „Annalen" behandeln also eine Zeit, die die Chinesen mit Konfuzius als Zeit des Kulturverfalls betrachten. Sie werten diese Zeit mit den Maßstäben, mit denen eine neue Dynastie zurückblickend die vorige, abgesetzte Dynastie messen würde. Innerhalb des Werkes aber lassen sich drei Teile unterscheiden, die in sich wiederum zwei Aspekte enthalten: verschiedene Wertung je nach der Periode von Kulturblüte oder Verfall; verschiedene Wertung je nach der Einheit, von der die Wertung ausgeht (Staat, Nation, Menschheit). Nach dieser Auffassung sind also die „Annalen" kein Geschichtsbuch, denn sie wollten gar nicht darstellen „wie es wirklich gewesen ist".
Eine solche Interpretation eines Buches, welches gemeinhin als

Geschichtsbuch und noch dazu als ein besonders trockenes gilt, mag phantastisch klingen. Aber selbst wenn Konfuzius diese ihm zugeschriebenen Gedanken nicht gehabt haben sollte, so haben viele Generationen in den sieben Jahrhunderten nach ihm das Werk so aufgefaßt. Wir haben einen anderen Fall, in dem ein Mann mit seinem Helfer den gesamten Code für die kommende Dynastie bereits ausgearbeitet hatte, bevor er die herrschende Dynastie stürzte. Dieser Mann war Wang Mang, sein Helfer Liu Hsin; und die Dynastie, die Wang Mang aufrichtete, hatte typischer Weise den Namen „Die Neue Dynastie“ (9–25 n. Chr). Wir haben ferner, spätestens von etwa 300 v. Chr. an, eine andere Richtung, die Kulturblüte und Kulturverfall mit dem Lauf der fünf Elemente zusammenbrachte; da diese Schule, deren größter Vertreter Tsou Yen, der Vater der chinesischen Naturphilosophie, war, einen stark mathematisch-astronomischen Charakter hatte, versuchte sie mathematisch die Zeiten der Blüte und des Verfalls auszurechnen. Für sie war das Ende der „Frühlings- und Herbst-Annalen“ zugleich das Ende einer Weltperiode, genau so wie der Anfang der Chou-Dynastie den Beginn einer Periode markierte. Diese Schule entfernte sich von der Gleichsetzung: Dynastiebeginn/Kulturblüte/Periodenbeginn. Für sie war z. B. die 4. Dynastie Ch'in keine Dynastie, und die Han-Dynastie (5. Dynastie) begann zwar um 206 v. Chr., aber die neue Weltperiode begann erst um 104 v. Chr. Hier lag es allzu nahe, zu spekulieren, wann wohl die herrschende Dynastie zu Ende gehen werde, bzw., wann die Zeit des Kulturverfalls durch eine neue Kulturblüte abgelöst werden würde. Die Herrscher verfolgten diese Schule als revolutionär und unterdrückten sie. Während diese naturwissenschaftliche Schule an mathematisch berechenbare Zyklen der Kultur glaubte, zeigen alle späteren Konfuzianer neben ihrem Glauben an Kulturzyklen einen Glauben an einen, wenn auch nur langsamen, Aufstieg. Dadurch, daß zu Beginn eines jeden Zyklus „Heilige“ erschienen sind, die die Kulturwerte feiner und feiner definiert haben, sind die späteren Zyklen vollkommener als die früheren. Eine echte „Evolutions-

theorie“ hat sich daraus jedoch nie ganz entwickelt. Nur für die Erklärung des Ursprungs und des Werdens der menschlichen Kultur und Gesellschaft wurde eine gradlinige Entwicklung vom tier-ähnlichen Stadium zum sozialen Menschen angenommen.
Es ist interessant, die verschiedenen Werturteile miteinander zu vergleichen, die auf der einen Seite der Chinese, auf der anderen der westliche Betrachter fällt. Für den konfuzianischen Chinesen ist der Beginn der Chou-Zeit (etwa 1050 v. Chr.) eine Zeit der Kulturblüte. Der westliche Betrachter stimmt ihm meist dabei zu. Aber der westliche Betrachter begründet seine Wertung mit der Beseitigung der degenerierten Shang-Dynastie durch den Eroberer Wu-wang und dessen Schaffung eines neuen Einheitsstaates. Für den Konfuzianer ist Wu-wang eine unwichtige, wenn nicht sogar negative Figur. Sein Vater Wen-wang, der nicht dazu kam, sich zu erheben, und der Jahre im Kerker verbrachte, sowie Wu-wang's Bruder, der „Herzog von Chou“, der nur Regent für Wu-wang's unmündigen Sohn war, sind die Männer, die die Kulturblüte herbeigeführt haben. Sie haben moralische Werte aufgestellt und zu Leitfäden politischer Organisation gemacht, und dies ist entscheidend, nicht militärischer Erfolg, nicht der Einheitsstaat. Der westliche Historiker sieht die Ch'in-Dynastie unter Shih-huang-ti als einen Wendepunkt von einer Periode des Verfalls zu neuem Aufstieg an. Damals wurde die Grundlage für den bürokratischen Staat gelegt, der bis in unsere Zeit bestanden hat. Für den Konfuzianer ist Shih-huang-ti einer der größten Verbrecher, nicht nur weil er Konfuzianer hat hinrichten lassen, sondern weil er moralische Werte für wenig bedeutend hielt und Gesetze für wichtiger. Der westliche Beurteiler hat große Achtung für den Gründer der Han-Dynastie und läßt mit ihm eine weitere Periode der Blüte beginnen; er preist aber vor allem Kaiser Wu (140–87 v. Chr.) als den größten Eroberer, den China gehabt hat, als den Mann, der China zu einer Weltmacht gemacht hat. Der Konfuzianer findet den Gründer der Han-Dynastie nicht viel besser als den verruchten Shih-huang-ti, und er tadelt Kaiser Wu gerade für seine Machtpolitik und sein ungenügendes

Interesse für Moral. Die Jahrhunderte zwischen 220 und 580 sind für beide Betrachter Niedergangszeiten, aber für den einen, weil in dieser Periode China gespalten war und der Norden unter die Herrschaft von Nichtchinesen fiel. Für den anderen ist Fremdherrschaft nicht an sich schon ein Grund, von Kulturverfall zu sprechen; aber daß sich in dieser Zeit niemand fand, der die Einheit zwischen Moralgesetz und menschlicher Gesellschaft einerseits, und Naturgesetz und Weltlauf andererseits verteidigt hätte, stempelt sie als Verfallszeit für den Konfuzianer. Typischerweise spricht man in dieser Periode und danach von Konfuzius und Buddha, bzw. von Konfuzius und Meng-tse, aber nicht mehr von Konfuzius und dem Herzog von Chou. Wenn Konfuzius und Buddha oder Konfuzius und sein Schüler Meng-tse zusammen genannt werden, so betrachtet man sie nur als Moralphilosophen; wenn aber Konfuzius und der Herzog von Chou zusammen genannt werden, so deutet dies an, daß man Konfuzius nicht nur als Moralphilosophen, sondern zugleich auch als politischen Philosophen ansah. Die Verfallszeit unterschlägt diesen Aspekt von Konfuzius. Damit sinkt auch das Buch, das grundlegend für diese Auffassung von Konfuzius als Moralist und Politiker ist, die „Annalen", in der Achtung. Sogenannte Verfallszeiten schätzen dies Buch gering; Blütezeiten sehen es als seine wichtigste Schrift an.

Die Debatte um dies Buch geht bis in die Jetztzeit; die Reformer von 1898, die die Monarchie in eine Art konstitutioneller Monarchie umwandeln und China modernisieren wollten, stellten es erneut in den Vordergrund. Und auch die Einstellung zur Kultur hat sich bei den Konfuzianern bis zur Neuzeit nicht grundlegend geändert. Dies zeigt sich besonders bei den ersten chinesischen Reaktionen gegen den Westen und seine industrielle Zivilisation. Man erkannte die technische Überlegenheit des Westens an, sträubte sich aber, die Leistungen des Westens als Ausdruck einer Kultur gelten zu lassen. Dies änderte sich erst im 20. Jahrhundert mit der Einsicht, daß technischer Fortschritt nicht möglich ist ohne Kultur.

Die Konfuzianer sind nicht die Einzigen, die eine Theorie der Kultur und des Kulturverfalls entwickelt haben. Die Taoisten und Buddhisten hatten ihre eigenen Theorien. Für den Taoisten ist ein organisierter Staat ein Übel an sich. Bindungen, auch solche innerhalb der Familie, sind nur Fesseln, die das Individuum hindern. Solche Bindungen hemmen den natürlichen Verlauf alles Seins, anstatt ihn zu fördern. Für den Taoisten lag das Ideal der Kultur in der Urzeit, als es noch keine Herrscher gab und keine Gesetze. Damals lebten die Menschen der Natur gemäß; niemand mischte sich in das Leben des anderen ein; niemand besuchte auch nur das nächste Dorf – wozu auch? Kulturverfall, aufgefaßt als Abweichen von dem natürlichen Gang der Dinge, begann mit dem Auftreten der ersten Herrscher, die durch Gesetze die soziale Ordnung regulieren wollten und sie nur strangulierten. Kulturverfall hat seitdem nicht aufgehört – er geht weiter. Je mehr Gesetze und Regeln wir schaffen, desto mehr verfällt, was wirklich menschlich ist. Eine Änderung ist nicht ausgeschlossen, und Taoisten haben immer wieder versucht, Herrscher für ihre Ideen zu gewinnen. Wenn nur ein Herrscher sich entschließen würde, nichts als ein Symbol zu sein, keine Handlungen zu vollführen, keine Gesetze zu erlassen, jedem Bürger das Recht zu gewähren, seiner Natur zu folgen, so würde ein neues Goldenes Zeitalter anbrechen. Verständlicherweise haben wenige Herrscher oder Beamte diesen Rat befolgt oder auch nur zu befolgen versucht. Und die anarchistischen Ideale der Taoisten sind immer nur Ideale von wenigen Gebildeten geblieben; von Männern, die in Opposition zur Politik oder zum Wertsystem der Konfuzianer geraten waren.
Bei den Buddhisten, der dritten großen Gruppe von Denkern in China, sollte man keine Theorie der Kultur erwarten, da sie doch die Welt und den Menschen als im Grunde irreal, oder zumindest als unwichtig ansehen und ihr Augenmerk darauf lenken, wie das Individuum dem Kreislauf von Geburt und Tod entfliehen kann. Der Mahayana-Buddhismus aber, der in China Verbreitung fand, hatte sich von diesen Gedankengängen schon weit

entfernt. Er hatte bereits eine viel positivere Einstellung zum Leben gefunden. Und schon in Indien waren Gedanken von Weltzyklen in ihn aufgenommen worden, die vor-buddhistisch, vielleicht sogar westasiatisch waren. Im Buddhismus Chinas haben diese Gedanken die Form angenommen, daß die menschliche Kultur sich in großen Zyklen entwickelt, und daß für jeden Zyklus ein Buddha bestimmt ist. Am Anfang des Zyklus ist die Kulturblüte: die Menschen haben ein langes, endlos langes Leben; sie sind gut, befolgen die Gesetze der Religion, leben unter guten Herrschern, niemand ist unterdrückt oder ausgebeutet, es herrscht vollkommene soziale Gleichheit. Im Laufe der Entwicklung setzt der Kulturverfall ein und wächst bis zum Ende des Zyklus. Das physische Leben der Menschen wird immer kürzer, sie werden immer unglücklicher; sie sündigen immer mehr, vergessen die einfachsten Regeln der Moral, sie morden und töten. Ihre Herrscher sind ausschließlich auf ihre eigne Macht bedacht; sie führen Krieg miteinander und lassen ihre Bürger nutzlos sterben. Die Reichen beuten die Armen aus, die Starken unterdrücken die Schwachen. Gegen Ende des Zyklus, zur Zeit des tiefsten Kulturverfalls, wird der Buddha der Zukunft, Maitreya, erscheinen. Er wird die Lehre wiederum neu verkündigen, er wird eine neue Blüte herbeiführen. In manchen Systemen der Buddhisten wird er nur die retten, die an ihn glauben, während alle anderen zugrundegehen werden in einem großen Kataklysma, einer neuen Sintflut oder einem Sintbrand.

Diese Lehren verbreiteten sich in China etwa vom 3. Jahrh. n. Chr. an; nicht so sehr in den Kreisen der Gebildeten, als vielmehr in den Kreisen des gewöhnlichen Volkes. Von da an lesen wir immer wieder in den Geschichtswerken von „Haeretikern", die die Ankunft eines neuen „Messias" verkünden, die Armen und Unterdrückten um sich sammeln und herumziehen, um die neue Botschaft zu verkünden. Diese Bewegungen nahmen fast immer einen revolutionären Charakter an, indem ihre Anhänger Stellung nahmen gegen die Reichen und gegen die Regierung oder gar eine eigene Regierung aufzustellen versuchten. Damit begann dann die Verfolgung dieser Gruppen durch die Regierung – und in allen Fällen, die berichtet sind, ihre schließliche Niederwerfung und Ausrottung. Bewegungen dieser Art gibt es heute noch, momentan besonders häufig in Japan. Ein gutes Beispiel dafür ist die sogenannte „Dancing Religion" in Japan, begründet von einer japanischen Bauernfrau, die das Ende unserer Welt verkündet, weil die Sündhaftigkeit und der Materialismus der Menschen so stark zugenommen haben. Sie fordert ihre Anhänger, die in die Hunderttausende gehen, auf, ihr „Herz zu polieren", sich zu reinigen, Gutes zu tun, und sich vorzubereiten auf das kommende Ende, bei dem nur die gerettet werden können, die an sie glauben. Die Gründerin war vor einigen Jahren in den Vereinigten Staaten und trug ihre Lehre dort vor. Soziologisch sind Bewegungen dieser Art aufzufassen als Reaktionen gegen eine Krise, hervorgebracht durch den Zusammenstoß zweier Wertsysteme stark verschiedenen Charakters, oft begleitet vom Zusammenstoß zweier ethnischer Gruppen, von denen die eine viel stärker ist als die andere und diese unterjocht oder zumindest bedrängt. Aber die in diesen Systemen vertretene Ansicht von periodischem Kulturverfall und der periodischen Neuschaffung der Kultur durch den Buddha hat im Fernen Osten immer wieder weiten Anklang in den Kreisen des Volkes gefunden und ist eine Idee, für die wir im Nahen Osten direkte, nahe Parallelen finden können.

Obgleich also auch den Konfuzianern der Begriff des Kulturverfalls vertraut war und sie zeitweise mit der Theorie von Verfallszyklen operierten, sind sie optimistischer als die anderen, weil sie Zeiten der Kulturblüte auf die von weisen Herrschern gestiftete Ordnung zurückführen und, ungeachtet gelegentlicher Verfallsepochen, mit einer immer besser werdenden Ordnung rechnen, je mehr weise Herrscher im Lauf der Zeit aufkommen und je mehr diese die Ordnung vervollkommnen. Für die Taoisten ist alle Geschichte nur Kulturverfall – die Blüte lag in der Zeit der Primitivität. Und für die Volks-Buddhisten, die wir eben erwähnten, ist Verfall eine unvermeidlich immer wieder eintretende Erscheinung, die nur temporär durch einen neuen religiösen Lehrer beseitigt werden kann.

b) Westliche Theorien des Kultur-Verfalls

Nichtchinesische Beobachter haben oft und gern den Begriff des Kulturverfalls benutzt, und im großen und ganzen sind sich die meisten einig darüber, welche Perioden in Chinas Geschichte sie als Verfallszeiten ansehen. Abweichend indessen urteilen Toynbee und neuestens Coulborn. Der Grund hierfür liegt darin, daß die Mehrheit der Beobachter sich an gewisse chinesische Werturteile und Theorien gehalten haben, während Toynbee und Coulborn ihre Theorien fertig entwickelt hatten, bevor sie an eine Analyse der chinesischen Verhältnisse gingen.
Die Haupttheorie, die immer noch weitgehend akzeptiert wird, kann unter dem Namen „Dynastic cycle theory“ zusammengefaßt werden und zerfällt in zwei Untertheorien. Die Idee des dynastischen Zyklus ist der chinesischen Geschichtsschreibung entnommen und ist dort das Resultat philosophischer Überzeugungen. Wenn wir chinesische offizielle Geschichtswerke lesen, so finden wir regelmäßig (wenn wir die sogenannten „legitimen“ Dynastien nehmen), daß der Dynastiegründer ein Mann von besonderen Qualitäten war, daß er um sich Ratgeber von hohem Rang sammelte, Korruption und Schlendrian beseitigte, neue Gesetze erließ, sich um die Wohlfahrt des Volkes kümmerte und dadurch eine Blüte des Staates und der Kultur herbeiführte. Seine nächsten Nachfolger sind ebenfalls meist noch Personen von hoher Qualität, und die Blüte geht weiter. Gegen Ende der Dynastie aber finden wir regelmäßig Herrscher, die den Ausbund der Verworfenheit darstellen; sie sind pervers, Opfer ihrer oft unmenschlichen persönlichen Leidenschaften, uninteressiert an der Wohlfahrt des Volkes, so daß korrupte, eigennützige Männer in die Regierung gelangen oder sogar berufen werden – Leute, die das Volk aussaugen und zur Verzweiflung bringen. In dieser Zeit des allgemeinen Verfalls, in der Rebellionen an der Tages-

ordnung sind, in der Dichter und Denker sich zurückziehen, tritt eines Tages ein neuer Mann auf, ein Mann von hoher Qualität. Das Volk fällt ihm zu, er wird gedrängt, sich an die Spitze einer Revolution zu stellen, er beseitigt die korrupte Dynastie und ihre Helfer und begründet eine neue Dynastie, die eine neue Kulturblüte herbeiführt. So wechseln Kulturblüte und Kulturverfall regelmäßig ab, von Dynastie-Beginn bis Dynastie-Ende.
Es ist nicht leicht zu beweisen, daß dies Bild höchst stilisiert, um nicht zu sagen falsch ist; die Geschichtsquellen schildern die Entwicklung tatsächlich so. Wir mögen uns zwar wundern über den Mangel an Erfindungsgabe der perversen letzten Herrscher, die sich immer wieder in denselben Vergnügungen ergehen wie ihre Vorgänger in der vorhergehenden Dynastie, und die nie zu lernen scheinen, daß ihre Taten ganz allgemein als die von zum Tode Verdammten galten. Aber wir können dann immer auf die Texte pochen und diese Herrscher als Psychopathen bezeichnen. Nur gelegentlich geht aus Bemerkungen eines nichtoffiziellen Geschichtsschreibers hervor, daß manche dieser letzten Herrscher durchaus sympathische, sogar vielleicht tragische Erscheinungen waren, und wenn wir peinlich genaue Statistiken anlegen, so können wir sehen, daß die Rebellionen durchaus nicht immer am Ende einer Dynastie ausbrachen, sondern daß sie auch in Blütezeiten an der Tagesordnung waren; und schließlich wird deutlich, daß manche der Idealherrscher durchaus abstoßende persönliche Züge besaßen.
Wir erklären diese Sachlage heute durch die Ideologie der offiziellen Geschichtsschreiber, die irgendwie das Problem der Revolution lösen mußten: Wann ist ein Aufstand gegen eine bestehende Regierung moralisch gerechtfertigt und wann nicht? Der Kaiser ist Sohn des Himmels und regiert im Auftrag des Himmels. Wodurch wissen wir, daß der Himmel einem Kaiser den Auftrag entzogen hat und ihn an einen Mann gegeben hat, der sich nun mit Gewalt zum neuen Kaiser macht? Meng-tse ist der erste Philosoph, der dieses Problem behandelt hat, und seine Gedanken sind im Prinzip angenommen worden: der Himmel ent-

zieht einem unwürdigen Herrscher den Auftrag und gibt ihn an den würdigsten Mann im Land. Wir können erkennen, welches dieser neue Mann ist, indem wir sehen, wie ihm die Massen des Volkes zufallen. So schwierig dies für den Miterlebenden ist, so einfach ist es für den später schreibenden Geschichtsschreiber: der Bandit, der Erfolg hat, ist der Mann, den der Himmel als den Würdigsten mit der Herrschaft beauftragt hat; er ist also definitionsgemäß eine Idealfigur. Der abgesetzte Kaiser ist natürlich, definitionsgemäß, auch ein unwürdiger Mensch.
Wir sind lange Zeit dieser Denkweise zum Opfer gefallen, weil sie uns in gewisser Weise sehr liegt, und weil auch uns das Problem der Revolution beschäftigt. So sind denn die Perioden, die wir als Zeiten des Kulturverfalls bezeichnen, immer am Ende einer Dynastie: die letzten Jahrhunderte der Chou-Zeit; das letzte Jahrhundert der späteren Han-Dynastie; die letzten 150 Jahre der T'ang; die letzten 200 Jahre der Ming; die letzten 120 Jahre der Mandschu. Wir fügen noch hinzu die Perioden, in denen keine einheitliche, ganz China umfassende Regierung bestand; denn nach derselben chinesischen Auffassung kann es nur einen Mann geben, dem der Himmel den Herrschaftsauftrag gegeben hat. Eine Teilung Chinas deutet an, daß keiner der regierenden Herrscher die Qualitäten hatte, die ihn zur Herrschaft berechtigt hätten. Also sind auch die fast drei Jahrhunderte der Spaltung Chinas zwischen 300 und 580 eine Zeit des Kulturverfalls.
In dieser Auffassung vom Kulturverfall ist als Hauptkriterium die persönliche Qualität des Herrschers und das Funktionieren der Regierung angesehen, und *implicite* der Schluß gezogen, daß politischer Zusammenbruch oder auch nur politische Unfähigkeit das Hervorbringen von anderen Kulturgütern hemmt oder unmöglich macht.
Gegenüber dieser reichlich primitiven Anschauung vertritt die hauptsächlich von K. A. Wittfogel entwickelte, ursprünglich marxistische „Theorie der orientalischen Gesellschaft" den Primat der Ökonomie und betrachtet die geistige Kultur als eine Superstruktur, die von der wirtschaftlichen Basis direkt abhängig ist.

Nimmt man diese Ansicht an, dann kann man leicht feststellen, welche Perioden Zeiten des Kulturverfalls sind: man braucht nur die Wirtschaft zu studieren. Vergleichbar dem „Krisenzyklus“ der marxistischen Theorie für die westliche Gesellschaft und Wirtschaft, gibt es in den orientalischen Gesellschaften einen eigenen Krisenzyklus, der mit dem dynastischen Zyklus der älteren Theorie parallel läuft, aber anders begründet wird: Die Theorie Wittfogels nimmt an, daß die Blüte am Anfang einer Dynastie nicht das Resultat der Qualität der neuen Elite ist, sondern das Ergebnis einer Landreform. Die Landreform am Anfang einer Dynastie beseitigt Pächter und vor allem Großgrundbesitzer und andere Elemente auf dem Land, die es verstanden haben, keine Steuern zu zahlen, und ersetzt diese durch eine neue freie Bauernschaft. Diese zahlt Steuern; der Staat hat reichliches Einkommen und kann dadurch die Dämme und Kanäle instand halten, durch die die Fruchtbarkeit der Felder garantiert wird. Solch eine Zeit materiellen Wohlstandes und sicherer Produktion erlaubt eine ausgedehnte Superstruktur: Künstler und Dichter scharen sich um den Hof – eine Kulturblüte beginnt. Danach gelingt es einigen Grundbesitzern, ihren Besitz zu erweitern und zugleich die Zahlung von Steuern zu vermeiden. Hier spielen vor allem die Tempel eine schädliche Rolle, denn diese sind immer steuerfrei. Der Staat deckt sein Steuerdefizit dadurch, daß er die übrigen Steuerzahler stärker besteuert. In Bedrängnis gebracht, unterstellen sich diese einer nach dem anderen einem Tempel oder mächtigen Großgrundbesitzer, werden zu Pächtern und zahlen Pacht, aber keine Steuern mehr. Der Staat erhält immer weniger Steuergelder, und da Versuche, die Schraube noch mehr anzuziehen, mißlingen, läßt man als erstes Dämme und Kanäle verfallen. Überschwemmungen, Dürren treten ein und schädigen die übrig gebliebenen freien Bauern am stärksten. Schließlich rotten sich diese zusammen unter einem Führer – und sehr oft schließt sich ihnen ein Renegat der herrschenden Elite an und wird zu ihrem Führer. Sobald eine dieser Rebellionen erfolgreich ist, beginnt unter einer neuen Dynastie ein neuer Zyklus.

Ich kann hier nicht eingehend die Fehler dieser Theorie auseinandersetzen. Nur ein paar Punkte seien hervorgehoben: a) Spezialuntersuchungen haben gezeigt, daß die Mehrheit der Bewässerungsprojekte nicht von der Regierung ausgeführt wurde, sondern von den großen und kleinen Grundbesitzern selbst in lokaler Zusammenarbeit. Wenn die Regierung hydraulische Arbeiten durchführte, handelte es sich um die Wiederherstellung oder Einrichtung von Transportwegen, auf denen das für die Regierungsbeamten im Zentrum notwendige Korn herangebracht werden konnte. b) Andere Spezialuntersuchungen haben gezeigt, daß kein Beweis für das Anwachsen der Pächter gegen Ende einer Dynastie beigebracht werden kann; innerhalb einer Dynastie hat die Verteilung von Grundbesitzern und Pächtern geschwankt; vor allem hat die Verteilung regional geschwankt, indem Provinzen nahe der Hauptstadt einen höheren, solche fern der Hauptstadt einen niederen Prozentsatz von Pächtern haben. c) Die überwiegende Mehrzahl der chinesischen Dynastien hat keinerlei Landreform am Dynastie-Beginn durchgeführt. d) Rebellionen sind nicht typisch für das Dynastie-Ende, sondern hängen mit lokalen Faktoren zusammen; sie können daher ebensogut am Anfang einer Dynastie stattfinden wie an ihrem Ende. So läßt sich sagen, daß die Theorie der orientalischen Gesellschaft mit ihrem neuartigen dynastischen Zyklus im Grunde auf denselben vorgefaßten, von den chinesischen Moralisten stammenden Ansichten beruht, wie die ältere Theorie; und daß mithin ihr Anspruch, eine exakte und meßbare Basis für eine Wertung einer Periode geschaffen zu haben, nicht haltbar ist.

J. Steward hat versucht, die hydraulische Theorie durch Einführung eines neuen Elementes, das auch in Wittfogels neuesten Arbeiten erkennbar ist, zu festigen: hydraulische Gesellschaften entwickeln sich; sie müssen sich ausdehnen, sobald die Produktion abzufallen beginnt, wenn das vorhandene Wasser voll ausgenützt ist. So werden solche Gesellschaften zu „übernationalen Großstaaten“:

"Since the wealth of these empires was based on forced tributes rather than on increased production, they contained the seeds of their own undoing. Excessive taxation, regimentation of civil life and imposition of the imperial religious cult over the local ones led the subject peoples eventually to rebel. The great empires were destroyed; the irrigation works were neglected; production declined; the population decreased. A 'dark age' ensued. But in each center the process of empire building later began anew, and the cycle was recreated" *(Scientific American,* May 1956, p. 76).

Ich sehe nicht, wie sich diese Auffassung für die Gesellschaft Chinas beweisen lassen könnte. Die mir bekannten Rebellionen wurden von Chinesen und nicht von unterworfenen Völkern geführt; oder China kam unter die Fremdherrschaft von Leuten, die früher nie unter chinesischer Herrschaft gestanden hatten. Daß eine politische Umwälzung immer als ein kultureller Zusammenbruch gewertet werden müsse („dark age"), ist ebenfalls eine unbewiesene Behauptung.

Die beiden modernen Theorien von Toynbee und Coulborn bringen ein neues Element in unser Problem, insofern, als diese Gelehrten ihre Theorie schon fertig entwickelt hatten, bevor sie sich China zuwandten. Es ist hier nicht der Platz, Toynbees Theorie von „Challenge" und „Response" zu kritisieren; dies ist bereits mehrfach getan worden. Nach seiner Theorie müßte eine Zeit der Stagnation als Zeit des Verfalls aufgefaßt werden, und China hätte demnach schon Jahrhunderte im Verfall verharrt. Zu einer solchen Anschauung kann nur der kommen, der eine makroskopische Sicht von China hat. Es ist ganz richtig, daß fast alle unsere westlichen Darstellungen von China's Geschichte über lange Perioden elegant hinweggleiten und uns den Eindruck geben, daß nichts von Bedeutung geschehen sei; daß sie von langen Perioden nichts anderes zu berichten haben als Hof-Intriguen. Aber dafür darf nicht die chinesische Kultur verantwortlich gemacht werden, sondern nur der provisorische Stand unserer Erforschung dieser Kultur. Für lange Perioden fehlen noch alle Vorarbeiten, und daher bringen unsere Historiker nur die trokkenen Daten über Hof-Intriguen, die die chinesischen Standardwerke ihnen liefern.

Auch Coulborn glaubt an einen „zyklischen Prozeß" der Geschichte, und daran, daß dieser Prozeß uniform sei für alle zivilisierten Gesellschaften. Er gibt zu, daß alle bisherigen Versuche, einen einzigen, einfachen Faktor für den Kulturverfall zu finden, mißlungen seien. Er stellt aber später in seinem Buch einige Hauptprinzipien heraus:

> "Decline of high culture, [begins] with the attenuation of creation of knowledge; the disintegration of the political fabric (and of the economic system) occurs at later stages; at an advanced stage the society will usually divide into two parts, a central part, including the old geographic nucleus of the civilization, which is making a fairly rapid recovery without utter ruin of the high culture, and an outer, marginal part in which political disintegration eventually becomes nearly complete and the general culture sinks very low" (Rushton Coulborn, Feudalism in History, Princeton 1956, p. 384).

Hier sind also politischer und wirtschaftlicher Zusammenbruch nur Ereignisse in einem viel tiefer greifenden Prozeß und nicht Ursache für Kulturverfall. Das Problem ist aber, wie sich „attenuation of creation of knowledge" fassen läßt. Dieser Begriff scheint zunächst Literatur und Kunst auszuschalten und sich auf die Entwicklung von Naturwissenschaft und Technik zu beschränken. Nehmen wir diese Einschränkung einmal an, so müßten wir den Grad der Anhäufung von Wissen, reduziert auf einzelne Erfindungen, Entdeckungen und Naturgesetze, etwa pro Jahrhundert feststellen, und dann die Perioden aussondern, in denen die Wissenszunahme unter den Durchschnitt gefallen ist. Ich sehe nicht ganz, wie man dies machen kann, auch bezweifle ich, daß wir die Künste und Literatur ausschalten würden.

Coulborn gibt uns einen anderen Index im Verlauf seiner Diskussion des Wiederaufstiegs:

> "When a civilization is in decline, religion is the one element in it which runs counter to the general direction of change: it is in growth. This contradiction has baffled many scholars and has led to doubt whether such a thing as decline really occurs, whether in reality the change is simply a transformation, a movement from one system of forms to another. I believe that it is such a movement, but also that the old forms do in truth decline and, further, that much old substance of culture, as well as forms, is eventually lost" (p. 366).

Und etwas später:

> "New religions and fundamental reconstructions of old religions begin to appear as soon as decline affects a society: their appearance is a sufficient indication of the approach of a general decline, as distinct from mere transformation of a particular and limited function of the culture. All functions of the culture are affected, but not all to the same extent or at the same time" (p. 366–7).

Und schließlich als eine Alternativ-Lösung:

> "... both religion and feudalism are agencies of the society's revival. Indeed the building up of a new religion is apparently a sufficient, completely successful, agency of revival in those regions of a society in which revival is accomplished relatively rapidly and the extent of decline is not great. But in those marginal regions (however extensive) in which resort is made to feudalism, the construction of religion is apparently not sufficient to save society" (p. 366).

Wenn wir also einen Feudalismus erstehen sehen, oder wenn eine neue Religion (und Coulborn versteht darunter nur die großen Weltreligionen und ihre Konfessionen) aufkommt, wissen wir, daß wir eine Periode des Kulturverfalls vor uns haben und dicht vor dem Beginn der Umkehr stehen.

Ich bin nicht in der Lage, diese Theorie an Hand des westlichen Materials zu prüfen; ihre Anwendung auf China und Japan macht besondere Schwierigkeiten, deren sich Coulborn nicht so ganz bewußt zu sein scheint, da er nur ausgewählte Perioden der Geschichte des Fernen Ostens behandelt hat. Aber selbst bei diesen gerät er in Schwierigkeiten (übrigens in ähnliche wie Hintze mit seiner Theorie des Feudalismus). Die einzige Periode in Chinas Geschichte, die allgemein als Feudalzeit angesehen wird, und auf die sich Coulborns Definition von Feudalismus anwenden läßt, ist die Chou-Zeit. In der Tat betrachten die meisten Forscher die Chou-Zeit von ihrer Mitte, d.h. etwa vom 8. Jahrhundert v. Chr. an, als Verfallszeit, auf Grund des Kriteriums des Zusammenbruchs einer einheitlichen Regierung. Doch brachte dieselbe Zeit, im 6. Jahrh. v. Chr., Chinas größte Denker, Konfuzius und Laotse, hervor (vorausgesetzt, daß wir die traditionellen Daten für Laotse beibehalten). Da Coulborn Feudalismus als eine Erscheinung des Kulturverfalls ansieht, muß der Verfall schon am Beginn der Chou-Zeit eingesetzt haben; hierin weicht Coulborn von den meisten Forschern ab, die den Beginn der Chou-Zeit als Dynastiebeginn eine Blütezeit nennen würden. Darum muß er die vorhergehende Kulturblüte in die Shang-Zeit verlegen, über die wir sehr wenig wissen. Nur nimmt man heute meist an, daß schon die Shang eine Art Feudalismus gehabt haben! Wenn Coulborn dies akzeptierte, so müßte die Kulturblüte in der Zeit der Hsia stattgefunden haben, von der wir nur wissen, daß Herrscher existiert haben, und daß eine Kultur auf dem Übergang vom Neolithicum zur Bronzezeit bestanden hat. Weiter müßten wir mit Coulborn Konfuzius und Laotse als Schöpfer neuer Religionen ansehen. Zweifellos waren beide es nicht; der Taoismus als Volksreligion entstand erst Jahrhunderte später; der Konfuzianismus hat erst im 20. Jahrh. den Versuch gemacht, sich zu einer Religion zu entwickeln. Schließlich müßten wir 800 Jahre Kulturverfall (mindestens vom Beginn bis zum Ende der Chou-Periode) haben, und sonst keine andere Verfallsperiode. Auch müßte man Japan, wo der Feudalismus gute tausend Jahre (wenn auch in verschiedenen Ausprägungen) bis 1868 bestanden hat, als ein Randgebiet Chinas ansehen, in dem die Erholung durch eine neue Religion nicht möglich war. Coulborn versucht dies in der Tat zu beweisen – aber in nicht überzeugender Weise. Abschließend würde ich durchaus Coulborn zustimmen, wenn er trotz aller seiner Vorschläge mit der Feststellung endet:

> It is surely a fact ... that our concepts of decline and revival are not wholly adequate for grasping the ultimate character of ... great historic transitions (p. 366).

Wolfram Eberhard

KLASSIZISMUS IN CHINA

Für ein Studium des Klassizismus im Allgemeinen kann China als ein ideales Land gelten; wohl in keinem Land der Erde ist dies Thema so oft und seit so langer Zeit behandelt worden. Die Problemstellung tritt schon in den ersten ausführlichen schriftlichen Urkunden auf und geht durch bis in unsere Tage. Unsere Schwierigkeit ist nicht eine des Materials, sondern eine der Erforschung des Materials. Wir müssen gestehen, daß die Erforschung der chinesischen Kultur noch immer ganz im Anfang steht. Wohl kennen wir die Hauptdaten der chinesischen Geschichte, die Hauptnamen der Denker und Künstler, aber alle Feinheiten zwischen diesen rohen Hauptlinien sind noch unausgefüllt. Seltsamerweise kennen wir frühe Perioden, wie etwa die Hanzeit (206 v. Chr. – 220 n. Chr.), viel besser als spätere, uns viel näher liegende Zeiten, wie etwa die Ming- und die frühe Mandschu-Zeit (1368–1644 und 1644–1911). Der Grund dafür liegt in der ungeheuren Reichhaltigkeit der Quellen, die es dem Einzelnen, ja selbst einer Gruppe, fast unmöglich macht, im Laufe eines Lebens eine genügende Übersicht über alles wichtige Material zu gewinnen. Bisher sind für die Perioden, die gerade für unsere Problemstellung ganz besonders wichtig erscheinen, nur Ansätze gemacht; Teilprobleme sind untersucht; aber eine Gesamtübersicht ist noch kaum möglich, bzw. muß immer noch weitgehend auf Hypothesen beruhen anstatt auf Analyse des Materials. Darum kann mein Beitrag nur als ein vorläufiger, unvollkommener Abriß angesehen werden.

Wenn wir als ein Element des Klassizismus die *Tendenz* ansehen, *den Wert-Maßstab in der Vergangenheit zu suchen*, und damit, logischerweise, im Klassizismus eine *Tendenz gegen Wandel* zu erkennen glauben, so finden wir die Wurzeln des Klassizismus bereits klar ausgeprägt in der Zeit des Konfuzius. Für ihn war die Zeit, in der er lebte, eine Zeit des Verfalls der Werte, nicht nur eine Zeit politischen Zerfalls; er bemühte sich, die Werte der alten Zeit wiederzubeleben, bzw. am Leben zu erhalten. Sein Ideal war jedoch noch nicht eine ganz spezielle Periode der Vergangenheit: für die soziale Ordnung und die politische Struktur des Landes war sein Ideal die Zeit des Herzogs von Chou (etwa 1000 v. Chr.); für gewisse Teile der Regeln des zwischenmenschlichen Verkehrs (Riten) war ihm die davorliegende Shang-Zeit ideal; und für die Einordnung des Menschen in den Gesamtlauf der Natur die noch davor liegende Hsia-Zeit. Immerhin kann man sagen, daß die Hsia-Zeit für ihn die wichtigste war, und die frühe Chou-Zeit die nächstwichtige, weil für ihn die Einordnung des Menschen in die Natur, ausgedrückt durch ein Kalendersystem, an das Regeln menschlichen Verhaltens angeschlossen waren, als das Grundlegende, die soziale und politische Ordnung der Gesellschaft als eine zwar logisch untergeordnete, für das praktische Leben aber höchst wichtige Folge davon galt. Wir haben viele Beweise dafür, daß Konfuzius neue Gedanken und Ziele hatte, aber er selbst hat sich immer nur als Überlieferer der Tradition bezeichnet, nie als Schöpfer eines Systems. Das interessanteste Beispiel ist vielleicht seine Behandlung der Frage der erblichen Monarchie. Hier erhebt er zwei Figuren der halbmythischen Zeit, Yao und Shun, zu Idealbildern. Beide waren, nach Konfuzius' Lehre, so für das Wohl des Reiches begeistert, daß sie zu ihren Nachfolgern nicht ihre eigenen Söhne bestimmten, sondern einfache Menschen aus dem Volk, die sich als die fähigsten und berufensten erwiesen hatten. Es ist deutlich, daß Konfuzius dies auch für seine eigene Zeit für das Wünschenswerte hielt und empfahl, und spätere Philosophen hatten einige Schwierigkeit, dann doch wieder die erbliche Monarchie als die gottgewollte Form hinzustellen. Wir wissen heute, daß nach einer sehr gut belegten und viel glaubwürdigeren Tradition diese Idealherrscher Yao und Shun durchaus nicht so edel waren und den Thron an den Würdigsten abtraten, sondern daß sie durch Revolten dazu gezwungen wurden. Demnach hat also Konfuzius, dem diese Traditionen kaum unbekannt gewesen sein können, die Vergangenheit nach dem Bilde seiner eignen Ideale umgedeutet. Im Sinne der Diskussionen unseres Seminars würden wir also Konfuzius einen Klassizisten nennen können, und sein Klassizismus hätte die Funktion gehabt, „eine Bühne für Zielsetzungen aufzurichten, die in der zeitgenössischen Gegenwart nicht befriedigend untergebracht werden konnten", zugleich sollte er aber auch „zur Rechtfertigung von Veränderungen" dienen. Er war für Konfuzius eine „Reaktion auf ein Gefühl des Versagens" in einer besonderen geschichtlichen Situation und in gewisser Weise ein „optimistischer Klassizismus".

Während sich die Jahrhunderte nach ihm weit von seinen Idealen entfernten und bewußt gegen die Wertschätzung des Altertums kämpften, weil für sie eine solche Einstellung fortschrittshemmend war, sie aber für Neuerungen eintraten, brachte die Han-Zeit (etwa ab 160 v. Chr.) die erste Neu-Interpretation konfuzianischer Werte, und damit im Sinne der Definition unseres Seminars eine neue (und für viele: die erste) Periode eines chinesischen Klassizismus. Jedoch ist die Han-Kultur sehr verschieden von dem, was man gemeinhin bezugnehmend auf China unter Klassizismus versteht, und was spätere Perioden Chinas darunter verstanden. Die Gebiete, in denen man normalerweise im Westen sowie in China von Klassizismus spricht, Literatur und Kunst, wurden damals überhaupt noch nicht als Felder wichtiger menschlicher Aktivität angesehen. Es gab natürlich schon eine ausgedehnte Literatur mit vielen Zweigen; es gab schon literarische Schulen mit eignen Stil-Prinzipien, aber eine Stil-Kritik und Analyse fehlte noch vollkommen. Diese beginnt erst um die Wende des 3. Jahrh. n. Chr. Ebenso gab es natürlich Künstler auf allen Gebieten der Kunst: Maler, Bildhauer, Architekten. Typischerweise kennen wir aber nur etwa ein bis zwei Namen von Malern; alle anderen Künstler, vor allem Architekten, sind unbekannt geblieben. Dies hängt damit zusammen, daß man in dieser Zeit Künstler noch als Handwerker, als Techniker ansah, die normalerweise den niederen Ständen angehörten, und daher nicht in die Geschichtsbücher, die von den Taten der Elite sprachen, aufgenommen wurden. Damit gab es also auch noch keine Kunstkritik oder gar Kunst-Theorie. Wenn ich es ablehne, nach klassizistischen Tendenzen in der Kunst und Literatur der Han-Zeit zu suchen, so tue ich dies, weil ich der Ansicht bin, daß zu einem Klassizismus gehört, daß die Vertreter einer Kultur sich des Zurückgreifens auf Werte einer früheren Periode bewußt sein müssen. Auf Kunst und Literatur angewandt bedeutet dies, daß man Produkte der Kunst und Literatur als Werte ansehen und diskutieren muß; dies tat man in der Han-Zeit noch nicht.

Wenn wir also von Han-Klassizismus sprechen, so meinen wir damit eine *allgemeine* Einstellung zum Leben, die ihr Vorbild in der Vergangenheit sieht, weil in dieser vergangenen Periode ein vollkommener Ausdruck gefunden sei. Es handelt sich in der Han-Zeit vor allem um ethische Werte und um daraus resultierende Regeln des zwischenmenschlichen Verhaltens. Auch im Falle des Konfuzius kann man von Klassizismus nur in diesem speziellen Sinn sprechen. Die Werte und Regeln, die die Han-Zeit so verehrte, waren die Werte und Regeln, die in den Schriften des Konfuzius, bzw. den von ihm redigierten Büchern ausgedrückt waren. Nach Jahrhunderten, in denen nur ein paar Schüler die Tradition des Meisters von Generation zu Generation weiter überliefert hatten, beginnt etwa um 160 v. Chr. ein allgemeines, bald auch von der Regierung unterstütztes Interesse an seinem Werk. Die teilweise verlorenen Werke werden wieder gesammelt, nach mündlicher Tradition neu aufgenommen und niedergeschrieben, neu geordnet und ergänzt. Wichtiger als die „Gespräche“ des Meisters, die später das Hauptinteresse erregten, sind die Bücher, die die Regeln des menschlichen Benehmens beschreiben: das „Buch der Riten“, das „Buch der Formen“, die „Frühlings- und Herbstannalen“ und einige andere. Die Oberschicht der Zeit läßt ihre Söhne in dieser Literatur unterrichten und in ihrem Sinne erziehen; die Politik und Rechtssprechung richtet sich nach den in diesen Schriften ausgesprochenen Grundsätzen aus. Bald wird Beherrschung dieser Literatur und des entsprechenden Benehmens der Prüfstein bei der Auslese der Kandidaten für den Staatsdienst. Die ersten Ansätze zu einem Prüfungssystem für den Beamtendienst liegen in dieser Zeit.

Was ist der Grund für dieses plötzliche Interesse? Die Entwicklungen, die hier vor sich gingen, können in gewissem Sinne mit den Wandlungen der europäischen Gesellschaft nach dem Ende des Feudalismus verglichen werden. Konfuzius lebte noch in der Periode des zusammenbrechenden Feudalismus. Sein Hauptinteresse war, Mittel und Wege zu finden, den endgültigen Zusammenbruch dieser Gesellschaftsordnung zu unterbinden, eine neue Blüte zu ermöglichen. In seinen Schriften, bzw. den ihm zugeschriebenen, angeblich von ihm redigierten Büchern finden sich die Prinzipien, wie sich ein Edelmann (chün-tse), ein Führer eines Lehnsstaates, zu benehmen hat; von den Bewegungen des täglichen Lebens angefangen, bis zu den Werten, an denen er seine politischen Handlungen und seine moralischen Überzeugungen messen soll. Hier finden sich alle Details für jeden Angehörigen der Führung, vom Kaiser bis zu dem kleinsten Unterlehnsmann, vom Haupt eines Clans bis zu der jüngsten Nebenfrau. Die Zeit des Konfuzius hatte keine Verwendung für dies Werk des Meisters. Die Entwicklung war schon zu weit gegangen; der Feudalismus brach endgültig zusammen. Schon ein Jahrhundert nach des Meisters Tod sprach niemand mehr ernstlich von der Möglichkeit einer Wiederbelebung der alten Zeit.

Die Han-Zeit brachte die neue Lösung: eine Gesellschaft, in der es keine Aristokratie mehr gab, sondern in der die Führung in den Händen des Kaisers und seiner Beamtenschaft lag. Diese

Beamten waren in der ersten Zeit teilweise reine Emporkömmlinge, so wie das Herrscherhaus der Han selbst: Freunde des erfolgreichen Dynastiegründers, darunter Hundeschlächter, Polizisten, Gasthausbesitzer. Andere waren Berufssoldaten. Aber viele stammten aus ursprünglich adligen Familien, die in den früheren Jahrhunderten ihr Lehen verloren, aber ihr eigenes Land erhalten hatten. Viele gehörten Seitenzweigen solcher adligen Familien an und stammten von Kindern von Nebenfrauen ab. Sobald die neue Dynastie nach Jahrhunderten von Kriegen ein vereintes China geschaffen hatte, in dem innerer Frieden bestand, und sobald dadurch das allgemeine Lebensniveau anstieg, bemühten sich diese Familien von Landbesitzern, ihren Söhnen eine Erziehung zu geben. Die Schulen, in denen das konfuzianische Wissen von Meister auf Schüler weitergegeben wurde, waren die einzigen Institutionen, in denen eine allgemeine Erziehung angestrebt wurde. Konfuzianer wurden nun von den Landbesitzerfamilien angestellt, um ihre Söhne im „guten Ton" zu erziehen, nicht mehr zu „Edelleuten", sondern, in einer anderen Deutung des alten Begriffs chün-tse, zu „Gentlemen". Auch der Staat, der für die Verwaltung Leute brauchte, die lesen und schreiben konnten, suchte solche Leute an sich zu ziehen, und so bildete sich in den letzten zwei Jahrhunderten v. Chr. der Gesellschaftstyp in China heraus, der bis in die Neuzeit geblieben ist: die „Gentry"-Gesellschaft, d. h. eine Gesellschaft, in der die politische wie die soziale und kulturelle Führung in den Händen der Gentry liegt. Die Gentry besteht aus Familien, deren ökonomische Basis in ihrem Grundbesitz besteht (den sie verpachten), deren Recht zur Führung darauf beruht, daß ein Teil ihrer Mitglieder eine Erziehung nach den Prinzipien des Konfuzianismus erfahren hat, die ihr Benehmen und ihre Werte geformt haben. Die Gentry ist eine Grundbesitzer/Gelehrten/Beamten-Klasse, in die man theoretisch aufsteigen kann, wenn man sich die notwendige „Gentleman"-Bildung aneignen kann – eine Aufgabe, die für den einfachen Mann so schwierig war, daß der Aufstieg nur wenigen geglückt ist.

Nach chinesischer wie nach westlicher Auffassung ist die Han-Zeit durchaus eine Zeit der Blüte, sowohl in politischer Hinsicht (erstes Weltreich), als auch in kultureller. Ihr Zurückschauen auf die Zeit des Konfuzius hat nichts mit einem Erstarren zu tun. Wenn auch die Han-Literatur bereits strotzt von Zitaten der alten Literatur, wenn auch viele Han-Schriftsteller den Stil der alten Schriften nachahmen, wenn auch Sprach- und Schriftreformer versuchen, aus dem Sprach- und Schriftschatz alles auszumerzen, was nicht „klassisch" ist, so zeigt genaueres Studium doch deutlich, daß wir hier eher von einer Renaissance als von einem Klassizismus sprechen sollten: es sind nicht die Werte und Ideen des Konfuzius, die hier als Vorbild genommen werden; seine Werte, die für eine Feudal-Gesellschaft geschaffen waren, werden umgedeutet, neu interpretiert, und dadurch angepaßt an eine neue Gesellschaft, die Gentry-Gesellschaft. Die Neu-Interpretation wird sicherlich zahlreichen Denkern der Zeit bewußt gewesen sein, denn es gab mehrere Schulen, die verschiedene Interpretationen vorschlugen und oft hart im Kampf miteinander lagen, besonders da jede Interpretation sofort auch die Einstellung zum Staat und zur Politik beeinflußte. Politisch aktive Anhänger solcher Schulen rechtfertigten ihre Einstellung zur Politik durch ihre Interpretation der Texte des Konfuzianismus – und viele wurden damals oder später angeschuldigt, die Texte verfälscht zu haben, um ihre Einstellung rechtfertigen zu können.
Es sei nur noch erwähnt, daß weder auf dem Gebiet der Architektur, noch der Plastik, soweit wir nach Funden oder Textberichten urteilen können, eine Renaissance oder ein Klassizismus festgestellt werden kann. Man entwickelte Formen weiter, die in den Jahrhunderten nach Konfuzius entstanden waren, und dachte nicht daran, zu der alten Chou-Kunst, die Konfuzius geliebt hatte, zurückzukehren.
Im Sinne der Definition dieses Seminars ist also die Han-Kultur klassizistisch. Der Klassizismus hat in ihr die Funktion, einer neuartigen Gesellschaft als Mittel zur „Selbststilisierung" zu dienen. Nur Sektoren der Modell-Kultur sind übernommen worden,

nicht ihr Ganzes; man war sich in der Han-Zeit klar darüber, daß das Feudalsystem der Zeit des Konfuzius unbrauchbar für die eigene Zeit war. Sowohl Aspirationen der Modell-Kulturperiode als auch Formen dieser Periode wurden übernommen, beide jedoch in so weitgehender Umdeutung, daß wir meist von einer „Renaissance"-Periode sprechen.

Zweite Periode: Sechs Reiche

Schon vor dem offiziellen Ende der Han-Dynastie (220 n. Chr.) zerfällt der Einheitsstaat in Teilstaaten, die voneinander unabhängig sind. Diese Teilung dauert rund 400 Jahre bis zum neuen Einheitsstaat der Sui-Dynastie um 580. Zuerst zerfiel China in drei chinesische Teilstaaten, dann, nach einem vergeblichen Versuch der Wiedervereinigung, der kaum 40 Jahre dauerte, geriet der Norden Chinas von rund 300 an unter die Herrschaft von Fremdvölkern verschiedener ethnischer Zugehörigkeit. Im Süden wechselten Dynastien chinesischer Abstammung einander ab in einem Gebiet, in dem die Chinesen Siedler waren und in dem, zumindest stellenweise, die Mehrheit der Bevölkerung aus nichtchinesischen Stämmen bestand. Die Teilung war begleitet von großen Bevölkerungsverschiebungen: vor allem einer starken Abwanderung der Chinesen aus dem Norden nach dem Süden; auch von einer Ansiedlung von Nomaden in Nordchina.
In diesen vier Jahrhunderten finden wir zum ersten Male Erscheinungen in China, die wir Klassizismus in engerem Sinne nennen können. Dieser Klassizismus hat nichts mehr zu tun mit den Werten des Konfuzius oder einer allgemeinen Einstellung zu zwischenmenschlichen Problemen, sondern kann ganz deutlich auf dem künstlerischen und literarischen Feld erfaßt werden.
Im Beginn dieser Periode erscheinen die ersten Schriften, in denen eine Literaturkritik, die auch den Stil einschließt, unternommen wird. Zum ersten Male werden Maßstäbe aufgestellt, die es erlauben zu sagen, was „gut" und was „schlecht" ist in der Literatur; die sagen, was Literatur eigentlich sein soll. Daneben aber

bleibt weiterhin die Moral eines der Kriterien der Dichtung, wenngleich einzelne Kritiker gesehen haben, daß man Form vom Inhalt trennen kann.

Die Blütezeit dieser Literaturkritik liegt um 500, mit den Werken „Wen-hsin t'iao-lung" des Liu Hsieh, „Shih-p'in" des Chung Ying, und vor allem dem nur durch Zitate bekannten „Sihsheng-p'u" des Shen Yüeh (441–513). Während das „Shih-p'in" progressiv ist, indem es sich dagegen wendet, die Poesie in enge Regeln zu fassen, und z. B. Stellung nimmt gegen sinnloses Zitieren alter Meister, sind die beiden anderen Werke maßgebend für die spätere Zeit geworden und haben eine Art Klassizismus im engeren Sinne eingeleitet. Diese Bewegung war zuerst auf die chinesischen Staaten im Süden beschränkt, dehnte sich später aber auf ganz China aus. Liu Hsieh und Shen Yüeh stellen Regeln auf, nach denen man Gedichte machen solle. Obwohl diese Regeln zuerst noch vorwiegend in negativer Form gehalten sind, bedingen sie doch eine Einschränkung der dichterischen Freiheit, die bis dahin unbekannt war. So lautet eine seiner Regeln:

„Das fünfte Wort in einem Gedicht darf nicht denselben Ton haben wie das fünfzehnte Wort."

Durch Shen Yüeh's und seiner Nachfolger Regeln wurde zum ersten Male offiziell das chinesische Gedicht standardisiert: ein „shih" hat fünf oder sieben Worte pro Zeile, ein Kurzgedicht hat vier Zeilen, etc.; der Reim muß eine bestimmte Struktur haben; die einzelnen Worte müssen bestimmte Tonhöhen haben, je nach ihrer Stellung im Gedicht; nur bestimmte Wörter dürfen gebraucht werden, nämlich solche, die schon einmal in der früheren, klassischen Dichtung gebraucht worden sind. Dieser letzte Punkt führt direkt zu unserem Thema zurück. Durch Shen Yüeh und seine Nachfolger wurde die freie Sprache, der ungezwungene Ausdruck des Gefühls oder der Stimmung eingeengt – und für alle mittelmäßigen Dichter: aufgehoben. Anstatt auszudrücken, was man fühlt oder denkt, sucht der Dichter von nun an seine Gefühle oder Gedanken in Worten auszudrücken, die frühere, anerkannte Dichter vor ihm benutzt haben, oder er versucht gar,

Wortverbindungen oder ganze Versteile direkt zu übernehmen. Dichter und ihre Kritiker werden zu Philologen, die die alten Gedichte durchsehen nach seltenen und seltsamen Ausdrücken, die sie erklären, so gut sie können, damit spätere Dichter ungewöhnliche Redewendungen zur Verfügung haben. Es passierte dabei oft, daß solche Ausdrücke mißverstanden wurden, so daß in einem Gedicht bei Beschreibung des Frühlings eine Blume genannt wird, die nur im Herbst blüht, oder ein Ortsname als Personenname benutzt wird, und anderes mehr. Spätere Kritiker haben uns viele Beweise geliefert, daß Dichter, die vorgeben, etwas zu beschreiben, was sie selbst gesehen oder erlebt haben, schönklingende Zitate aneinandergereiht haben, die mit der objektiven, aber oft auch mit der subjektiven Wahrheit nichts zu tun gehabt haben können. Wirklich große Dichter verstanden es trotz allem und zu allen Zeiten, echte Gedichte zu schreiben (Li Po, Tu Fu, Po Chü-i), und die größten von ihnen hatten den Mut, sich über viele kleine Regeln hinwegzusetzen, neue Ausdrücke zu prägen – wenn auch keine neuen Formen. Andererseits aber wurde durch diese Regeln von 500 an das Dichten eine Fähigkeit, die jeder Gebildete erlernen konnte und sehr bald sogar erlernte. Man erwartet bis heute von einem chinesischen Gebildeten, daß er ein annehmbares wohlklingendes Gedicht in jedem verlangten Reim über jedes traditionelle Thema in Minuten oder höchstens Stunden schreiben kann.
Interessant an dieser Entwicklung ist, daß sie im Gegensatz zu allen anderen Gebieten chinesischer Kultur nicht auf die älteste klassische Dichtung zurückgreift. Wohl kann der Dichter Zitate aus dem „Buch der Lieder“, das etwa um 700 v. Chr. abgeschlossen ist, übernehmen, aber die Form des 4-Wort-Gedichtes des „Buchs der Lieder“ ist definitiv tot (trotz der Wiederbelebungsversuche des T'ao Ch'ien [365–427]). Die „klassische“ Form ist die des 5- und 7-Wort-Gedichts, die in den ersten Jahrhunderten vor und nach Christi Geburt entwickelt worden ist. Im Grunde waren es die Courtisanen der Han-Zeit, die als erste diese Formen, die lokal verbreitet waren, am Hof eingeführt und Hof-

Dichter inspiriert haben. Bis 200 n. Chr. sind diese Formen noch weitgehend „volkstümlich", ja, sie zeigen sogar eine Tendenz, sich zur echten Volks-Ballade hin zu entwickeln. Diese volkstümlichen Gedichte sowohl wie ihre gelehrten Nachahmungen aus derselben Zeit werden 300 Jahre später kanonisiert und werden zum Ideal, nach dem sich die Dichtung der nächsten Jahrhunderte, bis ins 11. Jahrh. hinein ausrichtet.

Zur gleichen Zeit treffen wir in dem von Nomaden beherrschten Nordchina eine andere klassische Tendenz an. Hier liegt das Schwergewicht auf der Prosaliteratur. Als die Toba ihr Reich gegründet (385 n. Chr.) und befestigt hatten, beschlossen ihre Führer eine vollkommene kulturelle Assimilierung an die Chinesen: Toba-Sprache, -Kleidung, -Sitten wurden verboten; nur Chinesisch durfte gesprochen und chinesische Sitte befolgt werden. Die erste, und für uns wichtigste, Auswirkung dieser Gesetze ist der neue Prosastil, der zuerst in den Kanzleien am Hof entwickelt wurde, sich bald aber allgemein verbreitete, typisch wurde und noch Jahrhunderte nach dem Ende der Dynastie typisch blieb. Dieser Prosastil war nicht eine Fortführung des Stils, den man in Südchina und unter den Gelehrten des Nordens liebte. Er ging zurück auf die klassische, d. h. in der vorchristlichen Zeit verfaßte chinesische Prosaliteratur, auf den Stil der frühen Konfuzianisten und frühsten Historiker. Im Gegensatz zum lockeren Zeitstil war dieser Tobastil kurz, scharf, einfach in der Struktur. Ein strenger Parallelismus wurde gewünscht, Nebensätze waren unerwünscht. Auch hier zitierte man gern und viel aus den klassischen Werken, und ein Zitat ersetzte oft einen Beweis; auch hier konnte ein wirklicher Schriftsteller, wie etwa Jahrhunderte nach der Toba-Zeit Han Yü, trotz aller Einengung Essays schreiben, die stilistisch zum Schönsten, Klarsten, Brilliantesten gehören, was Chinesen je geleistet haben. Aber auch der kleine Schreiber konnte durch Erlernen der Regeln, Beobachten des 4- oder 6-Wort-Rhythmus, Aneinanderreihen von Zitaten eindrucksvolle, annehmbare Essays schreiben, denen man ihre inhaltliche Hohlheit nicht sofort ansah.

Kulturhistoriker pflegen diese Periode, in der dieser erste echte Klassizismus geschaffen worden ist, allgemein als eine Niedergangsperiode aufzufassen: China war zerfallen, die Wiege der chinesischen Kultur stand unter der Herrschaft von „Barbaren“; der chinesische Süden war eine Kolonialgesellschaft, geleitet von politisch wenig fähigen, menschlich meist recht unsympathischen Herrschern, deren Hauptinteresse im Genuß aller materiellen Freuden des Lebens lag, während die höheren Werte der Moral verspottet wurden. Der Konfuzianismus war außer Mode und brachte keine neuen Denker hervor, während das Volk dem fremden Buddhismus in Mengen zulief. Es läßt sich, wenn man sich auf diesen Standpunkt stellt, leicht zeigen, daß das Zurückgreifen auf die Klassik, das Bemühen, die Werte der Klassik dadurch einzufangen und zu erhalten, daß man sie in starre, schematische Regeln einzwängte, eine Reaktion gegen den Kulturverfall der Zeit darstellte.

Die Situation ist aber kaum so einfach gewesen. Denn erstens kann ein Vertreter dieser Ansicht nicht umhin zuzugeben, daß die Blütezeit der Kultur, die mit der Wiedervereinigung begann, d. h. recht eigentlich mit der T'ang-Dynastie nach 618, auf eben jenen Regeln des Klassizismus beruht. Chinas anerkannt größte Dichter lebten in der T'ang-Zeit und fühlten sich an diese Regeln gebunden, dichteten oder schrieben in ihnen und schufen trotz allem Werke, die selbst den Ausländer bewegen. So ist Shen Yüeh für diese Anschauung sowohl ein Konservativer, Rückwärtsschauender in einer Zeit des Zusammenbruchs alter Werte, als auch der Vorbote einer neuen Blüte, die so originell ist, daß man sie kaum einfach als Klassizismus bezeichnen kann.

Zweitens darf nicht vergessen werden, daß der Klassizismus des Shen Yüeh oder der Toba-Essayisten sich nicht auf alle Gebiete der Literatur erstreckte und niemals erstreckt hat. Wohl entwickeln auch die Maler von Ku Kai-chih an Lehrbücher, die die Regeln der Malerei enthalten; die Bildhauer Handbücher, in denen die Proportionen des Kopfes zum Gesicht bei einer Buddhafigur, der Finger zur Hand, etc. genau festgelegt sind, aber der Dichter, der sich nicht an die Regeln halten wollte, konnte statt eines „shih“ oder des fast noch strengeren „fu“ ein Tanzlied oder ein Lied *(ko)* schreiben; oder statt eines Essays, eines Memorandums, einer Grabschrift konnte er eine „Pinselaufzeichnung“, die Vorform der „short-story“ oder Novelle, verfassen. In diesen Gattungen der Literatur war er frei und unbehindert. Wir wissen, daß fast alle Dichter der Zeit bald die eine, bald eine andere Stilform benutzt haben, genau so wie etwas später die Maler bald in einem, bald in einem anderen Stil malen. Dies bleibt im Großen und Ganzen so bis in die Neuzeit. Wir können niemals einem Jahrhundert einen Stil zuschreiben, der typisch für die Mehrheit der großen Künstler war. Wohl gibt es so etwas wie einen „Zeitstil“, aber dieser drückt sich aus im Rahmen des Klassizismus oder der anderen gleichzeitigen Stile und ist oft schwer zu isolieren. Hier liegt der große Gegensatz zu Europa. Von etwa 500 n. Chr. an ist in einem gewissen Sinn und bis zu einem gewissen Grad jedes Jahrhundert *auch* klassizistisch. Was schwankt, ist die Ausdehnung oder Verengung des klassizistischen Sektors. Der Mechanismus, der dieser Erscheinung zugrundeliegt, wird in der folgenden Periode so viel klarer, daß wir eine Diskussion für einen Moment verschieben können.

Wir haben also bei unserer Diskussion der zweiten Periode den Begriff des Klassizismus ganz eng gefaßt, ihn auf die Gebiete der Kunst und Literatur (beide im höheren, wertenden Sinn verstanden) beschränkt. Wir konnten das, weil in dieser Periode Kunst und Literatur zum ersten Male den Chinesen als eigene Felder menschlichen Schaffens und als Werte bewußt wurden und diskutiert wurden.

Auch auf diesem beschränkten Gebiet des Klassizismus im engen Sinn können wir die Definitionen und Analysen anwenden, die in diesem Seminar diskutiert wurden: der Klassizismus hatte hier die Funktion, sowohl eine kulturelle Position, die im Zerbrechen zu sein schien, zu erhalten, als auch kulturellen Fortschritt zu stabilisieren. Er war eine Reaktion gegen ein Gefühl des Unzureichend-Seins; er sollte einen Zusammenbruch der Kultur verhindern. Er war „orthogenetisch", denn selbst wenn Nord-China in dieser Periode unter fremder Herrschaft stand, so handelte es sich doch immer nur um eine verschwindend kleine fremde Herrscherschicht, die über einer Überzahl von eben den Menschen lag, die direkte Nachkommen der alten Chinesen waren. Der Klassizismus dieser Periode war wiederum selektiv, griff aber nicht immer auf dieselben Perioden, noch auf dieselben Werte zurück.

Dritte Periode: Ming – Ch'ing

In vieler Hinsicht ist die Sung-Zeit (960–1278), und vor allem das 12. Jahrhundert eine der interessantesten Perioden chinesischer Kulturgeschichte. Die politischen Entwicklungen der Zeit sind keineswegs großartig: die Dynastie konnte niemals ganz China vereinen und mußte schließlich Nordchina aufgeben und sich in den Süden zurückziehen, bis die Mongolen dann auch Südchina eroberten. Auf anderen Gebieten, vor allem dem der Wirtschaft, bahnen sich so zahlreiche Neuerungen an, daß man glauben könnte, ein Übergang zu einer modernen Wirtschaftsform stehe direkt bevor. Neue philosophische Systeme werden geschaffen; neue Formen künstlerischen Ausdrucks kommen auf. Elemente des Stils der Umgangssprache dringen in die Prosa ein und leiten eine neue Stilperiode ein.

Dennoch laufen gleichzeitig deutlich klassizistische Entwicklungen weiter. Am deutlichsten sind diese auf den Gebieten der Malerei und der Philosophie zu erkennen. Am meisten interessiert uns die Malerei, wegen der Parallelen zur Entwicklung in Europa. So wie die erste Akademie der Künste in Frankreich in der Periode des Klassizismus entstand (1648), zu der Zeit, in der sich der französische Absolutismus ausbildete, entstand die erste Mal-Akademie in der Sung-Zeit. Und in dieser Zeit tritt auch im Charakter der chinesischen Monarchie der Wandel zum Absolutismus ein. Zweifellos waren manche Sung-Herrscher Kunstverständige, einer der politisch unfähigsten war sogar ein recht guter Maler. Sie waren zugleich große Kunstsammler und regten dadurch, genau wie ihre Kollegen später in Frankreich, das Kunstschaffen an. Die von ihnen gegründete Akademie verfolgte mehrere Zwecke: es war eine hohe Ehre, in die Akademie berufen zu werden. Es gab dem Künstler Zugang zum Hof und wirtschaftliche Sicherheit. Dadurch zog die Akademie die besten Künstler der Zeit an. Zugleich aber arbeitete die Akademie für den Kaiser, ähnlich wie die älteren Akademien literarischen Charakters: wenn der Kaiser ein Bild gemalt haben wollte, so konnte er es sich durch die Akademiker malen lassen, indem er einem Mitglied einen Auftrag gab. Wenn er eine Diskussion über Kunst oder Kunstkritik führen wollte, so konnte er die Mitglieder der Akademie zu sich berufen. Hier trat nun ganz automatisch ein, was in jeder hierarchisch geordneten bürokratischen Organisation geschieht: Die Akademiker einigten sich auf einen bestimmten Stil, den „akademischen Stil", vielleicht weil dies der Stil der ersten Akademiker war und diese die späteren beeinflußten, vielleicht aber auch, weil man annahm, daß der Kaiser diese Stilart bevorzuge; und vielleicht, weil dieser Stil als besonders repräsentativ angesehen wurde. Es war natürlich ein konservativer Stil, der seine Vorbilder aus der T'ang-Zeit nahm, die für die Malerei des 11. Jahrhunderts die „klassische Periode" geworden war. Es war ein Stil, der persönlichen Geschmack und Subjektivismus auszuschließen versuchte, der klar sein und zugleich das Höchste an technischer Vollkommenheit enthalten wollte. Ein Stil, der strengen, an der Vorzeit entwickelten Regeln folgte und so einheitlich war, wie der Staat selbst sein wollte. Die Akademie-Bilder sind in der Tat Meisterwerke der Komposition, der Detailliertheit der Form. Die Sujets sind festgelegt und beschränkt und enthalten in der Mehrzahl einen starken Symbolismus: man malt ein paar Mandarinen-Enten zwischen Lotosblumen, nicht weil künstlerische Inspiration einen dazu treibt, sondern weil dies ein jahrhundertealtes Motiv ist und die Enten die eheliche Liebe, der Lotos die Reinheit symbolisieren, und darum solch ein Bild eine geeignete Gabe anläßlich

einer Hochzeit ist. Man würde nie eine Straßen-Ecke oder einen Gärtner malen: solche Motive enthalten keine Symbole. Auch wäre es eines Hofmalers unwürdig, sich auf die Straße zu setzen und zu beobachten. Der Künstler malt in seinem Studio nicht so, wie die Dinge in der Natur sind, sondern so, wie „man sie malt", oder wie sie früher einmal ein großer Maler gemalt hat. Die Akademie malt keine Porträts – aus demselben Grunde.
Es ist leicht zu verstehen, daß sich gegen diese absolutistischen Tendenzen der Hofkunst, der Akademie, eine Opposition bildete, die „nicht-akademische" Kunst, die statt der Exaktheit, Vollkommenheit, Detailliertheit die schwungvolle große Linie schätzte, die keine Bilder für den Palast und offizielle Geschenke malen wollte, der wenig am Symbolismus lag, sondern mehr am Ausdruck persönlicher Empfindungen. Dies waren Leute, die nie auf Bestellung malten, sondern nur, wenn sie sich in Stimmung fühlten, Maler, die nie für Lohn malten, sondern ihre Bilder ihren Freunden schenkten – oder sie sogar achtlos liegen ließen oder wegwarfen.
So wird, wieder ähnlich wie in Frankreich, Kunst ein Ausdruck einer politischen Einstellung, einer Ideologie. Auch als später die Akademie geschlossen wurde, blieb diese Kluft zwischen einem „akademischen" Stil, den der Hof bis zur Neuzeit hin bevorzugte und pflegte, und einem freien Stil, der bald der Stil der „Amateure" genannt wurde, wobei unter einem Amateur nicht ein untrainierter Maler verstanden werden darf, sondern einer, der nie für Lohn in irgendwelcher Form malen würde.
Obwohl diese Entwicklungen in der Sung-Zeit vor sich gingen, bezeichnet man diese Zeit meist nicht als klassizistisch, weil man das Nebeneinanderwachsen dieser beiden Hauptrichtungen als ein Zeichen frischen künstlerischen Schaffens ansieht. Erst die Ming- und frühe Mandschu-Zeit werden klassizistisch genannt, weil man glaubt, daß die Kunst dieser Perioden, also vor allem des 15.–18. Jahrhunderts, nichts weiter sei als die Wiederbelebung des Sung-Stils, nach einer Unterbrechung durch den Mongoleneinfall. Wir sehen jetzt klarer, daß der Mongoleneinfall

die Lage nicht wesentlich geändert hat, und daß auch in der Ming- und frühen Ch'ing-Zeit neben den Malern, die den akademischen oder den Amateurstil weiterführten, originelle Künstler gewirkt haben. Wir haben diese Perioden nur deshalb als Zeiten eines unschöpferischen, starren Klassizismus angesehen, weil wir sie nicht genau genug kannten, und weil wir die Erstarrung, die wir in der Kunst zu sehen glaubten, auch in der Literatur und Philosophie vermuteten. Erst allmählich sahen wir, daß in der Ming- und Ch'ing-Zeit „Akademiker" oder „Amateur" zu Begriffen geworden waren, die Vertreter verschiedener politischer Anschauungen bezeichneten; daß auch die „Amateure" nach festen Regeln arbeiteten, und daß originale schöpferische Aktivität außerhalb dieser beiden Gruppen vor sich ging.

Ähnlich steht es auf den Gebieten der Philosophie und Literatur. Nach einer sehr lebhaften Diskussion im 11. Jahrhundert bilden sich zwei Hauptrichtungen innerhalb der offiziellen Philosophie heraus. Beide schließen an Konfuzius an, aber nur eine wird „offizielle" Philosophie, die Richtung, die der Hof als die korrekte annimmt und bis zur Neuzeit hin verteidigt, die Philosophie des Chu Hsi (um 1200). Man hat seinen „Neo-Konfuzianismus" als klassizistisch bezeichnet, weil er die seit über einem Jahrtausend üblichen Ausdeutungen der Ideen des Konfuzius ablehnte, den „echten" Konfuzius, den Moralphilosophen, den Staatsphilosophen wieder ans Licht brachte und seine Gedanken in systematischer Form zusammenstellte. Bei Chu Hsi steht das Rationale im Vordergrund; bei seinen Gegnern das Irrationale, Intuitive, Persönliche. Wieder ist das ideologische Element ganz klar: Chu Hsi's rationales, unpersönliches, um den Staat zentriertes System wird und bleibt „Hof-Philosophie", das System seiner Gegner die Philosophie der Opposition, der „Amateure". Beide Richtungen bestanden bis zur Gegenwart, und so kam es zu der Vorstellung von dem erstarrten China, das durch den Klassizismus des Chu Hsi gefesselt sei. Dabei entwickelte sich das echte philosophiche Leben abeits der beiden Systeme, unbeachtet, bis es etwa um 1650–1700 zum ersten Male einen Namen erhielt

und sich in einer neuen Richtung zusammenschloß, die allerdings erst in der Neuzeit tonangebend wurde.
Auf dem Gebiet der Prosa bildet sich einerseits der strenge, konservative Stil heraus, der in der Ming-Zeit zu dem berüchtigten Stil des 8-teiligen Prüfungs-Essays wird; und andererseits ein breiterer, komplizierterer, modernerer Stil. Beide bestehen weiter durch Jahrhunderte, und der konservative Stil ist Hofstil, der andere gehört zur Opposition. Das eigentliche schöpferische Leben aber spielt sich auf den Gebieten der Prosa ab, die als „unoffiziell" galten: der Novelle und des Romans.
Dasselbe geschieht mit dem Gedicht: die Form, die man wählt, drückt eine Ideologie aus, Konservativismus oder Opposition; aber das eigentliche Leben der Dichtung findet man im Drama und im Lied.

Zusammenfassung

Man hat also drei Perioden der chinesischen Geschichte als klassizistisch angesprochen. Wir führten aus, daß die erste Periode vielleicht richtiger eine Renaissance genannt werden sollte, weil hier Werte einer alten Zeit in ganz neuer Weise umgedeutet wurden. In dieser Periode erstreckt sich außerdem das Zurückgreifen nicht auf die Literatur und Kunst. Für die Erscheinungen in den späteren Perioden paßt die Bezeichnung Klassizismus viel besser, vor allem für die letzte Periode. Beide Male handelt es sich um Vorgänge in der Kunst und der Literatur, in der letzten Periode auch um ähnliche Vorgänge in der Philosophie.
In beiden Perioden umfaßte der Klassizismus nie das ganze geistige Leben der Epoche, sondern nur einen bestimmten Ausschnitt. Perioden, die mehrere Jahrhunderte dauerten, können in einem Zuge als „klassizistisch" bezeichnet werden, nicht weil in ihnen die chinesische Kultur erstarrte, sondern weil diese Perioden nur bis zu einem gewissen Grade klassizistisch waren und daneben zugleich noch vieles andere.
Dieses Nebeneinander, dem das europäische Nacheinander gegen-

übersteht, ist das Ergebnis der sozialen Struktur des Landes. Der „Akademiker"-Maler, der Chu Hsi-Philosoph, der Schriftsteller, der im starren 4-6-Stil schreibt, ist zugleich Beamter im aktiven Staatsdienst, ein Mann in entscheidender Position; er gehört einer Gruppe von Familien an, die hinter dem Thron stehen und den Kaiser leiten, die den *status quo*, die alten Rechte und Vorrechte, die Gesellschaftsordnung, so wie sie immer war, verteidigen, weil jede Änderung ihre eigne Stellung gefährden würde.

Sein Gegenspieler gehört durchaus nicht einer anderen Gesellschaftsschicht an. Auch er ist ein Angehöriger der Gentry; auch er stammt aus einer alten Familie, aber er steht abseits, ist nicht in der Führung. Es mag sein, daß er gern aktiver Beamter sein möchte, aber zu einer Familien-Clique gehört, die im Machtkampf unterlegen ist. In späterer Zeit ist seine Gruppe oft als eine regionale Gruppe charakterisierbar – dann ist eine andere Gruppe aus einer anderen Gegend momentan in der Führung. Aber es ist durchaus möglich und sogar häufig, daß ein Mann in der Führung und damit ein Konservativer und Anhänger des Klassizismus, sich plötzlich zurückzieht und zur anderen Gruppe übergeht, nicht mehr formschöne Essays im 4-6-Stil schreibt, sondern schwungvolle Artikel; nicht mehr im peinlich exakten Akademie-Stil malt, sondern impressionistische Gemälde entwirft; nicht mehr Chu Hsi verehrt, sondern sich in ein taoistisches oder buddhistisches Kloster zurückzieht. Es mag sein, daß sich die Stellung eines solchen Mannes am Hof zu seinen Ungunsten verändert hat; es mag aber auch sein, daß er psychisch das Hofleben und damit das Leben im Rahmen enger, strenger Regeln nicht mehr ertragen konnte. Sein Wandel drückt eine neue Einstellung zur Politik aus, ein Übergehen in die Opposition – und mehr als ein Mann hat sein Leben verloren oder wurde in die Verbannung gesandt wegen eines Gedichts, eines Bildes oder eines Essays. Nicht, daß der Inhalt dieser Werke revolutionär gewesen wäre. Schon ihre Form war Bekenntnis.

Der Europäer, der bemerkt, daß ein chinesischer Maler seinen

Stolz darin sucht, daß er einen Maler, der Jahrhunderte früher gelebt hat, im Stil vollkommen nachahmen kann, und daß er zu einem anderen Zeitpunkt einen zweiten oder dritten alten Maler ebenso kopiert, spricht gern von Erstarrung, Mangel an Originalität, dürrem Klassizismus. Diese Männer hatten Persönlichkeit, Originalität, aber sie drückten sie nicht im Bild aus, jedenfalls nicht in dem, das ihren Namen trug und „offiziell" war. In diesen Bildern drückten sie ihre Einstellung aus; diese Bilder sind Bekenntnisse.

Darum ist auch der Gegenspieler des Akademikers, der „Amateur", nicht a priori ein Künstler, der malt, wie ein Gefühl es ihm eingibt. Auch seine „Amateurhaftigkeit" ist ein Bekenntnis.

Man hat auch unsere dritte Periode des Klassizismus, die Ming- und frühe Ch'ing-Zeit, als Zeiten des Kulturverfalls, der Erstarrung bezeichnet. Vor allem das 16. Jahrhundert ist am schärfsten kritisiert worden, aber nur, weil wir uns der offiziellen chinesischen Klassifikation angeschlossen haben, für die ein Holzschnitt, ein Porträt keine Kunst, eine Novelle, ein Roman, ein Drama oder ein Lied *(tz'u)* keine Literatur waren, denn Kunst und Literatur sind für den Chinesen keine ästhetischen Kategorien, sondern Teilausdruck der ganzen moralisch-politischen Weltanschauung, und die Novelle, das Drama, das Porträt machen nicht den Anspruch, Weltanschauung auszudrücken. Sie wollen Stimmungen und Gedanken des Einzelnen wiedergeben. Im Licht der chinesischen Klassifikation gesehen, gab es in den letzten Jahrhunderten nicht viel anderes als den staatsbejahenden Klassizismus und die abseits stehende „Amateur"-Opposition, und innerhalb dieser Klassen bessere und schlechtere Künstler. Von diesem beschränkten Blickfeld aus betrachtet, sind die Ming- und frühe Ch'ing-Zeit in der Tat Zeiten der Erstarrung. Sobald wir uns aber davon frei machen, sehen wir, daß das 16. Jahrhundert eine der angeregtesten Perioden chinesischen Geisteslebens ist. Dies Leben spielt sich abseits vom Hof (Peking) in Mittelchina um Nanking, Su-chou, Yang-chou und in der Provinz Kiangsi ab. Hier blüht der Roman und die Novelle, der

Holzschnitt und die Buchillustration, hier entwickelt sich das neue Wirtschaftssystem eines Frühkapitalismus mit Fabriken und Faktoreibetrieb, hier blüht das Theater und das Lied in den Vergnügungsvierteln, die das neu entstehende Bürgertum besucht. Hier werden neue Gedanken geformt und in Zirkeln von Gelehrten diskutiert. Von hier aus strömen die Anregungen hinüber nach Japan, wo sie bald zur typischen Form des Edo-Bürgertums werden. Dies alles haben wir übersehen und fangen erst jetzt an, ein Element nach dem anderen wieder zu entdecken.

Wir haben den Klassizismus der Mandschu-Zeit zu erklären versucht wie den der Toba: als einen Versuch der Akkulturation von Fremden, die in ihrem Bestreben, Chinesen zu werden, chinesischer als Chinesen wurden, überkonservativ, starr, klassizistisch. Das mag richtig sein für den Kaiserhof von Peking zur Zeit von K'ang-hsi und besonders Ch'ien-lung. Aber wir dürfen nicht übersehen, daß wiederum in Nanking und Mittelchina ein ganz anderes Leben herrschte. Die Mandschu versuchten es zu unterdrücken durch Buchzensur und Terror, aber es bestand fort und zog die lebhaftesten Geister Chinas an sich.

Man hat also zwar unsere beiden späteren Perioden des Klassizismus zusammengebracht mit Perioden des Kulturverfalls, aber diese Gleichsetzung ist ebenso einseitig und unvollkommen wie die Bezeichnung ganzer Jahrhunderte als „klassizistisch". Klassizismus ist immer nur eine Teilerscheinung gewesen, ein Strom in einem System von Strömen.

All diese Feststellungen passen natürlich gut in den Rahmen der in diesem Seminar gemachten Definitionen und Analysen hinein. Wir hatten schon bei der Diskussion anderer Kulturen gefunden, daß Klassizismus nicht reaktionär sein muß, sondern sogar revolutionär sein kann; daß Klassizismus nicht die Totalität einer Kultur erfassen muß, sondern durchaus nur Teile erfassen kann; daß man auch die Übernahme von Teilen der Modell-Periode schon Klassizismus nennen kann und nicht nur die totale Übernahme.

Ich habe in meinen Ausführungen so bewußt die nicht-orthogenetischen Situationen außer Acht gelassen, also Japan, Korea, Tibet, Indochina etc. nicht diskutiert, weil dies ins Uferlose führen und auch neue, schwierige theoretische Fragen aufwerfen würde. Nur bei der ersten Periode habe ich einen weiteren Begriff des Klassizismus zugrundegelegt, bei den späteren beiden Perioden einen ganz engen; ja, ich habe die erste Periode überhaupt nur deshalb erwähnt und diskutiert, weil sie von anderen oft als klassizistische Periode angesprochen worden ist.

Würden wir Klassizismus im Allgemeinen so weit fassen, wie es im Rahmen dieses Seminars getan wurde, so würden wir die gesamte chinesische Kultur von Konfuzius an als klassizistisch ansprechen müssen. Unsere Aufgabe würde sich nur darauf beschränken festzustellen, welche Funktion in einer gegebenen Periode ihr Klassizismus hatte; welche Elemente einer Modell-Periode als maßgeblich angenommen wurden und welche nicht; welche Periode jeweils als Modell-Periode angesehen wurde, etc.

Würden wir gar den Begriff des Klassizismus auch auf Religionen ausdehnen, so müßten wir den Buddhismus Chinas als nichtorthogenetischen Klassizismus auffassen. Aber auch dieser Klassizismus hätte dann rund 2000 Jahre angedauert und müßte zerlegt werden in Teilperioden, in denen bald der eine Aspekt der Lehren Buddhas, bald der andere; bald die Lehren des einen Schülers oder Nachfolgers Buddhas, bald die des anderen; bald die Lehren dieses, bald die jenes chinesischen Buddhisten als richtunggebend und klassisch angesehen wurden.

Es ist meine Ansicht, daß in China mit seiner Traditionsgebundenheit eine Anwendung eines so weit gefaßten Begriffs nicht praktisch wäre, weil man dann wieder den Begriff in unendlich viele Unter-Kategorien zerlegen müßte. Der Begriff Klassizismus scheint mir für China brauchbarer zu sein, wenn man ihn streng beschränkt auf die Gebiete der hohen Kunst und hohen Literatur, und auch da noch auf Perioden, in denen nicht nur einzelne Elemente der Modell-Periode, sondern ganze Gruppen von solchen Elementen übernommen worden sind.

Es wurde betont, daß China durch seine besondere Traditionsgebundenheit ein vorzügliches Beispiel für die Erscheinungen des Klassizismus gebe. Der im Seminar geprägte Klassizismus-Begriff ermögliche in seinen verschiedenen Aufspaltungen eine genauere Erklärung des chinesischen Traditionalismus (v. Grunebaum). Die Vergangenheit Chinas müsse in Subperioden zerlegt werden, die jeweils eine bestimmte klassizistische Ausformung aufweisen. Der Anschauung, in China handle es sich um einen permanenten Klassizismus, wie er in diesem Seminar an anderer Stelle bereits in der Tradition des Euklid dargestellt wurde (Hartner), wurde entgegengehalten, daß man z. B. in der Medizin nicht auf das Älteste schlechtweg, sondern vor allem auf die Sung-Mediziner zurückgreife (Eberhard). Klassizistisch bleibe allerdings die Berufung auf die alten Vorbilder, wenn auch in der Deutung, welche die Sung-Zeit dem Alten gegeben hatte (Hartner).

Verschiedene Fragen nach der zeitlichen Fixierung bestimmter Perioden wurden wie folgt beantwortet (Eberhard): Für die Lösung der Frage nach der Realität der Hsia-Dynastie scheinen der heutigen Forschung die *Bambus-Annalen* als Quelle glaubwürdiger als Konfuzius. Namen von Hsia-Herrschern könne man auf Orakelknochen der Shang-Zeit finden. Wenn auch von ihren Taten nichts überliefert sei, so gelte doch die Annahme einer prae-Shang-Zeit für gesicherter als früher angenommen. Hsia mit Yang Shao gleichzusetzen sei keine glückliche Lösung. Die von Max Löhr gegebene Datierung für Yang Shao mit 2200–1700 lasse noch Platz für die Hsia-Zeit. Die Datierung der Riten der Chou-Zeit *(Chou-Li)* müsse nicht wesentlich vor Christi Geburt angenommen werden. Eine nähere Untersuchung führe aber auf zahlreiche alte Elemente, die sich nicht aus dem Beamtensystem der Han-Zeit erklären lassen. Eine genaue Untersuchung der Frage sei dank dem heute zur Verfügung stehenden Inschriften-Material durchaus möglich.

Zu der im Vortrag gegebenen Übersetzung von *Chün-tse* durch „Führer des Lehnsstaates" wurde bemerkt, ob dies nicht eigentlich den geistig Edlen bedeute (Hartner). Es wurde eine mündliche Mitteilung von P. Boodberg angeführt, wonach es sich ursprünglich um einen biologischen Begriff handelt, der, entsprechend dem „tse" (= Sohn), den Sohn eines Edelmanns bezeichne. Die moralische Umdeutung gehe auf Konfuzius zurück, und seit der Han-Zeit werde das Wort für den moralisch Vorbildlichen, den Gentleman, gebraucht (Eberhard).

Im Zusammenhang mit der klassizistischen Bewegung in der Han-Zeit (206 vor Chr.–220 nach Chr.) wurde das Problem der Beziehung zur konfuzianischen Lehre aufgeworfen, die sich ja nicht im mindesten mit dem System des Han-Staates deckt. Ob keine philosophische Konkurrenz vorhanden gewesen sei, auf die man sich hätte berufen können (v. Grunebaum)? Die dafür einzig in Frage kommenden Rechtsphilosophen, die den Menschen als ein von Hause aus unmoralisches Wesen betrachteten und deshalb auf eine gesetzliche Regelung aller menschlichen Beziehungen drangen, seien politisch diskreditiert gewesen, da die alten Familien sich naturgemäß gegen eine solche Allgemeinherrschaft des Rechts verwahrten. Es habe aber sonst keine organisierte Gruppe gegeben. Auch der Taoismus der damaligen Zeit, der schon um seiner den Staat ablehnenden Haltung willen auszuscheiden sei, habe keine Schulen besessen, wie sie die Konfuzianer, die das Hauptgewicht auf präzise Formulierung und Überlieferung ihrer Moralregeln gelegt hätten, für diesen Zweck organisieren mußten (Eberhard). Von den Gründern solcher Schulen, nach denen gefragt wurde (McNeill), sei so gut wie nichts bekannt, ausgenommen die Namen der Schüler des Konfuzius. Neues Material für die Kulturgeschichte Chinas sei jetzt wieder zu erwarten, da in letzter Zeit allerhand nicht-offizielle Berichte, vor allem Briefe ans Tageslicht gekommen seien (Eberhard).

Zu der im Vortrag erwähnten formalistischen Literatur wurden Parallelen aus dem arabischen Sprachraum des 9. und 10. Jahrhunderts genannt. Auch dort bestehe die Verpflichtung, nach bestimmten Regeln, die allerdings nicht so streng gefaßt seien, Gedichte auszuarbeiten. Diese Regeln bemächtigten sich allmählich sogar volkstümlicherer Gattungen; nur für minderwertig gehaltene Gattungen, z. B. das Tierepitaph, blieben davon unabhängig (v. Grunebaum).

Zu den klassizistischen Tendenzen der Sung-Malerei (Sung: 960–1280) wurde bemerkt, daß hier die Analyse weitgehend auf literarische Quellen angewiesen sei, da aus der Tang-Zeit (618–906) fast nichts erhalten sei (Weil). In Zentralasien neu gefundene Fragmente der Malerei der Tang-Zeit könnten allerdings die literarischen Schilderungen nur bestätigen (Eberhard).

Der in der Han-Zeit festzustellende Bruch in der Entwicklung der Skulptur, die von der Shang-Zeit (1766–1050 v. Chr.) bis zur Mitte der Chou-Zeit (1050–249 v. Chr.) kontinuierlich verlaufen war, wurde mit dem Rückgriff auf die konfuzianische Epoche in Philosophie und Literatur verglichen. Mit den Grabreliefs der Han-Zeit setzte demgegenüber etwas gänzlich Neues ein (Hartner). Es wurde dazu auf neue Funde von Lackschalen hingewiesen, die bis auf 400 v. Chr. zurückgehen und einen Übergang zum Han-Stil darstellen (Eberhard), und gefragt, ob es sich in diesem Fall um Anregungen durch Randvölker handeln könne. Die Möglichkeit wurde angeführt, daß solche Neuerungen in geographischen und fachlichen Gebieten aufkommen könnten, die nicht im Mittelpunkt des Interesses stünden (v. Grunebaum). Als Beispiel wurde die bildende Kunst genannt, die bis zur Tang-Zeit von Handwerkern ausgeübt wurde und abseits der gebildeten Kreise blühte (Eberhard).

Zu den astronomisch-kalendarischen Datierungen der chinesischen Geschichtsschreiber wurde bemerkt, daß inzwischen vor allem japanische Gelehrte herausgefunden haben, wie man in China in den ersten Jahrhunderten vor und nach Christi Geburt Formeln entwickelte, mit deren Hilfe man überlieferte astronomische Angaben zu datieren suchte. So sei etwa der Beginn der Chou-Zeit auf Grund astronomischer Erscheinungen auf 1122 datiert worden, während das wahre Datum 1050 sei. Es handle sich hier nicht um echte Tradition, sondern um nachträgliche, oft politisch bedingte Manipulationen (Eberhardt). Auch das von chinesischen und europäischen Gelehrten allgemein angenommene Datum 776 v. Chr. für die Shi-ching-Finsternis hält einer Überprüfung nicht stand. Es wurde von den Chinesen mit Hilfe des ihnen später bekannt gewordenen Saroszyklus errechnet, indem sie rückwärts extrapolierten (Hartner, s. *T'oung Pao* 31, [1935], S. 188–236). Auf die widersprüchliche Beziehung zwischen Empirie und Tradition wurde an dem Beispiel des chinesischen Kalenders aufmerksam gemacht. Ein brauchbarer luni-solarer Kalender lasse sich bis ins zweite Jahrtausend vor Christus zurückverfolgen. Später besitze jede Dynastie ihren eigenen, um eine Phase gegen den astronomischen versetzten Kalender. Der Hsia-Kalender, den man schließlich, obschon er schlechter ist als der rein astronomische, zum einzig richtigen und klassischen proklamierte, sei von der Han-Zeit an gültig geblieben, obgleich man regional mit fünfzig Abweichungen rechne (Hartner). Änderungen im Kalenderwesen, so wurde erläutert, hätten oft politische Gründe gehabt; nur so lasse es sich erklären, daß z. B. der Kalender um Christi Geburt bedeutend präziser war als der hundert Jahre später aufgestellte. Einen neuen Kalender zu entwerfen, galt jeder Dynastie als Ehrensache (Eberhard). Reformen anhand empirischer Beobachtungen wurden erst in der Mongolenzeit vorgenommen. Als die ersten Jesuiten ankamen, sei das Kalenderwesen so weit verfallen gewesen, daß nur mit ihrer Hilfe eine Neuregelung möglich war (Hartner).

Es wurde die Tatsache erwähnt, daß die Inder noch heute ihre Horoskope nicht nach dem derzeitigen Planetenstand errechnen, sondern nach einem, den sie uralten Kalendern entnehmen (Weil). Das wurde bestätigt sowohl für China als auch für Europa, wo sich z. B. für ein Renaissance-Horoskop nachweisen läßt, daß ihm die Stöfflerschen Ephemeriden (1499) zugrunde liegen. In China sei aber neben der Bequemlichkeit noch Autoritätsgläubigkeit das Motiv. Man habe es für undenkbar gehalten, daß das *Kuo Shou-ching* etwas Fehlerhaftes enthalten könne (Hartner).

In der Naturphilosophie habe sich die traditionelle Lehre von den Elementen und Yin-Yang trotz gelegentlicher Umdeutungen in der Medizin durch die gesamte chinesische Geschichte hindurch gehalten. Noch im 16. und 17. Jahrhundert habe man z. B. ein bestimmtes Organ auf Grund überlieferter Theorien einfach postuliert, das *San Chiao*. Erst um 1800 wurden gelegentlich einer Hungersnot Leichen untersucht, und das Fehlen dieses Organs wurde festgestellt (Hartner). Als Parallele wurde die Embryologie des Galen (129–199 n. Chr.), die bis ins 18. Jahrhundert in Europa Geltung besaß, erwähnt (Eberhard).

Abschließend wurde die Frage aufgeworfen, ob nicht in der Naturwissenschaft nur das induktive Verfahren entwicklungsfähig sei und ob nicht der Niedergang jeder einzelnen Wissenschaft mit dem Festhalten an deduktiven Methoden und dem Beharren auf weltanschaulichen Grundschemata verknüpft sei. So habe es im Westen jahrhundertelanger, etwa bei Roger Bacon (ca. 1219–1294) einsetzender, Anstrengungen bedurft, um diese Hindernisse zu überwinden (Hartner). Eine Untersuchung der chinesischen Skeptiker, angefangen bei Wang Ch'ung (27–ca. 100 n. Chr.), wurde in diesem Zusammenhang für aussichtsreich erklärt; es scheine allerdings, als blieben die Skeptiker bei ihrer Skepsis stehen, ohne neue Lösungen zu entwickeln (Eberhard). Als Parallelerscheinung wurde Ḥasdai Crescas (ca. 1340–ca. 1411) angeführt, der zwar schärfste Kritik an Aristoteles, aber keine darüber hinaus führenden positiven Gedanken entwickelt (Hartner). Das Verfahren der chinesischen Gelehrten sei insofern verständlich, als sie mit dem Aufstellen eines neuen Systems, in dem sofort ein politisches Bekenntnis gesehen worden wäre, sich ohne Zweifel Verfolgungen ausgesetzt hätten (Eberhard). Dies wurde zugegeben, jedoch noch einmal nachdrücklich festgestellt, daß im Nichtanwenden der induktiven Methode der Niedergang der Wissenschaft beschlossen liege (Hartner).

REGISTER

ʿAbbās Iqbāl 120, 155
Abbasiden 25, 124, 133, 147, 152, 154
Abbot, F. 29
ʿAbd al-Malik b. Marwān 11
ʿAbdarraḥmān al-Bazzāz 11
ʿAbd ar-Raḥmān ad-Dāḫil 11
ʿAbd ar-Raḥmān al-Kawākibī 28
ʿAbdulḫāliq-i Ġuǧduwānī 165
Abū Bakr 26, 27
Abū l-ʿAtāhiya 132
Abū ʾl-Fatḥ al-Bustī 9
Abū ʾl-Ḫayr at-Tīnātī 160 f.
Abū Kāmil 99
Abū Nuʿaym 170
Abū Nuwās 132
Abū Saʿīd b. Abī ʾl-Ḫayr 145, 150, 176 f.
Abu Simbel 209
Abū Ṭālib al-Makkī 150
Abū Tammām 120
Abū ʿUbaid al-Qāsim b. Sallām 23
Abū ʿUbaida 130
Abū Yaʿqūb Yūsuf-i Hamadānī 165, 169, 173
Abū Yazīd al-Bisṭāmī 150
Achämeniden 152
äthiopisch 199, 208, 211
ahl al-ḥadīṯ 133
ahl-i ṣuffa 146
Aḥmad al-Ġazzālī 146
Aḥmad al-Ḥawārī 178
Aḥmad-i Sirhindī 149
Aḥmad Yasawī 169
Akademie 250, 251, 252, 255
Akademiker 251, 253, 255, 256
Akkadisch 190, 192, 195, 196, 200, 204
Albumasar 80
Alexander von Aphrodisias 83
Alexandria 83, 118
Alföldi, Andreas 41
Alfons 100
ʿAlī 27
ʿAlīden 127
Alkmaion von Kroton 93
Almagest 83, 89
Altheim, Franz 107
ʿamal 127
Amarna-Zeit 199, 216
Amateur 252, 253, 256
Ambrosius 89
Amenemope 210
ʿāmma 133
ʿAmmār al-Bidlīsī 175
Amoriter 52, 204
Amun 210, 215
Anderle, Othmar 152
Anṣārī-i Harawī 145
Antike 21, 64, 71, 81, 112, 118, 123, 129, 139
Appleton, W. W. 24, 37
Apollonius 81, 84
Apuleius 117
ʿaql 138
Ara Pacis 41, 192
Archäologie 67, 122, 210
Archaismus 48, 49, 50, 51, 54, 60, 69, 196, 210, 211, 212, 213, 214 f.
Ardā Wīrāf 157
Ardabīl 171
Aristarch 81, 82, 100
Aristoteles 79, 81, 82, 83, 84 f., 86, 89, 90, 95, 100, 206, 263
Asianismus 39
Asín Palacios 128
Askese 122, 124, 125, 128, 141, 178
Assurbanipal 196, 197
Assyrer 11, 53, 62, 189, 194, 197 f.
Astrologie 58
Athanasius 114
Athos 24, 115
Aton 199, 200, 201, 215, 216
ʿAṭṭār 135, 137, 140, 145, 177
Atticismus 39
Aubin, Jean 149, 163, 172, 173